Sherrilyn Kenyon

Fille unique au sein d'une fratrie de huit garçons, elle aime à dire que l'humour a été son rempart contre l'hégémonie masculine. Passionnée d'écriture, elle publie sous son propre nom et sous le pseudonyme de Kinley MacGregor des romances historiques. De renommée internationale, elle a été récompensée à de nombreuses reprises et ses livres ont été publiés à plus de vingt millions d'exemplaires. Chaque année, Sherrilyn tient un salon à La Nouvelle-Orléans à l'occasion duquel des fans du monde entier se réunissent. Elle est l'un des plus grands auteurs contemporains de paranormal. Sa série culte *Le cercle des Immortels* et le monde onirique qu'elle a créé ont marqué un tournant dans le genre.

Infinité

Du même auteur
aux Éditions J'ai lu

LE CERCLE DES IMMORTELS

Dark-Hunters

1 – L'homme maudit *(N° 7687)*

2 – Les démons de Kyrian *(N° 7821)*

3 – La fille du Shaman *(N° 7893)*

4 – Le loup blanc *(N° 7979)*

5 – La descendante d'Apollon *(N° 8154)*

6 – Jeux nocturnes *(N° 8394)*

7 – Prédatrice de la nuit *(N° 8457)*

8 – Péchés nocturnes *(N° 8503)*

9 – L'homme-tigre *(N° 8534)*

10 – Lune noire *(N° 9216)*

11 – Le dieu déchu *(N° 9828)*

12 – Acheron *(Semi-poche)*

13 – Le silence des ténèbres *(N° 10132)*

14 – L'astre des ténèbres *(N° 9827)*

Dream-Hunters

1 – Les chasseurs de rêves *(N° 9278)*

2 – Au-delà de la nuit *(N° 9890)*

3 – Le traqueur de rêves *(N° 9834)*

4 – Le prédateur de rêves *(N° 10011)*

SHERRILYN KENYON

LES CHRONIQUES DE NICK – 1

Infinité

Traduit de l'anglais (États-Unis) par Dany Osborne

Titre original
INFINITY

Éditeur original
Publié par St. Martin's Press

À tous les fans qui suivent Le cercle des Immortels *depuis le début : merci pour votre soutien, vos rires et votre empressement à lire chaque nouvelle parution. À Monique, si énergique, qui a tant fait pour qu'existent ces livres, la série* Le cercle des Immortels *comme le manga. À mes amis, qui veillent sur ma santé mentale, Kim en particulier, qui se jette sur les épreuves dès leur sortie de l'imprimerie et les soumet à notre comité de lecture d'ados cool afin d'obtenir leur aval.*

À mon mari toujours aussi merveilleux, pour tous les dîners qu'il a préparés (bon, d'accord, cette remarque mérite d'être nuancée) pendant que je travaillais d'arrache-pied. Et, par-dessus tout, à mes fils : ils ont été ma source d'inspiration, particulièrement Madaug, à qui j'ai emprunté cette réflexion d'ouverture : « Socialement, je suis une grosse tache. » Il m'a gentiment autorisée à donner son nom à l'un des personnages. À Ian, qui voulait poignarder un zombie avec un crayon. Je vous aime tous et me réjouis chaque jour que vous fassiez partie de ma vie.

Enfin, à Casey Woods, qui concourait pour devenir l'un des personnages du livre et a remporté la victoire. Nous entendrons bien davantage parler de toi dans le deuxième tome.

Remerciements

Dans la mesure où je suis, et ai toujours été, une grande fan des zombies, je tiens à remercier deux êtres très spéciaux dont j'ai pillé le cerveau lors de l'écriture de ce livre.

À Evyl Ed, mon expert *ès* zombies et adepte comme moi des films d'horreur, qui a accepté de se glisser dans la peau de Bubba, toute ma gratitude pour ses précieux avis et ses commentaires enthousiastes.

À mon exorciste préférée, Mama Lisa, qui mène le bon combat jour après jour et comprend la démonologie comme peu de gens en sont capables.

Merci à tous les deux.

Prologue

Le libre arbitre.

D'aucuns le considèrent comme le plus précieux cadeau de l'humanité. Il représente notre capacité à contrôler les événements qui nous affectent. Nous sommes les maîtres de notre sort, et nul ne peut l'infléchir sans notre accord.

D'autres disent que ce n'est que de la foutaise, que notre destin est écrit et que, quoi que nous fassions, si farouchement que nous le combattions, nous ne pouvons rien y changer : il nous arrive inéluctablement ce qui doit nous arriver. Nous ne sommes que des pions entre les mains d'un pouvoir supérieur que nos pauvres cerveaux d'humains ne comprennent ni ne cernent.

Mon meilleur pote, Acheron, m'a un jour expliqué les choses ainsi : le destin est comme un train qui suivrait une voie connue de son seul conducteur. À un passage à niveau, nous pouvons choisir d'arrêter notre voiture et de laisser passer le train, ou bien de la précipiter contre la locomotive et d'essayer de la faire dérailler.

Ce choix, c'est le libre arbitre.

Si nous avançons, la voiture risque de caler sur la voie ferrée. Là, nous pouvons choisir de la faire redémarrer ou bien d'attendre que le train nous écrase. Nous pouvons encore ouvrir la portière et filer en courant au lieu de finir sous la locomotive. Mais si nous décidons de fuir, il est possible que notre pied se coince entre les rails, ou que nous glissions et tombions…

Nous pouvons aussi nous dire : « Je ne suis pas idiot au point de me battre contre un train », reculer sagement et attendre. Et c'est là qu'un camion nous rentre dedans par-derrière et nous expédie droit sous les roues du train.

Si notre destin est d'être écrasé par le train, cela arrivera. La seule chose qu'il soit en notre pouvoir de changer, c'est la façon dont le train nous transformera en hamburger.

Personnellement, je ne crois pas à ces bobards. J'affirme que moi, et moi seul, contrôle ma destinée et ma vie. Rien d'autre.

Je suis devenu tel que je suis à cause des agissements et des secrets d'une créature. Si les choses avaient été faites différemment, ma vie aurait été une autre sorte d'*enchilada*. Je ne serais pas là où j'en suis aujourd'hui, et j'aurais une existence autrement plaisante que le cauchemar qu'elle est devenue.

Mais, alors que je gardais jalousement ses secrets, mon meilleur ami m'a trahi et expédié droit dans le monde de ténèbres qui est désormais le mien. Nos destinées sont imbriquées l'une dans l'autre à cause d'un effroyable événement qui s'est produit quand j'étais gosse, et je maudis le jour où j'ai appelé Acheron Parthenopaeus mon ami.

Je suis Nick Gautier.

Et ceci est ma vie, et ce qu'elle aurait dû être.

1

— Socialement, je suis une grosse tache.

— Nicholas Ambrosius Gautier, surveille ton langage !

Le ton sévère de sa mère arracha un soupir à Nick. Il se tenait dans leur cuisine exiguë et considérait sa chemise hawaïenne orange vif. La couleur et le style étaient déjà nuls, mais en plus, une énorme truite rose, gris et blanc – ou un saumon, allez savoir… – était imprimée sur le devant.

— M'man, je ne peux pas porter ça à l'école. C'est…

Il chercha un adjectif assez fort pour décrire la chose et qui ne lui valût pas une sanction carabinée.

— … hideux. Si on me voit là-dedans, je serai relégué dans le coin des losers, à la cafétéria.

— Oh, arrête, Nick. Elle est bien, cette chemise. Chez *Goodwill*, Wanda m'a dit qu'elle venait d'une de ces belles maisons de Garden District. Elle appartenait au fils d'une famille nantie, et comme je t'élève pour que tu réussisses…

— Je préférerais devenir un délinquant et qu'on me foute la paix.

La mère de Nick lâcha un grognement d'irritation tout en retournant la tranche de bacon qu'elle faisait griller.

— Personne ne va s'en prendre à toi, Nicky. L'école est très stricte en ce qui concerne les brimades entre élèves.

Mais bien sûr… Un article du règlement qui ne valait pas le papier sur lequel il était écrit. Sans compter que les brutes qui le harcelaient étaient de sombres débiles incapables de déchiffrer deux lignes.

Bon sang, pourquoi sa mère refusait-elle de l'écouter ? C'était quand même lui qui était obligé de traverser chaque jour le champ de mines du lycée. Et il en avait marre.

Marre d'être impuissant.

Il n'était qu'un loser, un ringard, et personne dans cette foutue école ne lui permettait de l'oublier une seconde. Ni les profs, ni le principal, ni les autres élèves. Pourquoi ne pouvait-il pas faire un bond dans l'avenir et court-circuiter tout ce cauchemar de bahut ?

Parce que sa mère ne l'y autoriserait pas ! Seuls les voyous quittaient l'école, et M'man ne s'échinait pas au boulot pour qu'il devienne une épave de plus : elle le lui avait tellement répété que ça s'était gravé dans son cerveau. En plus de : « Sois un bon garçon, Nicky. Il faut que tu aies ton diplôme, un bon job, que tu épouses une brave fille, que tu me donnes plein de petits-enfants et que tu ailles toujours à l'église le dimanche. »

Sa mère avait déjà écrit son avenir, et aucun écart ni manquement au programme ne serait toléré.

Cela l'agaçait, mais ne changeait rien au fait qu'il aimait sa mère et appréciait tout ce qu'elle faisait pour lui. À l'exception de ce mantra : « Tu m'obéis, Nicky. Je ne t'écoute pas parce que je sais mieux que toi ce qui est bien. »

Il n'était ni un imbécile ni un fauteur de troubles. Sa mère n'imaginait pas ce qu'il endurait au lycée, et chaque fois qu'il tentait de le lui expliquer, elle refusait de l'écouter. C'était tellement frustrant !

Si seulement il avait pu attraper la peste ou une autre saloperie, un truc qui aurait duré les quatre ans qui le séparaient encore du diplôme. Ensuite, il aurait commencé une vie dépourvue de permanentes humiliations. Après tout, la peste avait tué des millions de gens autrefois. Était-ce trop demander qu'un virus mutant le frappe et le mette hors circuit pendant quelques années ? Peut-être un bel accès de parvovirose…

Mais il n'était pas un chien.

Un chien ne serait pas mort de honte en portant cette chemise.

Il soupira. À quoi bon se mettre en colère ? se demanda-t-il en regardant l'horrible chemise qu'il aurait tant aimé jeter au feu. Bon, d'accord. Il ferait ce qu'il faisait toujours quand sa mère lui imposait le look d'un abruti fini : il assumerait. Il y arriverait, il avait connu pire. Que la bande de fumiers à l'école rigole tout son soûl. Il ne pouvait pas les en empêcher. Même s'il ne portait pas cette foutue chemise, ils trouveraient autre chose pour se payer sa tête. Ses chaussures, sa coupe de cheveux, son nom. Nick-on-te-nique ou Nicholas-qu'en-a-pas… Quoi qu'il fasse ou dise, il serait leur tête de Turc. Autant se résigner : il y avait des gens comme ça, qui ne pouvaient vivre qu'en faisant du mal aux autres.

Sa tante Menyara disait toujours que personne ne pouvait le rabaisser s'il ne le permettait pas. Le problème, c'était qu'il le permettait beaucoup trop.

Sa mère posa une assiette bleue ébréchée sur le bord du fourneau rouillé.

— Assieds-toi, bébé, et mange quelque chose. J'ai lu dans un magazine qu'un client avait laissé au bar que les enfants qui prennent un bon petit déjeuner ont de meilleures notes à l'école que ceux qui vont en cours le ventre vide.

Elle lui montra en souriant le paquet de bacon.

— Tu as vu ? Cette fois, il n'est pas périmé.

Il rit. Pourtant, ce n'était pas drôle. L'un des clients du bar où travaillait sa mère était un épicier qui lui apportait souvent de la viande ou de la charcuterie dont la date de péremption était passée – de la marchandise qu'il aurait de toute façon jetée.

« Si on le mange tout de suite, ça ne nous rendra pas malades. »

Encore une litanie qu'il détestait.

Il prit la tranche de bacon frit et balaya du regard le minuscule appartement qu'ils appelaient leur foyer. Une vieille bâtisse avait été scindée en quatre logements comprenant chacun trois petites pièces : une cuisine-salle de séjour, une chambre, une salle d'eau. C'était bien peu, mais sa mère en était fière, donc il s'efforçait de l'être aussi – sans succès, la plupart du temps.

Il fit la grimace quand il posa les yeux sur le coin de la pièce que sa mère avait isolé en tendant des rideaux, lors de son dernier anniversaire, pour qu'il ait un peu d'intimité. Ses vêtements étaient rangés dans un vieux panier à linge posé par terre, à côté du matelas aux draps *Star Wars* qu'il avait depuis l'âge de neuf ans, un cadeau de sa mère, trouvé dans un vide-greniers.

— Un jour, M'man, je nous achèterai une belle maison.

Pleine de belles choses.

Sa mère lui sourit, mais ses yeux disaient clairement qu'elle n'en croyait rien.

— Je sais que tu le feras, bébé. Maintenant, mange et file à l'école. Je ne veux pas que tu finisses sans diplôme comme moi.

Elle s'interrompit, et il vit une ombre de souffrance passer sur son visage.

— Tu vois bien où ça mène.

La culpabilité lui serra le cœur. C'était à cause de lui que sa mère avait quitté l'école. Dès que ses parents avaient su qu'elle était enceinte, ils lui avaient mis le marché en main : soit elle abandonnait le bébé, soit elle partait et renonçait au confort de leur foyer, aux études, à sa famille. Il ne comprenait pas pourquoi elle l'avait choisi, *lui*.

Jamais il n'oublierait qu'elle avait fait ce choix, et il se promettait qu'un jour il lui rembourserait au centuple son sacrifice. Elle le méritait bien.

Pour lui faire plaisir, il allait porter cette chemise infâme, même si cela lui valait une raclée mémorable au lycée. Il garderait le sourire sous les coups les plus douloureux que Stone et sa bande lui infligeraient.

Dans l'immédiat, mieux valait ne pas penser à ce qui l'attendait. Il mangea son bacon en silence. Peut-être Stone serait-il absent aujourd'hui, cloué au lit par la malaria, la peste, la rage ou autre chose… La vérole, par exemple.

Cette idée le réjouit. Il avala une cuillerée d'omelette à la poudre d'œufs et s'efforça de ne pas frissonner de dégoût. Ils pouvaient s'acheter des œufs en poudre. Pas des vrais.

Un coup d'œil à l'horloge murale le fit sursauter.

— Faut que j'y aille, M'man. Je vais être en retard.

Sa mère le prit dans ses bras et le serra furieusement contre elle.

— Hé, arrête de me harceler sexuellement ! s'écria-t-il en riant.

Elle lui donna une tape sur les fesses avant de le lâcher. Il ramassa son sac à dos, le remonta sur ses épaules, et sa mère en profita pour lui ébouriffer gentiment les cheveux. Puis il ouvrit la porte à la volée, dévala les quelques marches du porche délabré et partit en courant dans la rue, où il longea des épaves de voitures, des poubelles, jusqu'à l'arrêt du tramway, priant pour qu'il ne soit pas déjà passé. Parce que s'il l'avait manqué, il aurait droit au sempiternel « Nick, mais que va-t-on faire de toi, fichu petit Blanc ? » de M. Peters.

Le vieux bonhomme le détestait : que Nick Gautier soit un élève de son école super classieuse le rendait dingue. Il cherchait par tous les moyens à l'en expulser, afin que Nick ne puisse corrompre les enfants de bonne famille.

La façon dont les gens « honorables » le regardaient écœurait Nick. Pour eux, il n'était rien. Et dire que la moitié des pères si respectables de ses camarades étaient des clients réguliers du club où travaillait sa mère ! Pourtant, ils étaient considérés comme des gens bien, et sa mère et lui comme de la crotte. Une telle hypocrisie le révulsait. Mais qu'y faire ? Il n'était pas en son pouvoir d'agir sur les idées de quiconque. Seulement sur les siennes.

Le tram venait de s'arrêter ! Oh, merde. Vite.

Il piqua un sprint et réussit à sauter sur le marchepied au moment où le tram redémarrait. Ouf. *In extremis*.

Essoufflé, et en sueur à cause de l'humidité qui régnait à La Nouvelle-Orléans en automne, il enleva son sac à dos et salua le conducteur.

— 'jour, monsieur Clemmons.

Le Noir entre deux âges lui sourit. C'était l'un des conducteurs préférés de Nick.

— 'jour, m'sieur Gochay.

Il prononçait toujours mal le nom de Nick, « Gochay » au lieu de « Gautier ». Traditionnellement, ce patronyme s'écrivait avec un *h* après le *t*, mais comme le disait M'man, ils étaient trop pauvres pour avoir une lettre en plus. L'un des parents de M'man, Fernando Upton Gautier, avait fondé la petite ville du Mississippi qui portait son nom, et là aussi la prononciation correcte était « Gautier ».

— Ta maman t'a encore mis en retard ?

— Eh oui.

Nick sortit une pièce de sa poche, paya et alla s'asseoir, soulagé : il n'avait pas manqué son tram.

Le problème, c'était qu'en arrivant au lycée, il était encore en sueur – le charme de vivre dans une ville où, en octobre, il pouvait faire plus de 30 °C à 8 heures du matin… Il commençait à en avoir assez de cette vague de chaleur qui ne refluait pas.

Il se réconforta en se disant qu'au moins, ce matin, il n'était pas en retard.

Les moqueries pouvaient commencer à pleuvoir…

Il lissa ses cheveux, essuya son visage moite et cala son sac à dos sur son épaule gauche. Puis, la tête haute, il traversa la cour et franchit la porte d'un pas martial, prêt à affronter les quolibets.

— Waouh, c'est dégueu ! Il dégouline ! Il n'a pas les moyens de s'acheter une serviette ? Les pauvres ne prennent pas de bain ?

— On dirait qu'il est allé pêcher dans le lac Pontchartrain et qu'il a remonté cette chemise merdique au lieu d'un vrai poisson !

— C'est qu'il n'a pas pu voir autre chose. Ce truc doit scintiller dans le noir !

— Je parie qu'il y a un clodo quelque part qui se demande qui lui a fauché ses frusques pendant qu'il pionçait sur un banc. Et ses pompes ? Vous avez vu ses pompes ? Mon père en portait des comme ça dans les années 1980 !

Nick s'obligea à rester sourd et se concentra sur l'idée qu'ils étaient tous idiots. Ces types n'étudiaient là que parce que leurs parents étaient pleins aux as. Lui était boursier. Eux n'auraient probablement même pas été capables d'épeler leur nom lors de l'examen de sélection. Et c'était cela qui comptait le plus. Mieux valait avoir de la cervelle que de l'argent.

Sauf qu'en ce moment, le plus important, c'eût été d'avoir un lance-roquettes. Un truc à ne pas dire à haute voix, sous peine de voir les flics rappliquer dare-dare.

Mais son courage vacilla quand il arriva devant son casier : Stone et sa bande l'y attendaient de pied ferme. Super. Ils n'avaient vraiment personne d'autre à emmerder ?

Stone Blakemoor était le genre de saligaud qui valait leur mauvaise réputation aux sportifs. Néanmoins, ils n'étaient pas tous comme ça. Nick avait plusieurs amis dans l'équipe de football. Des joueurs de première ligne, pas des chauffeurs de siège comme Stone. Mais quand on pensait « sportif abruti et arrogant », le nom de Stone venait tout de suite à l'esprit.

Nick l'entendit renifler avec dédain quand il s'arrêta devant le groupe pour ouvrir son casier.

— Hé, Gautier ! J'ai vu ta mère à poil, hier soir. Elle agitait son cul sous le nez de mon père pour qu'il glisse un dollar dans l'élastique de son string. Il l'a un peu tripotée, et il a dit qu'elle avait une belle paire de…

Sans prendre le temps de la réflexion, Nick le frappa de toutes ses forces à la tête avec son sac à dos.

Et l'enfer se déclencha.

— Battez-vous ! cria quelqu'un pendant que Nick, qui avait coincé la tête de Stone dans une clé de bras, lui tapait dessus.

Toute une foule s'agglutina autour d'eux et entonna en cadence :

— Battez-vous ! Battez-vous !

Stone réussit à échapper à la prise de Nick et à le frapper au plexus. Le souffle coupé, celui-ci se plia en deux. Ce fumier était plus fort qu'il n'y paraissait, et il cognait comme un marteau-piqueur !

Furieux, Nick revint à l'assaut et se retrouva face à une professeur qui s'était interposée.

Mme Pantall.

La vue de sa petite silhouette le calma instantanément. Il n'allait pas taper sur une personne innocente, et surtout pas une femme. Les yeux plissés, elle montra le hall de l'index.

— Chez le proviseur, Gautier ! Tout de suite !

Jurant à voix basse, Nick récupéra son sac à dos et jeta un regard mauvais à Stone, qui arborait une lèvre tuméfiée.

Au temps pour sa décision de ne pas avoir d'ennuis. Mais qu'était-il censé faire ? Laisser cette merde insulter sa mère ?

Dégoûté, il alla s'asseoir dans la salle d'attente du principal.

— Excuse-moi…

Nick leva les yeux. Jamais il n'avait entendu voix plus douce, plus veloutée. Il resta bouche bée : devant lui se tenait une fille presque irréelle tant elle était belle. Cheveux bruns soyeux, yeux verts lumineux…

Ô Seigneur !

Il voulut parler et s'en découvrit incapable. Il était en extase.

Elle lui tendit la main.

— Je suis Nekoda Kennedy, mais la plupart des gens m'appellent Kody. Je suis nouvelle ici, et ça me rend un peu nerveuse. Ils m'ont dit d'attendre, puis il y a eu une bagarre quelque part et ils ne sont pas revenus et… Oh, je suis désolée… Quand je suis stressée, je parle, je parle…

— Nick. Nick Gautier.

Il se sentait gauche et stupide. Cette fille était un ange, la perfection incarnée. Il était amoureux !

« Ressaisis-toi, Nick », s'ordonna-t-il.

— Cela fait longtemps que tu es ici ? demanda l'ange.

Il prit une profonde inspiration et réussit à délier sa langue.

— Trois ans.

— Et tu t'y plais ?

Nick jeta un coup d'œil vers Stone et ses acolytes, qui approchaient.

— Pas aujourd'hui.

Elle s'apprêtait à répondre quand Stone et les autres les entourèrent.

— Salut, bébé, dit Stone avec un sourire mielleux. T'es nouvelle ?

Kody grimaça et fit un pas de côté.

— Écartez-vous de moi, les animaux. Vous puez.

Puis elle détailla Stone avec dégoût.

— Tu n'es pas un peu vieux pour laisser ta mère choisir ce que tu portes ? Elle va à *Children's Place* ou quoi ? Je suis sûre qu'il doit y avoir un petit au cours élémentaire qui se demande qui a acheté le dernier exemplaire de cette jolie marinière dernier cri.

Nick se retint d'éclater de rire. Cette fille lui plaisait vraiment beaucoup.

Elle vint près de lui, s'adossa au mur afin de ne pas perdre Stone de vue et dit à Nick :

— Désolée qu'on ait été interrompus.

Stone fit un bruit de régurgitation.

— Pourquoi tu parles au roi des losers ? Et à propos de fringues moches, t'as vu les siennes ?

Nick se crispa quand Kody examina sa chemise.

— J'aime qu'un mec prenne des risques, côté mode. C'est la marque de quelqu'un qui vit selon ses propres codes. D'un rebelle.

Elle jeta un regard acerbe à Stone et ajouta :

— Un vrai loup solitaire est sacrément plus sexy que celui qui se fond dans la meute, suit les ordres des autres et n'a pas d'opinion propre.

— Ooooh… lancèrent à l'unisson les amis de Stone, incrédules : leur leader venait de se faire descendre en flammes.

— La ferme ! leur beugla-t-il. Personne ne vous a demandé votre avis.

— Nekoda ? appela la secrétaire. Il faut qu'on finisse d'établir votre emploi du temps.

Kody adressa à Nick un dernier sourire.

— Je suis en troisième.

— Moi aussi.

— Super. J'espère qu'on aura quelques cours ensemble. Contente de te connaître, Nick.

Elle veilla à marcher sur le pied de Stone en passant devant lui. Il poussa un petit cri qui s'acheva sur une insulte puis, avec ses trois amis, s'assit sur les sièges placés face à celui qu'occupait Nick.

Mme Pantall alla s'entretenir avec M. Peters, et Nick songea qu'il allait passer un mauvais quart d'heure.

Stone lui lança une boulette de papier.

— Alors ? Où t'as trouvé cette chemise, Gautier ? À l'Armée du salut ou dans une poubelle ? Naaan... Je parie que tu l'as fauchée à un SDF. Même un truc aussi moche, tu ne peux pas te le payer.

Nick s'interdit de mordre à l'hameçon. Il était tout à fait capable d'encaisser lorsque les piques le visaient directement. En revanche, quand on s'en prenait à sa mère, il était nettement moins conciliant. Il perdait carrément son sang-froid.

Ce venimeux échange à propos des vêtements expliquait que la plupart des écoles privées exigent que leurs élèves portent un uniforme. Mais Stone s'y refusait, et dans la mesure où son père était quasiment propriétaire de l'établissement...

Nick était donc condamné à porter des vêtements qui, quoique sa mère les trouve convenables, provoquaient les moqueries. Une fois encore, il se prit à regretter qu'elle ne l'écoute jamais.

— Eh bien, Gautier ? Pas de brillante réplique ?

Nick lui renvoya la boulette de papier au moment où Peters sortait de son bureau.

Décidément, la chance n'était pas de son côté aujourd'hui.

— Gautier, entre immédiatement ! tonna Peters.

Nick se leva en soupirant et pénétra dans le bureau qu'il connaissait aussi bien que son propre appartement. Tandis que Peters échangeait quelques mots avec Stone, Nick s'assit et riva les yeux sur les photos de la femme et des enfants de Peters. Le directeur avait une belle maison, avec un jardin. Sur l'un des clichés, ses filles jouaient avec un petit chien blanc.

Quel effet cela pouvait-il faire de vivre ainsi ? Il rêvait d'un chien depuis toujours, mais dans la mesure où sa mère et lui avaient déjà du mal à se payer à manger, il n'était pas envisageable d'avoir une bouche de plus à nourrir. De surcroît, leur propriétaire serait tombé raide mort d'effroi s'ils avaient introduit un chien dans l'immeuble – même si le bâtiment était déjà si dégradé que Nick ne voyait pas quels dégâts supplémentaires un chien pourrait causer.

Peters revint dans son bureau. Sans mot dire, il décrocha le téléphone.

— Qu'est-ce que vous faites ? lui demanda Nick, affolé.

— J'appelle ta mère.

La panique gagna Nick.

— Je vous en prie, monsieur Peters, non ! Elle a travaillé toute la nuit et elle va faire pareil ce soir ! Elle ne dormira que quatre heures aujourd'hui, et je ne veux pas qu'elle se fasse de souci !

Sans compter qu'elle ne manquerait pas de lui botter les fesses…

Sourd à sa prière, Peters composa le numéro sur le clavier. Nick serra les dents, fou d'angoisse et de colère.

— Mademoiselle Gautier ?

L'intonation de Peters dégoulinait de mépris. Son « mademoiselle » aussi. Le vieux salaud tenait à ce que nul n'oublie que Cherise Gautier n'avait jamais été mariée.

— Je tenais à vous informer, poursuivit Peters, que Nick est exclu de l'école jusqu'à la fin de la semaine.

Bon sang. Sa mère allait le tuer. Il aurait mieux valu que Peters l'abatte sur place et mette ainsi un terme à ses malheurs.

— Il s'est de nouveau battu, continua Peters, et j'en ai assez qu'il agresse sans raison de respectables garçons chaque fois que l'envie lui en prend. Il faut qu'il apprenne à se maîtriser. Je vous avoue être tenté d'appeler la police. Selon moi, votre fils devrait être envoyé dans une école publique, où l'on sait gérer les enfants à problèmes comme lui. Je vous l'ai déjà dit et je vous le répète : il n'a pas sa place ici.

Nick avait la nausée. « Les enfants à problèmes comme lui... »

Il s'évada mentalement afin de ne plus entendre les affreuses paroles de Peters, qui le décrivait comme un bon à rien. Il le savait déjà. Il n'avait pas besoin d'entendre quelqu'un l'exprimer à haute voix.

Quelques minutes plus tard, Peters raccrocha.

— Ce n'est pas moi qui ai commencé, déclara Nick.

— Ce n'est pas ce que disent les autres. Qui suis-je censé croire, Gautier ? Un voyou de ton espèce ou quatre honorables élèves ?

Peters était censé croire celui qui disait la vérité, en l'occurrence le voyou !

— Il a insulté ma mère.

— Ce n'est pas une excuse pour se montrer violent.

Quel porc bouffi de suffisance ! Pas question de laisser passer ça.

— Vraiment, monsieur Peters ? Alors, sachez que j'ai vu votre mère nue hier soir. Eh bien, pour une vieille poule, elle a vraiment de chouettes...

— Comment oses-tu ? hurla Peters en attrapant Nick par le col de sa chemise.

— Monsieur Peters, je croyais que le fait qu'on insulte votre mère n'était pas une excuse pour être violent.

Tremblant de rage, des plaques rouges sur le visage, une veine palpitant furieusement sur la tempe, Peters resserra son étreinte.

— Ma mère n'est pas une effeuilleuse de Bourbon Street. C'est une femme bonne et pieuse.

Il repoussa brutalement Nick.

— Prends tes affaires et va-t'en.

Une femme pieuse, vraiment ? Curieux. Nick et sa mère allaient à l'église deux fois par semaine, et les seules fois où ils y avaient vu Peters ou sa mère, c'était durant les vacances. Foutu hypocrite. Il haïssait les gens comme Peters.

Il ramassa son sac à dos et sortit du bureau. Un agent de la sécurité l'attendait devant la porte pour l'escorter jusqu'à son casier. Exactement comme s'il avait été un criminel.

Bon. Autant s'y habituer. Certaines choses étaient dans les gènes.

Au moins, il n'était pas menotté – pour le moment.

La tête basse, il passa au milieu des élèves qui ricanaient et commentaient la scène à mi-voix.

— Voilà ce qui arrive quand on sort du caniveau.

— Il le méritait bien.

— J'espère qu'ils ne le laisseront pas revenir.

Les mâchoires crispées à en avoir mal, Nick arriva devant son casier et saisit le cadenas à combinaison.

Brynna Addams était en train de sortir ses livres de son propre casier. Grande, les cheveux châtain foncé, elle était ravissante et faisait partie des rares personnes de l'entourage de Stone que Nick pouvait supporter. Elle le regarda, fronça les sourcils, et sa mine s'assombrit encore quand elle vit le garde.

— Nick, que se passe-t-il ?

— Je suis renvoyé.

Il ravala sa fierté et ajouta :

— Je peux te demander une faveur ?

— Bien sûr, répondit-elle sans hésiter.

— Pourrais-tu me faire passer les cours, histoire que je ne sois pas largué ?

— Pas de problème. Tu veux que je te les envoie par e-mail ?

Seigneur... Et dire qu'il n'avait pas imaginé pouvoir se sentir encore plus mal.

— Je n'ai pas d'ordinateur à la maison, marmonna-t-il.

— Oh... désolée. Alors... euh... où faut-il que je te les apporte ?

Dieu merci, Brynna était sympa. Pas comme la bande de déchets qu'elle fréquentait.

— Je passerai chez toi les prendre après l'école.

Elle inscrivit son adresse sur un bout de papier.

— Je serai à la maison vers 16 heures.

— Merci, Brynna. J'apprécie vraiment.

Il fourra le papier dans sa poche, puis laissa le garde le ramener à la porte du lycée.

Malade à l'idée de devoir affronter sa mère, il rentra chez lui dans le ghetto en ralentissant à chaque pas qui le rapprochait de sa porte.

Sa mère l'attendait dans leur petit appartement miteux, une expression sinistre sur le visage. En robe de chambre rose, elle semblait épuisée et en colère comme jamais.

— Tu devrais être au lit, M'man, dit-il en posant son sac par terre.

Devant son regard déçu, il se sentit encore plus minable que face à Peters.

— Comment pourrais-je dormir alors que mon fils a été expulsé de l'école pour s'être battu ? Tu sais mieux que n'importe qui quel mal je me donne pour te faire suivre ta scolarité dans cet établissement. Combien d'argent cela coûte, malgré la bourse. Pourquoi es-tu idiot au point de fiche en l'air cette chance ? Mais à quoi pensais-tu donc ?

Nick resta muet. Sa réponse aurait par trop bouleversé sa mère, et il ne voulait pas qu'elle se sente aussi mal que lui. Il était l'homme de la famille. Il se devait de la protéger. Cela seul importait.

« Prends soin de ta maman, mon garçon, sinon tu auras affaire à moi. Tu lui dis un seul truc de travers et je te coupe la langue. Tu la fais pleurer et je te tue de mes propres mains. »

Son père était un moins que rien, mais quand il proférait des menaces, on pouvait être sûr qu'il ne s'agissait pas de paroles en l'air. Dans la mesure où il avait déjà liquidé douze personnes, Nick était persuadé qu'il n'y réfléchirait pas à deux fois avant de le tuer lui aussi. D'autant plus que son père ne le portait guère dans son cœur.

Par conséquent, il gardait sa colère bien cachée et ne disait rien qui fût susceptible de faire de la peine à sa mère, laquelle, hélas, ne le laissait jamais souffler.

— Ne fais pas cette tête, petit. J'en ai assez de cette expression que tu affiches. Dis-moi pourquoi tu as agressé ce gamin. Tout de suite.

Nick garda un silence obstiné.

— Réponds-moi, sinon, je te préviens, même à ton âge, je te colle une fessée que tu n'oublieras pas de sitôt.

Il dut s'empêcher de rouler des yeux en entendant cette ridicule tentative d'intimidation. À quatorze ans, il dépassait sa mère d'une bonne tête et pesait vingt kilos de plus qu'elle.

— Il s'est moqué de moi, se résolut-il à dire.

— Et c'est une raison pour prendre le risque de saccager tout ton avenir ? Mais qu'est-ce que tu as dans le crâne ? Il s'est moqué de toi ? Et alors ? Crois-moi, c'est loin d'être le pire de ce qui peut t'arriver. Il faut que tu grandisses, Nicky, et que tu arrêtes de faire l'enfant. Qu'on se moque de toi ne justifie pas que tu te battes.

Sans doute pas, et c'était pour cela qu'il supportait les attaques personnelles. Mais celles qui visaient sa mère, non.

— Je suis désolé, dit-il, penaud.

— Là, c'est toi qui te moques de moi. Tu n'es pas désolé du tout. Je suis très déçue, Nicky. Je pensais t'avoir bien élevé mais apparemment, malgré tous mes efforts, tu es décidé à devenir un criminel comme ton père. Maintenant, va dans ta chambre et n'en bouge plus tant que je ne me serai pas calmée, c'est-à-dire jusqu'à ce soir.

— Je dois travailler pour Mme Liza cet après-midi. Il faut que je l'aide à ranger sa réserve.

— Mmm. Bon, tu peux y aller, mais ensuite, tu rentres directement à la maison, compris ? Je ne veux pas que tu perdes ton temps avec ces voyous que tu appelles tes amis.

— Oui, M'man.

Nick souleva le rideau pour entrer dans l'alcôve, sa « chambre », s'assit sur le matelas défoncé, appuya la tête contre le mur et riva les yeux sur un pan de plafond décoloré qui s'écaillait.

C'est alors qu'il entendit les sanglots de sa mère. Bon Dieu, ce qu'il pouvait détester ce son.

— Je suis désolé, répéta-t-il à voix basse.

Il regrettait de n'avoir pas étranglé Stone. Mais un jour… Oui, un jour, il sortirait de ce trou à rat. Même si, pour y parvenir, il devait tuer quelqu'un.

Il était 21 heures quand Nick s'apprêta à quitter la boutique de Liza. Il était déjà passé chez Brynna, qui habitait une immense demeure patricienne, pour y récupérer ses cours en allant travailler. Il resta derrière Liza quand elle ferma la porte de son magasin, afin de la protéger d'un éventuel quidam malintentionné.

— Bonne nuit, Nicky. Merci pour ton aide.

— Bonne nuit, Liza.

Il attendit qu'elle soit en sécurité dans sa voiture puis qu'elle ait démarré avant de descendre Royal Street en direction de Jackson Square. L'arrêt de tram le plus proche était derrière Jackson Brewery, mais quand il approcha du square, il éprouva le besoin de voir sa mère et de lui demander pardon de s'être fait expulser de l'école. Elle lui avait bien dit de rentrer directement, mais elle avait pleuré à cause de lui et il détestait lui faire de la peine. De plus, il se sentait affreusement seul dans l'appartement quand elle n'était pas là, la nuit. Ils n'avaient pas la télévision, et Nick s'ennuyait à mourir. Il avait lu et relu les nouvelles de science-fiction des *Hammer's Slammers* jusqu'à les connaître par cœur.

Peut-être, s'il lui présentait des excuses, sa mère accepterait-elle qu'il reste au club…

Il obliqua donc vers Bourbon Street.

Le son étouffé d'airs de jazz et de musique cajun qui filtrait des boutiques et des restaurants l'apaisait. Sans cesser de marcher, il ferma brièvement les yeux et inhala profondément l'odeur appétissante de cannelle et de gombo en passant devant le *Café Pontalba*. Son estomac grondait. N'ayant pu manger à l'école, il avait dû se contenter d'un déjeuner d'œufs au bacon, et les mêmes vilains œufs seraient au menu de son dîner.

Il emprunta la ruelle à l'arrière du club et frappa à la porte de service.

John Chartier, l'un des colosses employés comme videurs, ouvrit. Sa mine patibulaire s'éclaira quand il vit Nick, et un grand sourire se dessina sur son visage.

— Salut, petit. Tu viens voir ta maman ?

— Oui. Elle est sur scène ?

— Non. Elle y sera dans quelques minutes.

Il recula pour laisser entrer Nick, qui longea le corridor sombre jusqu'à la pièce dans laquelle se préparaient ou se reposaient les danseuses entre deux numéros. Ce fut Tiffany qui lui ouvrit la porte et, comme chaque fois qu'il la voyait, il la trouva époustouflante. Grande et blonde, elle était à peine vêtue d'un string et d'un haut en dentelle.

Nick avait été élevé au milieu de femmes portant ce genre de tenue. Pourtant, il se sentit rougir et baissa les yeux vers le sol. Il avait l'impression de voir sa sœur nue. Tiffany éclata de rire et lui prit le menton entre deux doigts tout en lançant :

— Cherise ? C'est ton Nicky.

Elle lui serra affectueusement la pointe du menton.

— C'est trop mignon, la façon dont tu ne nous regardes pas. Il n'y a pas plus chou que toi. Ta maman t'élève drôlement bien.

Nick la remercia dans un marmonnement et fila vers la coiffeuse devant laquelle sa mère se maquillait. Il ne releva les yeux que lorsqu'il fut certain qu'elle portait bien son peignoir rose. Mais il croisa alors son regard dans le miroir, et le cœur lui manqua : elle était furieuse !

— Je croyais t'avoir dit de rentrer directement.

— Je... je voulais m'excuser.

Elle posa son mascara sur la tablette.

— Non. Tu voulais essayer de me convaincre de ne pas te punir. Eh bien, ça n'arrivera pas, Nicholas Ambrosius Gautier. Tes piètres excuses n'y changeront rien : il faut que tu apprennes à réfléchir avant d'agir. Ton tempérament emporté te jouera de sales tours un jour ou l'autre, exactement comme c'est arrivé à ton père. Maintenant, file à la maison, réfléchis à tes actes et tâche de comprendre que tu as eu tort.

— Mais, Maman...

— Pas de « mais, Maman ». File !

— Cherise ! cria le régisseur afin de l'informer qu'elle devait monter sur scène.

Elle se leva.

— Je te le répète, Nick : rentre à la maison.

Il quitta le club, encore plus déprimé qu'avant. Pourquoi sa mère ne le croyait-elle pas ? Pourquoi ne se rendait-elle pas compte qu'il ne lui mentait pas ? Il était las d'essayer de persuader le monde, et plus particulièrement sa mère, qu'il n'était pas un vaurien.

Il partit vers Canal Street, où se trouvait l'arrêt de tram le plus proche, tout en ruminant sa colère : sa mère ne devait pas le traiter ainsi. Il n'était pas un criminel comme son père. Il n'en serait jamais un. Cherise ne voulait pas qu'il protège son honneur en se battant ? Fort bien. Qu'elle se fasse insulter, il ne lèverait pas le petit doigt, puisque la défendre ne lui rapportait que punitions et critiques.

Quelqu'un l'appelait. Il s'arrêta et vit Tyree, Alan et Mike de l'autre côté de la rue, devant une boutique d'articles de carnaval. Nick traversa et les salua d'une tape dans la main.

— Quoi de neuf, les gars ?

— On traîne, répondit Tyree. Et toi ?

— Je rentre chez moi.

Tyree toucha sa chemise.

— Qu'est-ce que c'est que cette merde que tu portes, là ?

— C'est un vêtement ! Et toi, qu'est-ce que tu as sur le dos ? Un truc tombé d'un camion ?

Tyree lissa fièrement son tee-shirt.

— C'est mon piège à filles. Toutes les nanas me trouvent craquant avec. Un vrai Roméo.

— Pff... Roméo, mon œil. Ces fringues décorées de mangas sortent tout droit de Geek Street.

Tous rirent, puis Mike déclara, après avoir repris son sérieux :

— Écoute, on aimerait faire quelque chose, ce soir, et on aurait bien besoin d'un quatrième. Tu veux en être ? Ça pourrait te rapporter deux cents tickets.

Nick écarquilla les yeux en entendant la somme. Tyree, Mike et Alan étaient de vrais délinquants. Si sa mère avait su qu'il les fréquentait, elle aurait fait une crise cardiaque. Il leur avait donné un coup de main une fois ou deux pour arnaquer des gens du coin ou des touristes.

— Billard, poker ou craps ? demanda-t-il.

Alan et Tyree échangèrent un regard amusé.

— Disons que c'est plutôt un boulot de chien de garde. Du moins pour toi. Le grand patron de Storyville nous paie pour bousculer quelques minables. Ça ne prendra pas longtemps.

Storyville, le quartier le plus mal famé, le plus louche de La Nouvelle-Orléans, haut lieu de la prostitution et autres trafics.

— Ça ne m'emballe pas, dit Nick.

— Oh, allez, insista Tyree. Il faut qu'on y aille tout de suite, et on a vraiment besoin de quelqu'un pour surveiller la rue. Cinq minutes, et tu ramasseras plus de fric qu'en bossant un mois pour la vieille Liza.

En temps normal, Nick aurait dit à ses copains de ne pas compter sur lui, mais ce soir… Si tout le monde le traitait comme un voyou alors qu'il n'en était pas un, autant mériter ce qualificatif. Parce que rester dans le droit chemin ne lui rapportait pas grand-chose.

— Cinq minutes ? Tu es sûr ?

— Ouais. On y va, on fait le job, et c'est fini.

Donc, il pourrait rentrer chez lui ni vu ni connu : sa mère ne saurait rien. Il éprouva un plaisir pervers à l'idée de se jouer d'elle et de son autorité.

— OK, j'en suis.

— Super.

Nick se tourna vers Alan, qui avait dix-neuf ans.

— Tu pourras me raccompagner, une fois le coup fait ?

— Pas de problème.

Nick suivit donc le trio jusqu'à un coin miteux de North Rampart. Tyree le chargea de faire le guet à l'entrée d'une ruelle.

— Tu ne bouges pas d'ici. Tu guettes les flics et tu nous préviens si tu remarques quoi que ce soit.

Nick acquiesça d'un hochement de tête.

Ses trois amis se fondirent dans l'ombre, et il resta à son poste. Quelques minutes plus tard, un couple âgé passa devant lui sur le trottoir. À en juger par leurs vêtements et leur comportement, il s'agissait de touristes qui s'offraient une promenade tardive hors des sentiers battus.

— Bonsoir, lui lança la femme en souriant.

— Bonsoir, dit Nick à son tour, souriant également.

Un sourire qui s'effaça dès qu'Alan jaillit des ténèbres pour se saisir de la femme pendant que Tyree plaquait l'homme contre un mur. Effaré, Nick s'exclama :

— Mais qu'est-ce que vous faites ?

— La ferme, répliqua Alan en sortant un pistolet de sa poche. Bon, Papy, file-nous ton fric, sinon j'en colle une entre les deux yeux de ta vieille.

Nick se sentit blêmir. Ce n'était pas possible, il faisait un cauchemar ! Ses potes attaquaient des touristes ? Et lui, il les aidait ?

L'incrédulité lui coupa le souffle. Il fixait la femme qui pleurait et l'homme qui suppliait qu'on ne fasse pas de mal à sa compagne.

Sans même s'en rendre compte, il attrapa la main d'Alan qui tenait l'arme et la fit dévier, tout en criant au couple :

— Partez !

L'homme et la femme ne se le firent pas dire deux fois. Tyree voulut s'élancer à leur poursuite, mais Nick le bloqua d'un croche-pied.

— Merde, mais qu'est-ce que tu fais ? protesta Tyree, par terre.

— Pas question que je te laisse taper sur quelqu'un. Ce n'était pas le deal.

— T'es qu'un connard ! s'exclama Alan en le frappant au visage.

Nick vit trente-six chandelles. Du sang emplit sa bouche.

— Tu vas payer pour ça, Gautier.

Le trio furieux s'abattit sur Nick en un éclair. Il ne parvint même pas à se défendre. Étendu par terre, il noua les bras autour de sa tête pour se protéger des coups et du pistolet dont Alan se servait comme d'une massue. Ses trois acolytes le cognèrent jusqu'à ce qu'il perde toute sensibilité dans les jambes et dans un bras.

Satisfait, Alan recula et pointa l'arme sur son front.

— Fais ta prière, Gautier, parce que tu ne vas pas tarder à entrer dans les statistiques.

2

Nick était animé d'une fureur meurtrière, résolu à se battre jusqu'à son dernier souffle. Il refusait de mourir dans le caniveau, frappé à mort par des fumiers censés être ses amis, des gens qu'il fréquentait depuis toujours, avec lesquels il avait joué enfant. Non, il ne mourrait pas comme ça.

Et pourtant, il gisait là, sans force, vulnérable. Vaincu. Baignant dans son sang. Son esprit le harcelait pour qu'il se batte et massacre ses agresseurs, mais son corps refusait d'obéir. Les coups pleuvaient sur lui, et il était incapable non seulement d'en rendre un seul mais également de parer. Il en était réduit à darder sur Alan un regard haineux, en espérant qu'il le hanterait jusqu'à la fin de ses jours.

Mais Alan riait. Et son index commença à presser la détente.

Nick retint sa respiration, dans l'attente de la détonation qui mettrait un terme à sa vie.

À l'instant où Alan tira, une silhouette aux contours imprécis jaillit de l'ombre. Une fraction de seconde auparavant, Alan, Tyree et Mike riaient aux éclats. L'instant suivant, ils étaient catapultés dans les airs par une force herculéenne, puis s'écrasaient rudement par terre à côté de Nick.

Hébété, Nick se demanda où la balle l'avait touché. Il avait si mal qu'il ne parvenait pas à déterminer l'endroit de l'impact. Peut-être Alan l'avait-il manqué…

Toujours étendu sur le sol, il distingua des cheveux blonds, des vêtements noirs… Ceux du type qui mettait la raclée de leur vie à ses ex-amis.

Alan hurla.

— Tss, tss, fit l'homme blond. Dommage que tu sois trop jeune pour que je te tue. Mais, d'ici deux ans, si je t'attrape en train de déconner comme ça de nouveau, tu ne vivras pas assez longtemps pour le regretter.

D'une main, il traîna Alan le long de la rue comme une poupée de chiffon. Puis, dans un éclair noir et or, il pivota pour se tourner vers Nick, qui songea que ce type lui faisait davantage penser à un riche financier qu'à un homme capable de mettre à genoux une bande de voyous. Il était jeune, même pas la trentaine.

Nick le fixa en retenant son souffle tandis qu'il s'approchait de lui d'une démarche inquiétante de grand prédateur. Tout de noir vêtu, il portait un long manteau de cuir manifestement hors de prix et était chaussé de bottes dont le bout était prolongé d'une lame, qui se rétracta à l'intérieur de la semelle avant que l'homme ne s'accroupisse à côté de Nick, les sourcils froncés.

— Ils t'ont salement amoché, petit. Tu peux te mettre debout ?

Nick donna une tape sur la main que l'homme lui tendait. Il n'avait besoin de l'aide de personne, surtout pas d'un inconnu.

Il essaya de se relever, et tout devint noir.

Kyrian Hunter retint le gamin maigrichon en chemise hawaïenne orange avant qu'il touche le sol. C'était cette hideuse chemise qui lui avait sauvé la vie. Ses couleurs étaient tellement criardes qu'elles scintillaient dans le noir, ce qui l'avait alerté alors qu'il passait dans la rue.

D'après ce qu'il avait pu constater, le gamin était un sacré petit dur capable de supporter une violente raclée et de prendre une balle sans demander grâce. Peu d'adultes auraient encaissé pareille correction sans pleurer ni se plaindre. Pour cela, il respectait ce gamin.

Il regarda le trio de voyous qui dévalaient la rue à toutes jambes. Le guerrier et prédateur en lui brûlait de les prendre en chasse et de les tuer pour les punir, mais l'homme qu'il était aussi se l'interdisait. Ces petites frappes s'en sortiraient… jusqu'à la prochaine fois.

Il fit pivoter la tête du gamin pour examiner son visage. Ses cheveux bruns et courts étaient englués de sang. Une longue estafilade laisserait une cicatrice au-dessus de son sourcil gauche. Son nez était cassé et, apparemment, sa mâchoire aussi. Du sang coulait de son épaule, là où était entrée la balle.

Pauvre gosse.

Kyrian le souleva dans ses bras et le porta jusqu'à sa voiture. Il devait le conduire à l'hôpital avant qu'il ne se vide de son sang et ne meure.

Kyrian faisait les cent pas dans la salle d'attente, au milieu d'une foule de gens plus ou moins agités et plus ou moins malades. Deux heures s'étaient déjà écoulées depuis que les médecins avaient emmené le gamin, et personne ne lui avait donné de nouvelles. Était-il seulement vivant ?

Il consulta sa montre et grogna. Il n'avait vraiment pas de temps à perdre. Il avait des choses importantes à faire. Avec un peu de chance, il sauverait d'autres vies avant l'aube.

— Que fais-tu ici, général ?

Cette voix profonde, cet accent marqué… Impossible de se méprendre : il s'agissait de ceux d'Acheron, l'immortel aux immenses pouvoirs âgé de onze mille ans. La dernière personne que Kyrian aurait imaginé rencontrer dans un hôpital : Acheron était invulnérable.

Kyrian se retourna lentement et le vit. Avec sa haute taille, son imposante carrure, ses cheveux vert foncé et sa tenue gothique de cuir noir incluant un blouson de motard constellé de pointes métalliques, il était si impressionnant que tous les gens présents se figèrent, effrayés. Mais il n'y avait pas que son allure qui était terrifiante. S'y ajoutait cet air féroce, cette aura de puissance létale qui émanait de tout son être et vous glaçait d'effroi.

— Que fais-tu ici, *toi* ? répliqua Kyrian.

Les yeux cachés derrière des lunettes noires opaques alors qu'il était près de minuit, Acheron lui opposa un sourire en coin.

— J'ai demandé le premier, général.

Si n'importe qui d'autre qu'Acheron avait ainsi fait le malin avec Kyrian, il n'aurait obtenu en retour qu'un regard hautain. Mais ce genre de comportement ne marchait pas avec Acheron. Cela l'agaçait, et agacer Acheron n'était pas judicieux.

— J'ai trouvé un gosse qui se faisait méchamment cogner dans une ruelle. Je ne sais pas qui il est, mais je ne veux pas le laisser ici sans un adulte pour veiller sur lui. Il était dans un sale état, et il m'a paru trop jeune pour rester seul.

Acheron inclina la tête comme s'il écoutait des voix intérieures. Kyrian détestait qu'il fasse cela. Il trouvait inquiétant que cet être sans âge communique avec les dieux seuls savaient qui. Il s'inquiétait aussi à l'idée qu'Acheron sût tout des secrets qu'il gardait jalousement.

— Il s'appelle Gautier. Nick Gautier. Il a quatorze ans, dit Acheron après un silence. Il fréquente le lycée St. Richard, sur Chartres Street, et il habite dans le Lower Ninth, sur Claiborne Avenue.

— Tu le connais ? demanda Kyrian, impressionné.

— Jamais vu.

— Et pourtant, tu sais comment il s'appelle ?

L'irritant sourire en coin reparut.

— Je sais beaucoup de choses, général.

Acheron tendit la main, et un morceau de papier apparut entre ses doigts. Il le tendit à Kyrian.

— Sa mère, Cherise Gautier, est danseuse exotique – enfin, si on peut appeler ça comme ça – dans un club, expliqua Acheron. Tu pourras la trouver là-bas, mais sois prudent : elle a la langue acérée quand il s'agit de son fils, et si elle pense que tu lui as fait du mal, ou qu'on lui a fait du mal à cause de toi, ça va saigner.

Kyrian prit le papier.

— Inutile que je te demande comment tu fais ce genre de tour de Jedi, je suppose ?

Acheron plongea les mains dans les poches de son blouson agrémenté de chaînes aux épaules.

— Pas de commentaire. Mais Nick n'est pas Jason, et ce n'est ni le même endroit ni le même moment, général. Ne laisse pas le passé saccager ton avenir.

— Qu'est-ce que ça veut dire, ô grand Yoda ?

— Que tu veilles sur le gamin. Je patrouillerai à ta place cette nuit.

— Merci d'être aussi compréhensif.

Kyrian était sincère. Après tout, Acheron était son patron, et il aurait pu lui reprocher de manquer à son devoir.

Acheron le salua d'un hochement de tête puis s'en alla. La tension qui régnait dans la salle d'attente retomba aussitôt. Ouais, Acheron était vraiment un salopard terrifiant, mais Kyrian devait reconnaître qu'il n'était pas un ange luimême. Acheron avait été son maître et lui un élève très doué, surtout quand il s'était agi de tuer ce qui ne méritait pas de vivre.

Il regarda le numéro inscrit sur le papier, puis sortit son portable pour appeler la mère de Nick.

Nick poussa un grognement et voulut ouvrir les yeux… mais un seul lui obéit. Bon sang, que lui était-il arrivé ? Des élancements lui vrillaient la tête. Pourvu qu'il n'ait pas été éborgné ! Si c'était le cas, sa mère deviendrait folle, et c'était ce qui lui faisait le plus peur. Et puis, s'il ressemblait à un cyclope, il ne trouverait jamais de petite amie. Les filles ne sortaient pas avec les monstres.

— Doucement, petit.

Nick s'aperçut qu'il se trouvait dans une chambre d'hôpital. Il essaya de s'asseoir, mais quelqu'un l'en empêcha. La panique le gagna quand il reconnut l'homme blond qui était arrivé au beau milieu de la rixe.

— Où suis-je ?

— À l'hôpital.

— Sans blague ? Et moi qui me croyais au *McDonald's* ! railla Nick. Non. Je ne peux pas être à l'hôpital. Nous n'avons pas les moyens de nous payer ça.

L'homme ignora le sarcasme. Son expression resta impassible.

— Ne t'en fais pas pour la note, petit. Elle est pour moi.

Ouais, bien sûr.

— On n'accepte pas la charité et…

Merde, ce qu'il avait mal au crâne ! Et en plus, il avait le bras en écharpe. Sa mère lui répétait tout le temps de ne pas se casser le moindre os parce qu'elle n'avait pas de quoi payer un toubib pour réparer la fracture…

— Ma mère va me tuer, gémit-il, se rappelant soudain tout ce qui était arrivé.

— J'en doute.

S'il avait connu Cherise, l'inconnu n'en aurait pas douté !

— Moi, non. Il se trouve que je connais ma mère depuis ma naissance, voyez-vous. Et elle va me battre comme plâtre, rétorqua Nick à l'étranger qui lui avait sauvé la vie.

Le type était un colosse aux cheveux blonds et courts, habillé de noir, et très classe : pantalon à la coupe impeccable, bottes Ferragamo, chemise de soie avec poignets et col en vrai cuir – rien à voir avec le faux truc qu'ils vendaient au *Dollar Store* où sa mère et lui achetaient leurs vêtements. Et son manteau… Le cuir en semblait aussi doux et souple que du velours.

Sûr et certain, ce mec était plein aux as.

— Pourquoi est-ce que je ne peux pas bouger mon bras ?

La panique, quelques instants écartée, revenait en force.

— Tu as pris une balle.

— Où ?

— Dans l'épaule.

Nick n'eut pas le loisir de poser une autre question : il entendit soudain les sanglots de sa mère. Elle entra dans la chambre du côté où il était borgne, se précipita vers lui et le prit dans ses bras.

— Ô mon Dieu ! Mon bébé ! Comment vas-tu ?

Elle s'écarta un peu pour considérer son œil bandé et son bras en écharpe.

— Mais que t'ont-ils fait ? Pourquoi n'étais-tu pas à la maison comme je te l'avais ordonné ? Au nom du Ciel, Nick, pourquoi ne m'écoutes-tu jamais ? Juste une fois dans ta vie, tu pourrais…

— Ce n'était pas sa faute.

Cherise lâcha son fils et se tourna vers l'inconnu qui s'était retiré dans un coin de la chambre.

— Qui êtes-vous et que faites-vous ici ?

L'homme lui tendit la main.

— Je suis Kyrian Hunter. C'est moi qui vous ai appelée, madame.

Cherise serra la main offerte. Le contraste entre l'élégance de l'homme et la tenue de sa mère serra le cœur de Nick. Elle portait son manteau d'occasion en laine usée, des bottes blanches en vinyle à trois sous, et une jupe rouge à sequins en polyester dont Nick savait qu'elle faisait partie d'une de ses tenues de scène.

Sa maman menue, fine, était une jolie femme, mais avec son lourd maquillage, elle paraissait plus âgée que ses vingt-huit ans. En plus, elle se crêpait les cheveux pour danser, et Nick détestait cela. Ainsi, sa mère avait une allure vulgaire, ce qu'elle n'était vraiment pas.

— Merci de tout cœur, monsieur Hunter. Où l'avez-vous trouvé ?

Nick s'affola. Si Kyrian révélait à Cherise l'endroit où il s'était fait tirer dessus, sa mère se chargerait elle-même de l'achever.

— Dans le Quartier français. Il avait volé au secours d'un couple de personnes âgées qui se faisaient agresser. Grâce à Nick, ces gens ont pu s'enfuir, mais la crapule qui s'en était prise à eux s'est retournée contre votre fils. Je suis arrivé à ce moment-là et suis intervenu pour arrêter la bagarre.

— Vous avez sauvé mon bébé ? demanda Cherise, les yeux humides.

Kyrian acquiesça d'un hochement de tête, et Cherise se remit à pleurer.

Nick était accablé. Heureusement que son père n'était pas là : il l'aurait étranglé pour avoir bouleversé sa mère à ce point.

— Ne pleure pas, Maman. Je suis désolé. J'aurais dû t'obéir et rentrer directement… Je suis vraiment désolé.

Elle essuya ses joues maculées de mascara.

— Tu n'as rien fait de mal, bébé. Tu es un héros, un magnifique héros. Je ne pourrais pas être plus fière de toi.

Nick se retint de faire la grimace. Non, il n'était pas un héros, loin s'en fallait. Il ne valait pas mieux que son vaurien de père.

Il croisa le regard de Kyrian et eut la certitude qu'il connaissait la vérité, ce qui acheva de lui saper le moral.

— Le médecin m'a dit que tu devrais rester ici quelques jours, reprit Cherise. Une semaine, peut-être davantage. Je ne sais pas comment nous allons pouvoir payer et…

— Ne vous inquiétez pas pour ça, madame, intervint Kyrian. Je me charge de la facture.

— Mais je ne peux pas vous laisser faire ça !

— Je vous en prie, c'est la moindre des choses. Il n'y a pas beaucoup de garçons de l'âge de Nick qui prendraient une balle pour sauver des inconnus.

Cherise était manifestement confuse.

Kyrian lui adressa un sourire empreint de gentillesse.

— J'ai de l'argent, madame Gautier.

Kyrian remarqua qu'il l'appelait « madame », et non « mademoiselle », comme le faisait Peters. Et il semblait vraiment respecter sa mère.

— Et je n'ai personne pour qui le dépenser, poursuivit Kyrian. Croyez-moi, madame, pas un centime que je consacrerai à votre fils ne me manquera ni ne fera défaut à ma famille.

Hésitante, Cherise se mordilla la lèvre avant de répondre :

— C'est faire preuve d'une extrême bonté, monsieur Hunter. Surtout après ce que vous avez déjà fait. Je ne vous remercierai jamais assez. Nick est tout ce que j'ai au monde. S'il lui arrivait quelque chose, j'en mourrais.

Elle avait pris la main de Nick dans la sienne et la serrait tendrement. Nick capta une lueur de tristesse dans les yeux de Kyrian, comme si un fantôme le hantait – le fantôme d'une douleur ancienne que les paroles de Cherise avaient ravivée.

Kyrian sortit son portefeuille et l'ouvrit.

— Voici mon numéro, dit-il en tendant une carte de visite à Cherise. Si vous avez besoin de quoi que ce soit, appelez-moi sans hésiter. N'importe quand. Jour et nuit. Je dors très peu, donc vous ne me dérangerez pas.

Cherise essaya de repousser la carte, mais Kyrian la lui mit d'autorité dans la main.

— Écoutez, madame Gautier, je sais que vous ne me connaissez pas et que vous vous méfiez, ce que je comprends. Mais il existe en ce monde des gens qui sont capables de donner sans rien attendre en échange. Je suis l'un d'eux.

— Oui, mais moi, je sais combien coûte un séjour ici. Je ne peux pas accepter votre argent, ni celui de quelqu'un d'autre. Il n'en est pas question.

Le regard sombre de Kyrian se posa sur Nick.

— Dans ce cas, permettez-lui de travailler pour moi.

— Ne soyez pas ridicule. Cela lui prendrait une vie entière pour gagner de quoi vous rembourser.

Nick était consterné : il ne voulait pas travailler pour rembourser une facture de soins médicaux !

Kyrian remit son portefeuille dans sa poche.

— Alors, que comptez-vous faire, madame ? Laisser votre fils quitter l'hôpital avant qu'il soit guéri ? Les blessures par balle peuvent s'infecter, se gangrener… Il pourrait perdre un rein et mourir…

Le voile de désespoir qui tomba sur les yeux bleus de sa mère serra le cœur de Nick.

— Madame Gautier, enchaîna Kyrian, je sais que vous ne pouvez pas vous en rendre compte en me regardant, mais j'ai eu une vie très dure. J'ai perdu tous ceux qui comptaient pour moi, et je sais ce que c'est que d'être frappé quand on est à terre. Vous avez un enfant formidable. Il mérite qu'on lui donne sa chance. Permettez-lui de travailler pour moi après l'école pendant une année, et nous serons quittes.

Cherise regarda Nick, que l'idée n'emballait vraiment pas.
— Pour quoi faire, monsieur Hunter ?
— Eh bien, nettoyer ma voiture, faire des courses…
— Quel genre de courses ?
— Ouais, quel genre ? demanda Nick. Je ne suis pas baby-sitter ni promeneur de chien.
— Je n'ai ni enfants ni chien. Madame Gautier, je songeais à de menues tâches comme aller à l'épicerie ou au pressing, aider mon employée de maison à laver les vitres, mon jardinier à tailler les haies… Rien de dangereux ni d'illégal.
Ça n'avait pas l'air bien dur, mais Nick avait déjà un job qu'il aimait bien.
— Et Mme Liza, Maman ? Qui lui donnera un coup de main à sa boutique ?
— Liza Dunnigan ? s'enquit Kyrian, les sourcils froncés.
— Vous la connaissez ? demanda Nick, incrédule.
Kyrian eut un petit sourire.
— Oui. Et je suis sûr qu'elle ne s'opposerait pas à ce que tu travailles pour moi pendant quelque temps.
La main de Cherise serra davantage celle de Nick.
— Je ne sais pas. Qu'en penses-tu, Nicky ?
Il baissa les yeux sur son bras en écharpe. Jamais ils ne pourraient payer la note de l'hôpital. Alors, si Kyrian Hunter la réglait et que sa mère n'en subissait pas les conséquences…
— Si vous n'êtes pas un pervers et si Liza n'y voit pas d'inconvénient, je pense que oui, je peux travailler pour vous.
— Je ne suis pas un pervers, affirma Kyrian en souriant.
— Vaudrait mieux, parce que sinon, je démissionne tout de suite.
— Compris. Bon, marché conclu ?
Cherise hésita puis se décida.
— Marché conclu. Et merci.

— Je vous en prie. Maintenant, si vous voulez bien m'excuser, j'ai un rendez-vous.

— À cette heure-ci ? s'enquit Cherise, soupçonneuse.

— Je travaille beaucoup avec l'étranger, donc tard la nuit, décalage horaire oblige. Mais, ainsi que je vous l'ai dit, je dors très peu.

Sur ces mots, Kyrian s'en alla.

— Nicky, qu'est-ce que tu en penses ?

— Je pense que j'ai de la veine de ne pas être mort, de la veine que tu ne me tombes pas dessus pour m'être fait esquinter et avoir fini à l'hôpital alors que nous sommes incapables de payer la note.

— Mon chéri, comment pourrais-je t'en vouloir pour quelque chose comme ça ? demanda Cherise, les lèvres tremblantes. J'aimerais seulement gagner assez d'argent pour que tu n'aies pas à travailler pour rembourser. Si tu avais été à la maison…

— Arrête, Maman, je t'en prie.

La culpabilité le rongeait. Cherise lui reprit la main et embrassa ses phalanges tuméfiées.

— Entendu, mon cœur, on n'en parle plus. Repose-toi et ne t'inquiète de rien, OK ?

Elle sortit un élastique de sa poche et attacha ses cheveux en sage queue-de-cheval. Nick sourit, heureux qu'elle se rappelle que ses cheveux bouffants l'embarrassaient. Puis elle alla au lavabo se démaquiller et retirer ses faux cils. Elle était tellement plus jolie sans tous ces artifices qu'il ne comprenait pas pourquoi elle les portait.

Dès qu'elle fut redevenue sa maman, elle s'allongea sur le lit à côté de lui et le prit dans ses bras. Normalement, il l'aurait repoussée en prétendant qu'elle l'étouffait, mais ce soir, il était heureux de se blottir contre elle. Depuis toujours, ils étaient seuls au monde. Le Tandem Fabuleux. D'aussi loin qu'il se souvînt, c'était ainsi qu'elle les appelait.

Ensemble, ils étaient capables de surmonter toutes les épreuves.

Elle déposa un baiser sur sa tempe.

— Tu es mon petit homme, Nickyboo. Et je suis si heureuse de t'avoir. Tu es mon unique réussite dans la vie. Si quelque chose t'arrivait, il faudrait creuser deux tombes, parce que je serais bien incapable de vivre un seul jour sans mon bébé auprès de moi.

Il était si ému qu'il en avait les larmes aux yeux. Mais il était un dur. Il chassa donc ses larmes. Rien ne pouvait le faire pleurer. Rien.

— Je t'aime, M'man.

— Je t'aime aussi, bébé. Maintenant, dors. Il faut que tu te retapes, pour que je puisse te punir en te flanquant une bonne fessée.

La fausse menace fit sourire Nick. Il ferma les yeux, mais ne parvint pas à s'endormir. L'image d'Alan penché sur lui et pressant la détente passait en boucle dans son esprit. Ce salopard avait essayé de le tuer.

Même s'il devait y laisser sa peau, il se vengerait. Comme son père l'aurait dit : « Ceux de notre sang ne s'enfuient pas. Parfois, nous aimerions le faire, parfois nous devrions le faire. Mais jamais nous ne fuyons devant quoi que ce soit ni qui que ce soit. »

La prochaine fois qu'il se trouverait face à Alan et son « équipe », il leur montrerait de quel bois Nick Gautier se chauffait.

3

Durant les jours qu'il passa seul au lit à se morfondre, Nick découvrit ce qu'était la vraie détresse. Sa mère lui tenait compagnie aussi souvent que possible, ainsi que Menyara, mais aucune des deux ne pouvait être là en permanence. Kyrian lui rendait visite le soir et quelques-unes des danseuses du club passaient pendant la journée. Néanmoins, la plupart du temps, il était seul. Et il s'ennuyait tellement qu'il en venait à trouver l'école agréable.

— Salut… euh… Nick, c'est ça ?

Il ouvrit les yeux et découvrit avec incrédulité Nekoda sur le seuil, les cheveux attachés en queue-de-cheval, habillée de l'uniforme des bénévoles de l'hôpital. Elle s'avança dans la chambre. Nick sentit ses joues s'empourprer.

— Ouais, c'est moi. Je pense que j'avais meilleure allure quand nous nous sommes rencontrés. Là, je bats des records de laideur.

Elle éclata de rire.

— Ne le prends pas mal, mais c'est vrai qu'aujourd'hui, tu n'es pas à ton avantage.

Nick ne pouvait qu'imaginer l'apparence qu'il avait, avec sa tête bandée, son œil tuméfié, une épaule et un bras dans le plâtre, moniteurs et perfusions reliés à l'autre bras. Sans parler de la chemise d'hôpital coupée dans un très viril tissu à fleurettes qui lui faisait regretter l'immonde chemise hawaïenne.

Nekoda s'approcha du lit et considéra les écrans et les appareils qui cliquetaient et soufflaient.

— Que t'est-il arrivé, Nick ?

— On m'a tiré dessus.

— Quoi ? Dans l'œil ? C'est pour ça qu'il est bandé ?

— Non. Là, j'ai reçu des coups de poing, de pied, et probablement d'un quelconque instrument. J'ai plein de points de suture au-dessus du sourcil, mais le médecin a dit que le bandage serait retiré demain. Je suis sûr qu'alors, j'aurai un meilleur look. C'est dans l'épaule que j'ai reçu une balle.

— Oh… Ça t'a fait mal ?

Il faillit répondre : « Pas du tout, qu'est-ce que tu crois ? », mais il eut assez de bon sens pour s'en abstenir.

— J'encaisse comme un homme, répondit-il, adoptant une posture de dur.

Elle secoua la tête et ne fit aucun commentaire face à tant de panache.

— Pourquoi t'a-t-on tiré dessus, Nick ? C'est l'un de tes bons mots qui t'a valu ça ?

Nick hésita. Il ne voulait pas profiter de quelque chose qu'il n'avait pas fait, comme sauver des gens qu'il avait contribué à jeter dans la gueule du loup.

Il opta donc pour une version expurgée.

— Mauvais endroit, mauvais moment.

— Tu as vu le tireur ?

Il mentit.

— Non.

Il n'avait pas dénoncé ses agresseurs à la police, qui l'avait pourtant questionné à plusieurs reprises. La règle numéro un dans la rue était : « Les balances ne vivent pas longtemps. » De plus, il comptait bien se faire justice tout seul et ne tenait vraiment pas à ce qu'Alan et ses acolytes soient bien à l'abri derrière les murs d'une prison quand il serait en état de régler ses comptes. Tout se passerait entre « amis ».

— Comme on dit dans les films et les séries, tout s'est passé si vite…

— Nick, je suis désolée que tu aies été blessé. Je comprends maintenant pourquoi je ne te voyais plus à l'école.

La réflexion tinta délicieusement à ses oreilles : elle l'avait donc cherché ? Bon sang, pour entendre ça, il se serait fait tirer dessus tous les jours !

Il eut du mal à réprimer un sourire ravi.

Nekoda se pencha davantage sur lui.

— Je suis heureuse que tu aies survécu et que tu ailles bien.

— Ouais, idem. Ça aurait sacrément fichu mes plans en l'air, de mourir.

Il lui adressa un sourire qu'il espérait charmeur, avant de changer de sujet.

— Alors, tu bosses ici ?

— Je fais du bénévolat deux fois par semaine. Il paraît que ça fait bien dans les dossiers de candidature pour la fac.

Elle se préoccupait déjà de la fac ? Bon sang, du coup, il se sentait minable.

— On n'est encore qu'en troisième.

Elle haussa les épaules.

— Peut-être, mais à partir de maintenant et jusqu'au diplôme, tout ce qu'on fait compte et a des conséquences sur nos chances d'être accepté à la fac – et dans quelle fac. Donc, je m'efforce de faire la différence.

— J'ai l'impression d'entendre ma mère.

— Désolée, dit Nekoda en plissant le nez, mimique qui était ravissante.

Nick se rendit compte avec étonnement que le rouge lui montait aux joues et songea que s'il continuait à rougir ainsi, il ferait un excellent feu de signalisation.

— Tu veux que j'aille te chercher un truc à boire, Nick ? Ou une glace ? Sur mon chariot, j'ai des magazines et des bouquins, si tu as envie de lire.

— Je tuerais pour une Nintendo !

— Pas de Nintendo sur mon chariot, navrée, dit-elle en riant.

— Pas de mangas non plus ?

— Des mangas ? Qu'est-ce que c'est que ça ?

Merde. C'eût été trop beau qu'elle partage quelques-uns de ses goûts inhabituels.

— Des bandes dessinées japonaises. J'adore ça.

— Je n'ai qu'une poignée de Batman et de Spiderman. Ça t'intéresse ?

— Ce serait super. Tu aurais peut-être aussi de la science-fiction ou du fantastique ?

— Quelques livres du *Cycle de Dune*.

— Parfait.

— OK, je reviens, dit-elle en souriant.

Nick la suivit des yeux quand elle se dirigea vers la porte. Un tel balancement de hanches aurait dû être interdit ! Elle était si belle… Ses cheveux le fascinaient. Il avait envie de plonger la main dans cette masse soyeuse qui semblait si douce et devait embaumer. Comme sa peau.

Il se morigéna aussitôt : à quoi pensait-il donc ? Elle ne jouait pas dans la même catégorie que lui. Les filles du genre de Nekoda ne sortaient pas avec des losers qui braquaient les touristes. Elles fréquentaient des sportifs et épousaient des avocats ou des chirurgiens.

Elle avait dû avoir une enfance dorée, avec bonnes, professeurs particuliers et goûters d'anniversaire regorgeant de cadeaux joliment enveloppés, et non emballés dans des sacs d'épicerie. S'ils apprenaient qu'elle adressait la parole à un nul comme lui, ses parents en tomberaient raides.

Elle était de retour.

— Voilà, dit-elle en lui tendant une pile de livres et de bandes dessinées.

— Merci beaucoup.

— Pas de problème.

Elle recula et annonça :

— Il faut que j'y aille. J'ai encore pas mal de patients à voir, et j'ai promis à Mme O'Malley que je jouerais au gin-rummy avec elle aujourd'hui.

Ce qu'elle était gentille !

— Merci d'être passée, et merci pour les bouquins.

— Prends soin de toi.

— Toi aussi.

Elle sortit de la chambre et Nick soupira, soudain abattu. Il détestait être coincé ici, mais ce qui le déprimait plus encore, c'était de savoir que jamais il n'aurait une petite amie comme Nekoda. Qu'il fasse le malin tant qu'il voudrait n'y changerait rien : elle rentrerait toujours dans sa belle maison, et lui dans le gourbi où il était né.

Mais à quoi bon se lamenter sur ce qu'il ne pouvait changer ?

Il ouvrit l'un des livres et commença à lire.

Nick soupira, se retourna puis s'éveilla en sursaut : il avait eu la sensation de tomber du lit. Il ouvrit les yeux, cilla et s'aperçut qu'il était toujours à l'hôpital, seul.

Quelle guigne. Il aurait bien aimé dormir plus de deux heures.

Il tendit la main vers sa table de nuit pour prendre un autre livre et se figea : il y avait une petite boîte qui n'était pas là auparavant. Intrigué, il la prit, l'ouvrit et découvrit à l'intérieur une Nintendo rose et un petit mot.

Désolée pour la couleur. Le rose, j'adore. J'espère que ça t'empêchera de devenir fou et qu'ainsi tu ne tueras personne. Si ma Nintendo doit sauver ta santé mentale, je pense pouvoir m'en passer pendant quelques jours.

Remets-toi vite,

Kody

Une vague d'émotion le submergea. Jamais personne n'avait rien fait d'aussi gentil pour lui. La Nintendo était pleine de jeux allant de la stratégie classique aux *shooters*.

Il prit la console dans la main et, aussitôt, eut la sensation d'être très proche de Kody. Ces appareils étaient très personnels, une véritable extension de soi. De la couleur aux autocollants, ils reflétaient la personnalité de leur propriétaire. On ne les laissait jamais très loin, on veillait sur eux. Et Kody lui avait prêté le sien ! Peu de gens auraient fait cela. Surtout pas quelqu'un d'aussi sexy que Kody. Cette fille était folle.

Ou alors elle l'aimait bien…

Une pensée qui le mit en ébullition.

Elle est dangereuse. Tu dois l'éviter.

Il sursauta. Qu'est-ce que c'était que cette voix dans sa tête ? Elle avait des intonations presque démoniaques…

Bon sang, mais quelque chose ne tournait pas rond chez lui. L'ennui lui tapait sur le système.

Il aurait fallu qu'il soit fou pour vouloir éviter une fille aussi gentille et jolie que Kody.

— Il l'a prise ?

Nekoda se tendit : l'air autour d'elle crépitait, chargé d'un pouvoir presque palpable. Un pouvoir qui lui était très familier.

Celui de Sraosha, son guide, son mentor.

Nekoda verrouilla la porte du débarras afin que personne dans l'hôpital n'entre et ne voie Sraosha. Grand et gracieux, il était si beau qu'il était difficile de le regarder en face. Ses pouvoirs étaient tels qu'ils se manifestaient par une aura fluctuante qui illuminait sa peau d'une couleur jaune vif. Ses longs cheveux blonds flottaient autour de ses épaules.

Il dirigea son regard sur Nekoda... un regard dépourvu d'yeux. Ses orbites étaient des cavités noires aussi effrayantes que singulières.

— Je la lui ai donnée, murmura Nekoda.

Nick ne se doutait pas que la Nintendo permettait à la jeune fille de garder un œil sur lui.

— Bien. Que penses-tu de celui-ci ?

Nick était plus jeune que les autres Malachai qu'elle avait combattus. Plus innocent. Doux, même. Mais pas question qu'elle succombe à son charme. S'il était quelque chose qu'elle ne pouvait se permettre, c'était bien cela.

— Il semble différent, dit-elle après avoir soigneusement choisi le terme.

— Crois-tu qu'il soit le bon ?

— Je ne sais pas.

Depuis la nuit des temps, ils recherchaient *le* Malachai. Celui qui serait capable de s'opposer aux forces des ténèbres qui l'avaient engendré et lutterait avec eux contre la Source, ce qui permettrait à Nekoda de libérer ses frères.

Jusqu'à ce jour, ils avaient perdu tous les Malachai qu'ils avaient essayé de sauver. La part de ténèbres en eux s'était révélée trop puissante. Mais comment le leur reprocher ? Tous ceux de leur lignée étaient nés pour faire le mal, et ils étaient dotés de pouvoirs extraordinaires. Exactement comme Nekoda était née pour faire le bien.

Nick était encore un gamin qui n'avait pas la moindre idée de ce qu'il était vraiment. Mais Nekoda savait exactement à quel genre de violence il était voué. Et cela la terrifiait.

— Menyara assure que nous pouvons le sauver, dit-elle.

— Pff... Elle est trop proche de celui-là. Son affection pour lui l'aveugle.

Peut-être. Mais Nekoda, elle, n'était pas attachée à Nick.

— N'aie pas peur, moi, je ne suis pas aveugle. Son charme me laisse de marbre.

— Sois tout de même vigilante. Rappelle-toi que ce n'est qu'un des nombreux pouvoirs qu'il possède. Des pouvoirs qui sont efficaces sur les mortels comme sur les immortels. Comme tu as pu le constater, le mal commence à le tenter, et cela ne fera que s'aggraver au fur et à mesure qu'il grandira.

Nekoda déglutit avec peine en revoyant en esprit les événements qui avaient amené Nick à se faire tirer dessus.

— Il s'est ravisé avant de leur faire du mal, remarqua-t-elle.

— Oui, cette fois. Mais le seul fait qu'il ait cédé à l'appel de la violence a lâché la bride à son sorcier cimmérien, et les pouvoirs des ténèbres sont en train de s'unir pour l'entraîner. Ne le perçois-tu pas ?

Si. Tout autour d'elle frémissait, au point qu'elle en avait la chair de poule. Dix leçons devaient être enseignées à un Malachai. Chacune d'elles amplifierait sa force, le corromprait davantage, le façonnerait en un outil du mal qui s'abattrait sur elle et sur les siens, répandrait dévastation et malheur sur tous ceux qui entreraient en contact avec lui.

La première leçon était la nécromancie. Mais il ne s'agissait pas uniquement de communication avec les morts. Cela incluait aussi la résurrection et le contrôle.

Nekoda ne parvenait pas à imaginer Nick devenant comme les autres. Non, jamais il n'accepterait d'exercer un pouvoir si effroyable.

Mais n'avait-elle pas déjà fait l'erreur de croire cela par le passé ?

Elle fit la grimace en songeant au père de Nick. Elle avait commis une terrible erreur de jugement, avec lui. Si elle avait accepté de regarder les choses en face et l'avait tué quand elle en avait reçu l'ordre, elle aurait sauvé un nombre incalculable de vies.

La lumière qui était en elle la poussait à croire qu'il y avait de la bonté en tout être, même chez les Malachai. Mais elle avait fait preuve de pitié envers le père de Nick, et il lui avait craché à la figure.

Plus jamais elle ne serait aussi stupide.

— Ne crains rien, Sraosha. J'ai fait une faute et en ai tiré la leçon qui s'imposait. Cette fois, je resterai lucide. Si je ne peux pas le remettre dans le droit chemin, je le tuerai.

— Tu as intérêt à ne pas oublier cette bonne résolution, parce que celui-là est encore plus fort que son père. Il va être protégé par les Chasseurs de la Nuit et formé par eux. Si nous ne réussissons pas à le détourner du mal, il nous anéantira tous.

Et ce serait Nekoda qui serait responsable de la fin de l'humanité.

4

— Bienvenue à la maison, Nicky !

Nick ouvrit les yeux : il se trouvait dans la salle de séjour sordide de l'appartement qu'il partageait avec sa mère. Devant lui, tante Menyara brandissait un gâteau au chocolat acheté au supermarché. Sur le glaçage étaient inscrits les mêmes mots que ceux qu'elle venait de prononcer. Les gens agglutinés autour d'elle les reprirent en chœur. Que tant de personnes soient venues pour lui impressionna et émut Nick.

Petite et menue comme Cherise, Menyara avait une peau d'un doux ton chocolat qu'illuminaient les bougies. Ses dreadlocks étaient retenues en arrière par un fichu jaune dont les pans retombaient le long de son dos. Le jaune de sa blouse paysanne s'accordait à celui du fichu et se mariait joliment avec l'orange de sa jupe longue. De fins bracelets d'argent cliquetaient sur ses deux avant-bras tandis qu'elle agitait le gâteau devant Nick.

— Ton préféré, mon chéri. Nous sommes si contents que tu sois rentré.

Nick s'empourpra quand il regarda les danseuses qui travaillaient avec sa mère. Il y avait néanmoins deux hommes parmi elles. John et Greg, les videurs.

Tout le monde applaudissait, lui souriait, et il était au supplice : ils le félicitaient de s'être comporté en héros, alors qu'il n'était qu'un imposteur.

Menyara posa enfin le gâteau sur le comptoir de la cuisine.

— Allez, mon chéri, viens souffler les bougies avant qu'elles ne fichent en l'air ton beau gâteau.

Il adorait le soupçon d'accent créole de Menyara. Prêtresse vaudoue et sage-femme, tante Mennie, ainsi qu'il l'appelait, était aussi sa marraine et la meilleure amie de sa mère. C'était elle qui l'avait aidé à venir au monde et avait recueilli Cherise après que ses parents l'avaient jetée dehors. Lorsqu'il était trop jeune pour aller au club, Mennie le gardait. Ne fût-ce que pour cela, il aurait fait n'importe quoi pour elle.

— Merci à tous, marmonna-t-il en se penchant sur le gâteau pour souffler les bougies.

Sa mère se tenait derrière lui, la main sur son épaule intacte.

— Nous sommes si fiers de toi, bébé.

— Pour sûr, confirma Greg, un colosse à l'allure d'ours, aux longs cheveux bruns et à la peau grêlée.

Il s'avança et tendit une boîte à Nick.

— Tout le monde au club s'est cotisé. On espère que tu aimeras.

Tant de gentillesse touchait profondément Nick. Il avait l'impression de fêter son anniversaire plutôt que son retour de l'hôpital.

Il ouvrit la boîte et découvrit le jeu vidéo *Street Fighter* et un tee-shirt annonçant : « Nick Gautier, superhéros du jour. »

Il n'eut pas le cœur de leur dire qu'il n'avait pas de console de jeux à la maison. Ni qu'il n'avait rien d'un héros. Il s'était contenté d'essayer d'arranger une situation qui, à cause de lui, avait très mal tourné.

— Merci à tous. J'apprécie vraiment.

Tiffany vint à côté de Greg et sortit une enveloppe de la boîte.

— Tu as oublié ça.

À cause de son bras en écharpe, il ne put ouvrir l'enveloppe. Ce fut donc Menyara qui s'en chargea.

Elle contenait cinq billets de vingt dollars.

— Pour… pourquoi ? bredouilla-t-il, sidéré.

— Pour ta cagnotte. Celle que tu fais pour la fac. On sait bien que ce n'est pas grand-chose, mais ça couvrira les pertes des jours où tu étais à l'hôpital et où tu n'as pas pu aller travailler.

Il regarda sa mère qui souriait, éperdue de reconnaissance. Lui était dans un tout autre état d'esprit. Il se sentait affreusement mal à l'aise : il savait combien tous travaillaient dur pour gagner leur vie.

— Je ne peux pas accepter.

— Oh que si, dit John. Ne m'oblige pas à te botter les fesses et à te renvoyer à l'hosto, morveux. Contente-toi d'être heureux et ne dépense jamais ton fric pour de la drogue ou des nanas, comme je l'ai fait à ton âge, parce qu'on se décarcasse tous pour t'élever de manière à ce que tu ne deviennes pas comme ça.

Nick ne savait que dire.

— Merci. Vous êtes tous géniaux.

Quelqu'un alluma la chaîne stéréo, et les premières notes de *Walk this way* d'Aerosmith, s'élevèrent. Tout le monde se mit à danser, même s'il était difficile de bouger dans le minuscule appartement. Mais les danseuses avaient l'habitude de l'étroit podium et se débrouillèrent pour s'agiter avec une telle sensualité que Nick sut qu'il était devenu rouge pivoine.

Il alla ranger les billets dans le pot qu'il gardait sous l'évier de la cuisine pendant que sa mère et Menyara coupaient le gâteau et donnaient une part à chacun.

— Tu vas bien, petit ? s'enquit Menyara en lui tendant sa part et une fourchette en plastique.

— Juste fatigué.

Quelque chose dans son regard l'amena à se demander si elle ne lisait pas dans son esprit. Il en avait le frisson.

— Ta maman m'a dit que tu allais travailler pour un homme qui s'appelle Kyrian Hunter. C'est vrai ?

— Ouais. Pour le rembourser, parce qu'il a payé la facture de l'hôpital.

— Oh. Je veux que tu sois prudent, Nick. Cet homme est…

Il acheva la phrase pour elle.

— … diabolique ?

Elle éclata de rire et lui ébouriffa les cheveux.

— Non, pas diabolique. Mais travailler pour lui te changera, je pense. Pour le meilleur, je l'espère. Ce que je veux dire, c'est qu'il faut que tu sois très prudent quant à ce que tu apprends des autres et circonspect avec ceux que tu laisses entrer dans ta vie.

Des paroles qu'il ne prit pas à la légère : Mennie savait bien des choses avant qu'elles n'arrivent. Son don de voyance était exceptionnel.

— Ce sont encore tes dons qui parlent, là ?

— Peut-être est-ce mon tempérament hyper protecteur.

Elle l'embrassa sur le front et enchaîna :

— Pour moi, tu seras toujours un brave petit, Nicholas. Toujours.

— Ah, OK.

Il n'avait pas l'intention d'être un mauvais garçon, dans la mesure où son dernier et récent écart avait fort mal tourné. En ce moment même, son épaule l'élançait, et il allait devoir faire de la rééducation des mois durant avant de récupérer toute la mobilité de son bras.

Que Menyara se rassure : la prochaine fois qu'il verrait Alan et ses acolytes, ce serait eux qui repartiraient en boitant, parce qu'il leur aurait botté le cul si fort que la semelle de sa chaussure leur serait montée jusqu'à la gorge.

Toujours gêné, il alla rejoindre sa mère et Tiffany. Il avait l'impression qu'un air glacé lui soufflait dans le cou. Il en avait même la chair de poule. Sans s'attarder sur ce curieux phénomène, il écouta quelques instants la musique. Des morceaux des années 1970. Il aurait bien aimé quelque chose de plus actuel, pas de la musique de vieux. Mais au moins, ce n'était pas du disco. C'était déjà ça.

Les invités ne s'éternisèrent pas. Sa mère craignait qu'il ne se fatigue, aussi partirent-ils tous un à un, jusqu'à ce qu'il ne reste plus que Nick, sa mère et Menyara.

Envoyé au lit, Nick alla se coucher et laissa les deux femmes ranger. Il s'endormait quand sa mère lui demanda :

— Tu es prêt à reprendre l'école demain ?

Loin s'en fallait. Il aurait eu besoin de quelques décennies supplémentaires pour être prêt. Mais il ne le dit pas à Cherise. Il tiendrait bon.

— Je crois que oui.

— Bien. Mais si tu ne te sens pas en état, je comprendrai, Nicky. Tu es encore convalescent, et je ne voudrais pas que tu stresses.

Le problème, c'était qu'il avait pris tellement de retard dans ses cours que jamais il ne réussirait à se remettre à niveau. Encore quelques jours d'absence, et il serait bon pour redoubler.

Cherise vint lui toucher le front pour s'assurer qu'il n'avait pas de température.

— M. Hunter a dit qu'une voiture t'attendrait après l'école pour t'amener chez lui. Il m'a promis qu'il ne te demanderait rien de pénible. Ça te va ?

— OK.

Réponse bateau, qui parut satisfaire sa mère.

— Bien. Je te laisse te reposer. Si tu as besoin de quoi que ce soit, appelle-moi. Oh, j'oubliais. Ces fleurs que tes amis

Bubba et Mark t'ont apportées à l'hôpital, je les ai mises sur le perron : elles auraient pris toute la place dans l'appartement.

Bubba lui avait pratiquement envoyé un arbre, accompagné d'un petit mot.

Les hôpitaux me rendent malade, sauf si c'est moi qu'on soigne. Désolé d'être aux abonnés absents, petit. Remets-toi vite. Et la prochaine fois, n'oublie pas : cogne deux fois pour faire bonne mesure. Mieux vaut des remords que des regrets.

Bubba et Mark

Nick regarda sa mère qui rabattait le rideau, sa « porte », puis frotta ses yeux brûlants de fatigue. Cherise se mit à bavarder à voix basse avec Menyara. Il ne prêta pas attention à ce que se disaient les deux femmes jusqu'à ce qu'il entende son prénom.

— Tu crois que cet accident va bloquer sa croissance, Mennie ?

— Oh que non, assura Menyara en riant. Ton garçon va devenir un grand et bel homme, je te le promets.

— Je n'en suis pas sûre. Mon père était de petite taille. À peine un peu plus d'un mètre soixante. Je sais que Nick est déjà plus grand que ça, mais je suis terrifiée à l'idée qu'il arrête de grandir et soit une petite chose comme moi.

— C'est parce que tu es cajun. Les Cajuns sont petits, et ce serait anormal que tu ne le sois pas. Mais Adarian est un homme grand et beau, et ton fils sera exactement comme lui, tu peux me croire.

Le sang de Nick se glaça. Adarian Malachai, son père, était un monstre. À la seule mention de son nom, il voyait un géant musculeux couvert de tatouages, une vraie bête. Nick n'avait pas le souvenir d'un seul jour où Adarian n'avait pas éructé des imprécations, insulté et violemment bousculé les gens qui l'approchaient... y compris sa mère.

Son père était un homme colérique, amer, brutal, et Nick se réjouissait qu'il n'ait pas épousé sa mère. De la sorte, il ne portait pas son nom. Même si ses grands-parents Gautier ne voulaient rien savoir de leur fille ni de leur petit-fils, Nick préférait porter leur patronyme que celui d'Adarian.

Malachai. Beurk. Il détestait jusqu'aux sonorités de ce nom.

Il lança :

— Hé, M'man, je préférerais être petit, gros et moche plutôt que de ressembler à cet homme !

— Cet homme est ton père, Nick, objecta Cherise dans un soupir, et tu es censé dormir, pas écouter une conversation privée.

Mais qu'espérait-elle donc, quand un simple drap faisait office de cloison ?

— Et toi, tu n'es pas censée parler de moi quand je peux entendre ! Tu m'as toujours dit que ce n'était pas poli.

Tous trois rirent en chœur.

— Dors, Nicky.

Plus facile à dire qu'à faire, d'autant que l'effet des antalgiques s'était estompé et que son épaule lui semblait en feu. Mais il se refusait à prendre plus de cachets : ils l'assommaient, le rendaient comateux. Il préférait avoir mal plutôt que d'être un zombie. Sans compter que s'il se comportait comme un zombie, Bubba pourrait croire à une hallucination et lui tirer dessus.

« Règle numéro un, petit : tu tires d'abord et tu poses des questions après. Règle numéro deux : tu cognes deux fois pour faire bonne mesure. Mieux vaut avoir des remords que des regrets. »

Les lois de Bubba. Elles firent sourire Nick, puis il s'interrogea : dans quel pitoyable état serait-il le lendemain, à l'école ?

Il refoula la douleur du mieux qu'il le put et sortit la Nintendo de Nekoda de sa poche. Il ne savait pas pourquoi, mais le simple fait de la toucher le réconfortait. Comme s'il avait quelqu'un qui veillait sur lui.

C'était complètement stupide.

Il mit la Nintendo en marche, sans le son : sa mère ignorait qu'il avait cette console. Elle aurait poussé les hauts cris. Quoi qu'il en soit, il ne pouvait guère s'en servir avec une seule main. Mais il était heureux de l'avoir. Il se sentait spécial et, curieusement, relié à quelqu'un... Une fille qui, apparemment, l'aimait bien, un peu plus que comme un camarade.

Il fallait qu'il trouve le courage de l'inviter à sortir. Par exemple, à aller manger un beignet après les cours. Pour le moment, il n'avait rien pu faire d'autre que la remercier d'être passée le voir à l'hôpital, chaque fois qu'elle y travaillait. Il avait attendu ces visites comme un mendiant affamé un morceau de pain.

Lui proposer un rendez-vous exigeait une sacrée dose de courage. Et s'il se faisait rembarrer ? On ne capturait pas aisément une étoile. Or Nekoda en était une, parfaite, qui savait en plus le faire rire. Et lui, il n'était qu'un loser. Mieux valait qu'il reste en retrait. S'exposer à un nouveau rejet ne le tentait pas. Ses camarades de classe ne lui en avaient déjà infligé que trop. C'était déjà beaucoup que Nekoda se soit montrée gentille quand il était hospitalisé. À l'école, elle serait exactement comme les autres, ces filles à pognon, froides, pour lesquelles il était invisible.

Décidément, il était un vrai idiot d'avoir imaginé ne fût-ce qu'une seconde que Nekoda accepterait de sortir avec lui.

Il éteignit la Nintendo et la remit dans sa poche.

Le lendemain, il retrouverait le principal Peters et les crétins d'élèves. Pour affronter pareille épreuve, mieux valait qu'il ait son compte de sommeil.

Et peut-être un ou deux lance-flammes.

Au petit déjeuner, Nick achevait le reste du gâteau de la veille quand on frappa à la porte. Il sursauta. Les amis de sa mère, à l'exception de Menyara, travaillaient tous jusqu'à l'aube. Les visiteurs très matinaux étaient donc rarissimes.

Sa mère alla ouvrir la porte. Dans ce quartier, on s'attendait toujours à une visite de policiers cherchant des renseignements à propos de quelque chose qui s'était passé pendant la nuit.

Mais non. C'était Brynna Addams, en jolie robe rose et chandail crème. Un ruban retenait ses cheveux sombres en arrière. Elle avait l'air d'un ange, totalement étrangère au taudis qui était leur maison.

— Bonjour, madame Gautier. Je suis Brynna, une camarade de Nick. C'est moi qui ai laissé ses cours à la réception de l'hôpital. Comme il reprend aujourd'hui, mon frère et moi, on aimerait l'emmener à l'école en voiture. Cela ne vous dérange pas, n'est-ce pas ?

Cherise ouvrit et referma la bouche, sidérée. Lentement, elle pivota sur ses talons et regarda son fils.

— Tu connais une Brynna, Nicky ?

Nick se crut sur le point de mourir de honte : il était certain que Brynna n'avait jamais vu d'appartement aussi moche et pouilleux, et en plus, sa mère se tenait à moitié dévêtue dans l'embrasure de la porte, avec sur le visage une expression hébétée qu'il ne s'expliquait pas.

— Mmm... oui, M'man.

Cherise tourna de nouveau les yeux vers la jeune fille tout en demandant :

— Et tu veux qu'elle t'accompagne à l'école ?

— Pourquoi pas ?

Il ramassa son sac à dos posé par terre, mais avant qu'il ait eu le temps de le lancer par-dessus son épaule intacte, Brynna voulut s'en emparer.

— Laisse-moi porter ça. Tu es encore convalescent.

Nick ne lâcha pas les sangles et ramena le sac vers lui.

— Non, merci. Pas question qu'une fille porte mes affaires. Ce ne serait pas normal.

Et il aurait l'air d'une méga mauviette.

Il sautait aux yeux que Brynna avait envie d'argumenter, mais elle s'en abstint. Elle salua Cherise d'un hochement de tête, recula et n'empêcha pas Nick de se charger de son minable sac à dos.

Sa mère s'approcha de lui pour arranger le col de sa si ravissante chemise hawaïenne – au moins celle-ci était-elle bleue, et moins voyante que celle qu'il portait le jour de la rixe.

— Passe une bonne journée, bébé.

Impeccable. Tant qu'elle y était, elle aurait tout aussi bien pu lui faire faire son rot. Sa virilité venait d'en prendre un sacré coup.

Sans un mot, il la serra brièvement dans ses bras, geste dénué d'importance maintenant que sa dignité avait été foulée aux pieds, et suivit Brynna jusqu'au 4 × 4 Lexus noir flambant neuf de son frère.

Il émit un sifflement admiratif. C'était indécent d'aller à l'école dans un engin pareil !

— Tu sais, en voyant une bagnole pareille dans ce quartier, les gens vont penser que vous êtes tous les deux des dealers.

Brynna ouvrit la portière du passager en riant et s'écarta, mais Nick déclina l'offre sans mot dire et ouvrit la portière arrière.

— Tu ne veux pas t'asseoir devant, Nick ?

Il s'assit sur la banquette et claqua la portière avant de répondre :

— Ne le prends pas mal, mais je ne connais pas ton frère et je ne veux pas que quelqu'un se fasse des idées sur nous. Je ne sais même pas pourquoi vous êtes venus. Comment avez-vous su où j'habitais ?

Brynna attacha sa ceinture.

— Kyrian nous l'a dit. C'est aussi lui qui m'a demandé de te déposer les cours à l'hôpital pour que tu ne prennes pas trop de retard.

— Comment ça ? Et pourquoi ?

— Kyrian Hunter est ton nouveau boss, non ? C'est un vieil ami de la famille. Tu nous verras de temps à autre chez lui. Il souhaitait qu'on t'accompagne à l'école et qu'on veille sur toi, alors nous voilà. Au fait, mon frère, c'est Tad. Tad, dis bonjour à Nick.

— Salut, dit docilement Tad en démarrant.

Les yeux de Nick allaient de Brynna à son frère, qui les ignorait totalement, concentré sur la conduite dans la circulation dense du matin. Il ressemblait beaucoup à sa sœur. En plus grand et plus poilu.

Brynna était ravissante et merveilleusement chaleureuse, mais aux yeux de Nick, elle n'arrivait pas à la cheville de Nekoda. Brynna était jolie, Kody était fabuleuse.

— Tu vas vraiment aimer travailler pour Kyrian. C'est un type génial.

— Si tu le dis.

— Comment va ton épaule ? Tu es content de revenir à l'école ? La rééducation est difficile ? As-tu eu tous les cours que je t'avais laissés ? Les maths étaient sacrément dures, mais si tu as besoin d'un prof particulier, on peut t'en trouver un jusqu'à ce que tu te sois remis à niveau.

L'avalanche de questions et de commentaires laissa Nick muet. De toute façon, il n'aurait pas eu le temps de placer un mot.

— Tu es toujours aussi bavarde, le matin ? parvint-il à lui demander quand elle se tut enfin.

Tad éclata de rire. Le rouge aux joues, Brynna lui donna une tape sur la tête.

— Arrête !

— Content de voir qu'il n'y a pas qu'à moi que ton enthousiasme matinal casse les pieds, riposta Tad. Je t'ai déjà dit que c'était plus qu'un homme normal n'en pouvait supporter.

Nick était confus. Il n'avait pas eu l'intention d'offenser la jeune fille.

— Tu ne me casses pas les pieds, Brynna, assura-t-il.

Et c'était vrai. Il l'aimait beaucoup.

— C'est juste que je n'ai pas l'habitude que les gens s'intéressent à moi, enchaîna-t-il. Ça me fait un drôle d'effet. C'est comme si j'étais passé dans une autre dimension. Si tu continues, je vais me mettre à chercher des vans de Raccoon City ou d'autres trucs bizarroïdes.

— Raccoon quoi ?

— Tu sais bien, Brynna, intervint Tad. C'est dans *Resident Evil*. Hé, Nick, il ne faut pas lui en vouloir, elle ne joue pas beaucoup. Elle passe son temps à bavasser au téléphone avec ses copines sans cervelle.

Brynna décocha à son frère un regard noir. Nick se morigéna intérieurement. Pourquoi lui avait-il dit cela ? Il était vraiment idiot. Il était assis dans la plus belle voiture qu'il eût jamais vue, il se rendait à l'école avec l'une des plus jolies filles de sa classe – une fille bien, en plus – et il l'avait vexée. Jamais il ne réussirait à avoir de petite amie. Il était trop bête pour ça.

Et comme si cela ne suffisait pas, voilà que Tad se garait devant une belle maison et klaxonnait. Deux secondes plus tard, la porte s'ouvrit et Casey Woods, dans sa tenue noir et or de *cheerleader* qui moulait étroitement chaque courbe de son corps – et pour une nana de quatorze ans, elle en avait, des courbes –, apparut. Ses longs cheveux noirs étaient retenus par un serre-tête assorti à sa tenue.

Elle vint vers eux, tout sourire.

Oh, bon sang…

Casey était la meilleure amie de Brynna et, avant de rencontrer Kody, Nick aurait vendu son âme au diable pour sortir avec elle. Hélas, pour elle, il était totalement transparent.

Elle ouvrit la portière, le vit et se figea, les sourcils froncés.

— Salut, Casey, tu connais Nick ? s'empressa de dire Brynna, à qui le temps d'arrêt et la mine perplexe de son amie n'avaient manifestement pas échappé.

Casey le regarda du coin de l'œil. À l'évidence, elle fouillait sa mémoire.

— Je devrais ?

Ben voyons. Pourquoi se serait-elle souvenue de lui, hein ? Après tout, ils n'avaient que quatre cours en commun… et il était assis juste devant elle.

Ouais, il était invisible.

Dans le rétroviseur, il remarqua l'expression irritée de Tad.

— On va être en retard, Casey. Monte dans la voiture, ou reste dans ton jardin et ferme cette portière.

Son ton hostile étonna Nick. Tad avait-il donc avalé une pilule magique pour être insensible au charme de la jeune fille ?

Elle haussa les épaules, posa son sac à dos Prada sur la banquette et grimpa à côté de Nick. Qui s'affola. Pourquoi avait-il refusé de s'asseoir à l'avant, pourquoi ?

— Alors, c'est un nouvel élève ou quoi ? demanda Casey à Brynna. Est-ce qu'au moins il parle notre langue ?

Brynna jeta un coup d'œil embarrassé à Nick avant de répondre :

— Ça fait trois ans qu'il est en classe avec nous, Casey.

— Oh… bon. Mais je suis en cours supérieur, moi.

Nick réprima une grimace. Quelle arrogance ! Qu'est-ce qu'il était, lui, d'après elle ? Un attardé en cours de rattrapage ?

La réflexion de Casey lui donnait l'impression d'être monté dans une navette pour l'enfer et d'y avoir son siège réservé.

Brynna s'apprêtait à rectifier, mais Nick leva la main. Inutile qu'elle corrige Casey, qui risquait d'en rajouter, et il se sentirait encore plus minable. Il s'adressa donc à Tad.

— Alors, Tad ? Qu'est-ce que tu dis de la saison des Saints ?

— Tu sais que tu vas finir par me plaire, Gautier ? répondit Tad en riant. Tu es attachant.

— Ouais, comme le lierre.

Nick regarda par la vitre. Ils approchaient de l'école.

Une armada de voitures de police était garée devant, ainsi que deux ambulances et un camion de pompiers.

— Que se passe-t-il ? demanda Nick alors que Tad ralentissait.

L'expression de Casey s'illumina.

— Est-ce que ça veut dire qu'on n'a pas cours ? Merci, mon Dieu, parce que je n'ai pas fini mes devoirs de géographie.

La police ne leur permit pas d'entrer dans le parking du lycée. Un agent leur fit signe d'aller se garer plus bas dans la rue, loin de la foule. Tad trouva une place dans Royal Street, devant le *Fifi Mahoney's*.

— Allons voir ce qui se passe.

Nick laissa son sac dans le 4 × 4 et suivit Tad et les filles. Des grappes de lycéens s'étaient formées, et des journalistes leur posaient des questions. Brynna et Casey partirent rejoindre leurs amis. Nick emboîta le pas à Tad, qui se dirigea vers Mme Pantall, laquelle discutait avec trois autres professeurs. Après l'avoir saluée, Tad lui demanda ce qui se tramait.

Elle lâcha un lourd soupir avant de répondre :

— Vous n'allez pas le croire… Brian Murray a essayé de manger Scott Morgan.

Nick écarquilla les yeux de stupéfaction. Avait-il bien entendu ?

— Que… quoi ? s'exclama Tad.

Mme Pantall agita la main vers l'entrée de l'école.

— Ils étaient dans la cafétéria avant que la cloche sonne, et tout allait bien quand, soudain, Brian a attaqué Scott sans raison aucune. Il a commencé à lui mordre le bras puis à lui mâcher les chairs, qu'il s'est mis à arracher comme un chien enragé. De toute ma vie, je n'avais jamais rien vu de pareil. C'était épouvantable.

Tad et Nick échangèrent un coup d'œil effaré.

— Est-ce que Scott va bien ? demanda Tad à Mme Pantall.

En parfaite synchronisation avec la question, Scott sortit alors de l'école sur un brancard, surveillé par deux urgentistes. Nick s'écarta pour aller écouter les autres conversations, dont celle d'une journaliste qui parlait dans son portable.

— Je te le dis, Bob, il se passe quelque chose. Les attaques de la nuit dernière, et maintenant ça... Combien de villes connaissent six attaques de cannibales en douze heures ?

Eh bien, ici, c'était La Nouvelle-Orléans, et il s'y passait de bien drôles de choses. Néanmoins, même les gens les plus tordus ne franchissaient pas la ligne en dévorant de la chair humaine.

Du moins, pas souvent.

Mais Halloween approchait...

— Ils sont en train d'interroger le garçon, poursuivait la journaliste. Paraît qu'il a l'air complètement déconnecté, comme si son cerveau avait été bousillé. Tu devrais voir le bras de sa victime ! Déchiqueté jusqu'à l'os. Les camarades du pauvre gamin ont dit que l'autre avait avalé la chair comme s'il était affamé. Tu crois que ça pourrait avoir un lien avec le vaudou ?

Et c'était reparti ! Chaque fois qu'un truc horrible se passait, on accusait les gothiques ou les adeptes du vaudou. Parce que les gens normaux ne pouvaient pas être frappés de folie, n'est-ce pas... Peut-être n'eût-il pas été superflu de leur rappeler que l'immonde tueur en série cannibale Jeffrey Dahmer n'avait pas été un adepte du vaudou et que Brian, jusqu'à aujourd'hui, était un mec sans histoire, comme tous ses copains. Plus couillon que la moyenne, mais tout ce qu'il y avait de normal par ailleurs.

Nick s'éloigna de la journaliste et se rapprocha de l'ambulance dans laquelle on chargeait Scott. Son bras était entouré d'un bandage blanc qui rougissait à vue d'œil.

Scott sanglotait.

— Tout ce que j'ai fait, c'est chercher à attraper le lait, bredouilla-t-il entre deux sanglots. Il aurait pu simplement me dire non. Il n'était pas obligé de manger mon bras ! Seigneur, je ne pourrai plus jamais lancer une balle. Je vais perdre ma bourse, c'est sûr. Et on n'arrivera jamais en championnat d'État, maintenant. Terry ne peut pas me remplacer. La saison est foutue. Pourquoi, mais pourquoi a-t-il fait ça ?

La question essentielle.

— Hé, petit, va derrière la barrière !

Nick obéit au policier.

— Salut, Nick ! lança Frank McDaniel en venant droit sur lui. Tu as entendu ce qui est arrivé ? Brian a bouffé Scott. C'est cool, hein ? Dommage que je n'aie pas vu ça. C'est ma faute. Je suis toujours en retard, alors je loupe tous les trucs intéressants.

Jason approuva en riant.

— J'espère que ce qu'il a n'est pas contagieux. Je n'ai pas envie qu'on me morde, ni de me mettre à mordre les autres ! Ma mère est végétarienne. L'été dernier, elle m'en a voulu pendant six mois parce que j'avais mangé un cheeseburger au McDo. Vous imaginez ce qu'elle ferait si je boulottais une personne ?

Frank avait posé les yeux sur le groupe dans lequel se trouvaient Brynna et Casey.

— Hé, les mecs, si c'est contagieux, ce serait super si Casey Woods chopait le virus et se jetait sur moi. Quitte à mourir, autant que ce soit entre les dents de la chef des *cheerleaders*.

Jason lui tapa dans la main.

— Ouais, sûr. Je serais partant aussi. Je veux bien être son jouet à mâcher.

Nick se détourna de ses amis quand il aperçut son partenaire de labo de chimie, Madaug St. James, qui semblait se parler à lui-même debout à côté de l'ambulance. Archétype de la grosse tête, Madaug portait un tee-shirt noir sous une chemise bleue ouverte. Ses cheveux blonds étaient coupés court et, comme d'habitude, ses grands yeux bleus étaient écarquillés derrière ses lunettes à fine monture.

Même si Nick savait que son prénom devait être prononcé Ma-dug, à l'instar de ses camarades, il le prononçait Maddog – « chien fou » –, ce qui irritait toujours son ami. Mais, cette fois, Nick décida d'éviter de déformer son prénom : le gars semblait déjà assez nerveux. Inutile d'en rajouter.

— Salut, mec. Ça va ?

— Ouais. C'est affreux, hein ?

— Ça, on peut le dire.

— Je n'arrive pas à y croire. Je n'y arrive vraiment pas.

Nick non plus.

— Le bon côté de la chose, c'est qu'aujourd'hui, en cours de gym, tu n'auras ni Scott ni Brian sur le dos.

Lors du dernier cours, Brian avait mis le short de Madaug puis l'avait obligé à l'enfiler après l'avoir trempé de sueur.

C'était moche et méchant.

Une voix retentit soudain, dominant le brouhaha ambiant et réduisant tout le monde au silence.

— Je vous le dis à tous, c'est une attaque de zombie ! Z-o-m-b-i-e, s'il faut que je vous l'épelle ! Ouvrez les yeux, tous autant que vous êtes, avant qu'il ne soit trop tard et qu'il ne dévore quelqu'un d'autre ! N'importe lequel d'entre vous peut être le suivant sur le menu de l'apocalypse des zombies ! Suivez mes conseils, préparez vos munitions ! J'en ai une nouvelle cargaison qui arrive aujourd'hui !

Nick connaissait cette voix, mais il n'avait pas l'habitude de l'entendre de si bonne heure.

C'était celle de Big Bubba Burdette, le propriétaire du magasin *Triple B*.

Incroyable qu'il n'ait pas pris feu en sortant si tôt. Ce type était à moitié vampire, Nick l'aurait juré.

Très grand, Bubba était un intéressant mélange de péquenot du Sud et de gothique. Aujourd'hui, il portait un tee-shirt « Dawn of the Dead » sous une chemise en flanelle rouge, un jean *baggy* et de belles Doc Martens noires décorées de têtes de mort. Avec ses cheveux noirs coupés ras et son bouc, Bubba était terrifiant. Mais à la seconde où il ouvrait la bouche et s'exprimait avec son lourd accent traînant du Sud, il devenait moins inquiétant. En fait, il faisait penser à un panda géant en peluche. Du moins tant qu'on ne le dérangeait pas pendant qu'il regardait le talk-show d'Oprah Winfrey l'après-midi, parce que celui qui était assez idiot pour faire ça risquait sa peau – *dixit* Bubba lui-même.

Cet accent amenait également ses interlocuteurs à sous-estimer l'homme, dont le QI était pourtant hors norme. Bubba était sorti major de sa promotion au MIT, spécialisation robotique et informatique. Aujourd'hui, il possédait le *Triple B*, un magasin d'armes et d'informatique, et vous pouviez lui demander de pirater n'importe quel compte ou site dans le monde et, si ça ne marchait pas, de le supprimer, ce qu'il faisait obligeamment.

Les journalistes se détournèrent de lui pour interroger d'autres lycéens.

Bubba cracha une chique de tabac par terre.

— C'est ça, bande de troglodytes, méprisez le seul qui sache de quoi il retourne, le seul qui sache comment sauver vos insignifiantes vies en décomposition. Allez retrouver votre coma médiatique, retournez avaler les conneries déversées par des politiciens cupides qui vous contrôlent à coups de mensonges ! Retournez écouter les sirènes de la consommation !

— Ce ne sont donc pas ces sirènes qui font tourner ton commerce, Bubba ? lui demanda Nick.

Bubba lui décocha un regard dégoûté.

— Pas d'insolence, Nick. Je ne suis pas du matin, et je pourrais passer ma mauvaise humeur sur toi.

— Ouais, je sais. Qu'est-ce que tu fais dehors de si bonne heure ?

— Pas fermé l'œil. Reçu un appel de Figerman à... Oh, à l'aube et demie. Il y avait des zombies en goguette, et il avait besoin de renfort. Alors, j'ai pris mon flingue et on est parti chasser dans le bayou.

Des gens normaux auraient trouvé cette conversation étrange, mais toutes les conversations avec Bubba étaient étranges, et la chasse aux zombies faisait partie des services qu'il offrait dans sa boutique.

— Mark s'est fait manger ?

— Nan. Ce petit con s'est endormi sur le chemin du retour. Il s'est blotti sur le siège passager comme une petite fille, à sucer son pouce, la tête sur son blouson qui lui servait d'oreiller. Je ne sais pas ce que je vais faire de lui.

Nick s'apprêtait à répondre quand il se rendit compte que les conversations autour de lui avaient cessé. Il sentit sa nuque le picoter, se retourna et vit Brian. Flanqué de deux policiers, il sortait de l'école, menottes aux poignets. À l'exception du sang qui maculait son blouson, il paraissait normal. Absolument normal. Son teint était un peu pâle et ses yeux cernés, comme s'il n'avait pas bien dormi, mais rien d'autre. Personne n'aurait pu imaginer en le voyant qu'il venait d'essayer de dévorer son meilleur ami.

Il ralentit en s'approchant du capitaine de l'équipe. Leurs regards se croisèrent, et Nick eut l'impression qu'ils se comprenaient sans mot dire. Puis les policiers poussèrent

Brian en avant. Celui-ci garda les yeux rivés sur le capitaine jusqu'à ce qu'on le fasse entrer dans la voiture de police.

— C'est mon imagination, ou il s'est passé un truc bizarre ? demanda Nick à Bubba.

— Y a-t-il un moment de cette journée qui n'ait pas été bizarre, petit ?

Bien vu.

— À ton avis, qu'est-ce qui a causé tout ça ?

Bubba se gratta la tête.

— Eh bien, c'est ce que j'essaie de comprendre. Les attaques normales de zombies…

Nick se demanda en quoi consistait une attaque de zombies *anormale*.

— … sont le fait de gens arrachés à leur tombe. Ils sont sous le contrôle de leur maître et attaquent les humains pour goûter leur sang. Mais là… le gamin n'était pas mort. Alors, pour moi, ça n'a pas de sens.

— Peut-être que quelqu'un a mis un truc dans son petit déj' ?

— Mmm. Il existe des composés chimiques qui peuvent déclencher chez un humain un comportement de zombie, mais aucun qui soit susceptible de l'amener à dévorer l'un de ses semblables. Mais peut-être qu'un de ces tests biologiques du gouvernement est en cours… Ne bois pas d'eau du robinet ni de fruits de mer tant que je n'aurai pas fait quelques vérifications.

— Je ne bois pas les fruits de mer, Bubba, remarqua Nick en souriant, mais…

— Ne fais pas le malin avec moi, Gautier. Il me reste des armes chargées d'hier soir.

Nick ouvrait la bouche pour répondre quand un hurlement hystérique vrilla l'air.

— Ô mon Dieu ! Le coach vient de manger M. Peters ! À l'aide ! À l'aide !

Les policiers se ruèrent à l'intérieur de l'école. La secrétaire en avait jailli, poussant des cris de terreur et s'arrachant les cheveux.

Nick se pétrifia et s'efforça d'analyser ce qu'il ressentait.

D'un côté, il était épouvanté par ce qui venait d'arriver à Peters, et d'un autre… eh bien, il était étrangement content. Cet abruti suffisant méritait ce qui lui était tombé dessus.

La voix de sa mère résonna aussitôt dans son esprit. « Nick, ce n'est pas bien de penser ça… » D'accord. Peut-être pas. N'empêche, il persistait à considérer le sort de Peters comme un châtiment divin.

La police obligea la foule à reculer. Les journalistes se ruaient vers l'entrée de l'école, essayant d'obtenir de bons clichés.

Le proviseur adjoint sortit sur le perron, muni d'un porte-voix, et cria dedans :

— L'école est fermée pour aujourd'hui ! Que tous les élèves rentrent chez eux ! Nous donnerons des informations plus tard dans la journée ! S'il vous plaît, dispersez-vous et partez. Tout élève trouvé sur le campus sera exclu de l'établissement. Rentrez chez vous et n'en bougez plus pour aujourd'hui !

— Et peut-être demain aussi ! lui répondit à tue-tête un élève.

Bubba cracha une autre chique puis demanda à Nick :

— C'est une bonne journée pour toi, hein, finalement ?

— Ouais, dans la mesure où mon équipe de football ne me bouffe pas. Bubba, je peux venir à la boutique et faire quelques recherches sur tout ça ?

— Sûr. Mais il va falloir que tu ouvres à ma place pendant que j'attrape un Z ou deux.

Nick jugea la proposition honnête.

— Je récupère mon sac à dos et je vais au magasin.

Il alla rejoindre Tad, qui se tenait au milieu d'un groupe d'élèves plus âgés. Absorbés par leur discussion, ils ne le remarquèrent même pas.

— Je vous dis qu'il faut qu'on avertisse le conseil et les Chasseurs de la Nuit. Toute cette affaire pue le Démon !

— Impossible. Les Démons ne peuvent attaquer qu'après le crépuscule, vous le savez tous. S'ils mettaient un pied dehors maintenant, ils grilleraient dans la seconde.

— Mais les attaques se sont multipliées la nuit dernière, et ça ne va pas en s'arrangeant. Je persiste à penser que les Démons ne sont pas étrangers à tout ça.

— Allons ! Un Démon ne peut pas faire muter un humain ! C'est la première leçon qu'on nous apprend.

— Alors, à quoi est-ce qu'on a affaire, d'après toi ?

Tad regarda son ami Alex Peltier, qui avait gardé le silence jusque-là.

— Est-ce que la morsure d'un Garou peut changer un humain en Garou ?

— Qu'est-ce que c'est, un Garou ? intervint Nick, incapable de s'empêcher de poser la question.

Tous se tournèrent vers lui, soudain muets. Ce fut finalement Russell Jordan qui rompit le silence. Il retroussa la lèvre, manifestement dégoûté, et demanda à Nick :

— Que fais-tu là, Gitan ?

Tad répondit à sa place :

— Il travaille pour Kyrian Hunter, alors sois sympa, Russ, sinon Kyrian ne sera pas content.

Puis il se retourna vers Nick.

— Qu'est-ce que tu veux ?

— Mon sac. Il est resté dans ta voiture.

— Je reviens, lança Tad à ses amis, avant de s'éloigner avec Nick.

Lequel revint aussitôt à la charge.

— Qu'est-ce qu'un Garou ?

— C'est un… terme de jeu. Quelqu'un qui chasse les animaux.

Cette explication n'avait pas de sens, d'autant moins que Nick n'avait jamais entendu ce terme.

— Si c'est juste un jeu, pourquoi as-tu demandé s'ils pouvaient changer les humains ?

Sans répondre, Tad marcha jusqu'à son 4 × 4, en sortit le sac à dos de Nick, le lui donna et alla retrouver ses amis à grands pas.

Bien. Merci pour les non-réponses, se dit Nick. Tad serait un super papa, un jour.

Il se passait un truc vraiment étrange à l'école, et la moitié des élèves semblaient savoir de quoi il retournait. Eh bien, foi de Nick Gautier, il allait découvrir ce que c'était. À n'importe quel prix. Et il allait aussi découvrir le moyen de se protéger. La Nouvelle-Orléans devenait de plus en plus bizarre, et Nick n'avait pas l'intention d'être inscrit sur le menu de quiconque.

Sauf peut-être sur celui de Nekoda. Laquelle n'était nulle part, constata-t-il après avoir scruté l'un après l'autre les groupes d'élèves.

Avait-elle été inscrite sur le menu de quelqu'un ?

5

Nick poussa un soupir de frustration tout en tapant une nouvelle recherche. Il fallait sortir de Harvard pour trouver des informations solides et sérieuses sur les attaques de zombies. « Il y a vraiment un truc qui ne tourne pas rond, chez moi », se dit-il. Il était seul, sans adultes autour de lui ; il aurait dû chercher des sites pornos, pas ça !

Taper sur le clavier avec une main bloquée relevait du prodige. Il ne cessait de se tromper de touche et il en avait assez, d'autant que les antalgiques avaient cessé depuis longtemps de faire effet et que, l'école ayant une politique antidrogue très stricte, qui incluait l'Advil et le Tylenol, il n'avait pas emporté le moindre cachet de crainte de subir une fouille en règle et d'être accusé de transporter des stupéfiants. Son épaule lui faisait mal, et son échec n'arrangeait rien : il ne trouvait rien sur le Net qui expliquât pourquoi soudain quelqu'un voudrait manger de la chair humaine. Peut-être y avait-il des loups-garous, des démons mangeurs d'homme, des parasites démoniaques…

Mais non. En dehors des écrans de cinéma, ces créatures n'existaient pas.

Il brûlait d'envie de poser des questions à Bubba, mais celui-ci avait été catégorique : s'il le réveillait, il aurait droit à une balle dans la tête. Venant de n'importe qui d'autre, la menace n'eût été qu'une façon de parler mais, de la part d'un homme qui dormait sur une véritable artillerie et avait le tempérament d'un tueur en série, elle devait être prise au sérieux. Bubba disait souvent : « J'ai un fusil et une pelle mécanique, et personne ne va chercher un cadavre sous une fosse septique. » Nick se demandait combien d'ennemis de Bubba étaient en photo sur des briques de lait.

Mais c'était une autre histoire…

La cloche au-dessus de la porte sonna. Nick soupira de nouveau, abandonna l'ordinateur et alla à la rencontre du client. Il se figea à mi-chemin du comptoir.

Seigneur…

L'intégralité de ses hormones mâles s'enflamma quand il vit la fille qui s'avançait dans la boutique. Cette nana devait être la plus sexy de la ville. À peine plus âgée que lui, elle était si fascinante qu'il en oublia sa douleur.

Elle portait un pantalon moulant en cuir noir et un débardeur rouge, un collier de chien clouté et des bracelets. À la quadruple ceinture de cuir, également cloutée, qui ceignait sa taille fine, était accrochée une énorme croix constellée de strass qui rebondissait sur sa cuisse au rythme de ses pas. Sa démarche chaloupée était du genre à causer des infarctus chez des types d'âge mûr. Ses cheveux d'un noir de jais étaient coupés au carré. Ils étaient si foncés que Nick supposa qu'ils étaient teints. De l'eye-liner noir soulignait lourdement ses yeux, ce qui lui donnait un air de chat. Ses lèvres aussi étaient maquillées en noir.

D'ordinaire, les filles adeptes du style gothique le laissaient de glace, mais celle-là… Waouh, elle était carrément hot. En plus, s'il l'embrassait et qu'elle laisse des traces de rouge à lèvres sur son col de chemise, sa mère penserait qu'il s'agissait de graisse et il ne se ferait pas tirer les oreilles.

Il eut honte de cette pensée : il trahissait Kody, là. Enfin, pas exactement puisqu'ils ne sortaient pas ensemble. N'empêche, il avait la sensation de la tromper.

La star était arrivée au comptoir, s'était penchée dessus, pressant ses seins sur le plateau de verre, et regardait la porte de la réserve, par laquelle était arrivé Nick.

— Où est Bubba ? demanda-t-elle.

— Il dort. Je peux vous aider ?

Nick s'efforçait de la regarder bien en face alors que ses yeux cherchaient obstinément à dériver vers d'autres parties de son corps – au risque de recevoir une gifle bien douloureuse, vu qu'elle portait des bagues ornées de pointes.

Elle fit une bulle avec le chewing-gum qu'elle mâchait et lui décocha un coup d'œil amusé.

— Et Mark ?

— Il dort lui aussi.

— Oh. Tu es son nouvel assistant ?

— Je donne juste un coup de main ce matin. Ils se sont couchés très tard.

— Je m'en doute.

Elle fit glisser son sac à dos de ses épaules, le posa par terre et l'ouvrit. Nick se hissa sur la pointe des pieds afin de ne pas perdre une miette du spectacle quand elle se pencha pour fouiller dans son sac. Bon sang, qu'est-ce qu'elle était bien roulée... Il avait beau culpabiliser à cause de Kody, il ne pouvait s'empêcher de songer que ça ne lui déplairait pas, de sortir avec une fille plus âgée.

Elle se redressa et brandit ce qui semblait être des stylets de métal.

— J'ai besoin que Bubba les affûte. Il faut lui dire que j'ai aussi besoin d'un nouveau stock de shurikens, et fissa. Pour hier, si possible.

Les yeux de Nick s'écarquillèrent quand il se rendit compte qu'il y avait du sang séché sur l'un des stylets.

— Puis-je savoir...

— Pas si tu tiens à vivre assez longtemps pour prendre ton déjeuner. Je suis Tabitha Devereaux. Et toi, tu es qui ?

Chouette, une Cajun comme lui.

— Nick Gautier.

— Contente de te connaître, Nick. Dis à Bubba que je reviendrai en fin de journée et qu'il y a intérêt à ce que mes stylets soient bien pointus. Je ne veux pas qu'un vampire survive à mon attaque et me retombe dessus. Compris ?

Pourquoi toutes les femmes sexy étaient-elles complètement dingues ?

— Oui, m'dame.

Elle remit le sac à dos sur ses épaules, puis se déhancha de façon outrageusement suggestive en prenant appui sur une jambe, posture qui faillit faire sortir les yeux de Nick de sa tête.

— Où vas-tu à l'école, petit ?

— St. Richard.

— L'école où le coach a mangé le principal ? Trop cool. J'aimerais bien qu'il se passe un truc comme ça à St. Mary. Hélas, la seule créature terrifiante là-bas, c'est moi. Bon, passe une bonne journée.

Espérant qu'aucun filet de bave ne s'échappait de ses lèvres, Nick la suivit du regard quand elle sortit et se dirigea vers une moto Nighthawk noire. Elle l'enfourcha, passant une longue jambe gainée de cuir noir par-dessus la selle, démarra puis coiffa son casque.

Nick ne retrouva une respiration normale que lorsqu'elle eut disparu.

Quelle expérience ! La plus excitante de sa vie. Bubba aurait mérité qu'il le paie, et non le contraire. Si des femmes comme celle-là venaient souvent au magasin, il voulait y travailler à plein temps ! Au diable Liza et sa boutique que ne fréquentaient que des petites filles et leurs mamans. Il postulait pour un emploi au Walhalla des femmes super canon.

Et il l'occuperait jusqu'à ce qu'un empoisonnement à la testostérone l'emporte.

Il prit les stylets posés sur le comptoir et se demanda qui ou quoi avait laissé du sang dessus. Les amis de Bubba étant ce qu'ils étaient, difficile de se faire une idée.

Il mit les stylets dans le casier réservé aux articles destinés à la révision et laissa une note avec le nom de la cliente et ses instructions.

Il allait reprendre sa place devant l'ordinateur quand la cloche tinta de nouveau. Contrarié, il revint vers le comptoir.

Le client était Madaug.

— Salut, mec. Qu'est-ce que tu veux ?

Madaug, comme la jeune fille, se pencha pour scruter la porte de la réserve, avec nettement moins de grâce et de sex-appeal qu'elle – une bonne chose, de l'avis de Nick.

— Bubba est par là ?

— Nan. Il dort au premier. Je peux t'aider ?

— Je ne pense pas.

Madaug était manifestement très nerveux. Quelque chose le tracassait.

— C'est flippant, ce qui s'est passé à l'école, hein ? lui demanda Nick.

— Quoi ? Euh... non, pas vraiment. Enfin, un peu. Écoute, il faut que je voie Bubba dès qu'il se lèvera. C'est hyper important.

Nick gratta doucement son bras blessé.

— OK. Tu veux laisser ton numéro ? Je lui demanderai de t'appeler dès qu'il sera debout.

Madaug prit le bloc-notes et le stylo posés à côté de la caisse, griffonna son numéro puis tendit le bloc à Nick.

— S'il te plaît, n'oublie pas : c'est super important.

— Compte sur moi.

Madaug hésita puis se décida à sortir, non sans avoir jeté un dernier coup d'œil à la porte de la réserve.

Bon. Ce mec était aussi fou que Tabitha. Il avait dû inhaler trop de formaldéhyde en cours de chimie, ça lui avait esquinté le cerveau. Ou alors Stone et ses copains lui avaient cogné la tête contre les casiers une fois de trop, et il souffrait d'un traumatisme crânien.

Le bloc dans la poche, Nick revint à l'ordinateur. Mais à peine avait-il posé la main sur la poignée de la porte de la réserve que la cloche tinta pour la troisième fois.

— Et merde !

De quoi s'agissait-il, cette fois ? se demanda-t-il en repartant vers le comptoir. Pas étonnant que Bubba soit crevé. Si ça, c'était son quotidien, son comportement bizarre devenait plus compréhensible.

Nick se figea en voyant trois membres de son équipe de football aller et venir dans la boutique comme s'ils cherchaient quelque chose. Il ne connaissait pas leurs noms mais leurs visages, si. Joueurs remplaçants, comme Stone, ils étaient encore plus agressifs que lui envers ceux qu'ils qualifiaient de « grosses têtes ». Le genre de types que Nick évitait soigneusement, le genre à cogner la tête de Madaug contre les casiers puis à se marrer.

En les voyant humer l'air comme des chiens sur une piste, Nick eut la chair de poule.

— Je peux vous aider, les gars ?

Le plus grand, un brun au sourire de publicité pour dentifrice, s'avança. Sur son blouson étaient cousues les lettres BIFF. Si le mec s'appelait comme ça, ses parents devaient vraiment le haïr. « Cogneur. » Quel prénom !

Nick s'abstint de se moquer. Il était là pour rendre service à Bubba, pas pour se faire botter les fesses par des abrutis.

— Hé, le petit génie boutonneux, l'est où ? s'enquit Biff en se rapprochant encore.

Même pas capable de former une phrase complète... Voilà ce qui arrivait quand on abusait des stéroïdes. Ces crétins-là auraient dû lire les avertissements sur la notice.

D'abord, rétrécissement du pénis, puis problèmes d'expression orale. Et ensuite, on montait au sommet de l'Empire State Building et on cherchait à frapper les avions à coups de poing. Bon, si vous aviez une belle blonde avec vous, on pouvait quand même considérer qu'il y avait de bons côtés…

— Tu cherches Bubba ou Mark ? demanda Nick.

« Petit génie boutonneux » pouvait s'appliquer à Bubba comme à Mark, tous deux étant accros à l'informatique, aux films de série B, aux jeux vidéo et à tout ce qui relevait du domaine scientifique.

— Boutonneux ! beugla Biff en attrapant Nick par la chemise.

Il le souleva et le fit passer par-dessus le comptoir. Nick jura entre ses dents : maintenant, son épaule l'élançait affreusement. Malgré tout, de son bras valide, il réussit à décocher un coup en pleine figure à Biff… qui ne parut même pas s'en rendre compte.

— Lâche-moi, espèce d'animal !

Biff pressa son nez contre le cou de Nick et renifla.

— Mais arrête, sale pervers ! protesta Nick, dégoûté. Enlève tes mains de malade !

Et il ponctua son ordre d'un coup de genou dans les parties.

L'autre se plia en deux en gémissant puis cria :

— Il sent comme Boutonneux ! Chopez-le !

Tous s'avancèrent comme un seul homme en se léchant les lèvres.

Nick bondit de l'autre côté du comptoir et se rua vers la réserve, dans laquelle Bubba gardait une hache… juste au cas où. Bubba n'avait jamais précisé en quoi consistait ce « cas où », mais Nick jugeait que le cas se présentait maintenant. De plus, une hache était l'unique arme du magasin dont il pût se servir d'une seule main.

Il l'attrapa prestement et la brandit à hauteur de la figure du type qui arriva devant lui le premier, un dénommé Jimmy, s'il en croyait les lettres sur son blouson.

— Recule, sinon je te tranche la tronche, mec. Et salement.

Jimmy hésita, ce qui galvanisa Nick : c'était un jeu d'enfant, de bloquer ce genre de grosse brute !

— Voilà… C'est mieux comme ça. Tu n'as pas envie de me goûter. Je ne suis pas bon et…

Sa bravade s'acheva lorsqu'ils l'attaquèrent en bloc.

La hache siffla dans l'air quand il la fit tournoyer, et alla fracasser une vitrine. Une pluie de fragments de verre s'abattit sur le groupe. Nick prépara le coup suivant, mais n'eut pas le temps de le concrétiser : Biff venait de mordre son bras valide. Nick hurla de douleur, sans cesser de se défendre. D'un coup de tête, il repoussa Biff, qui tomba contre ses acolytes, déclenchant un recul général involontaire. Dominant la douleur, Nick fit de nouveau tournoyer la hache… qui lui fut arrachée de la main.

— Qu'est-ce que c'est que ce merdier ? tonna Bubba.

Il leva la hache comme s'il s'apprêtait à s'en servir contre Nick et poursuivit :

— Petit, tu as perdu l'esprit ? Qu'est-ce qui te prend de foutre ma boutique en l'air ? Tu as de la chance que je ne te colle pas une correction à coups de manche de hache !

— Bubba, ce sont des zombies !

Nick montra son bras ensanglanté.

— Ils essaient de me manger !

— Pourquoi tu ne l'as pas dit avant ?

Biff mordit à pleines dents la main de Bubba, qui riposta d'un crochet du droit tellement violent que Nick en ressentit l'onde de choc. Biff recula en titubant. Ses acolytes se mirent à siffler comme des serpents.

— Foutus zombies ! s'écria Bubba en rendant la hache à Nick.

Il décrocha un fusil du mur, fit monter une balle dans la chambre et visa la tête du type le plus proche de lui, qui ouvrit des yeux comme des soucoupes quand il comprit que Bubba allait l'expédier dans un monde meilleur. Dans un hurlement aigu général, le groupe tourna les talons et se rua hors du magasin avec une célérité surhumaine, leur démarche évoquant à la fois les personnages de *Resident Evil* et des chimpanzés zombies.

Bubba se précipita vers la porte pour leur tirer dessus de plus près. Mais, sur une impulsion, Nick attrapa le canon à la seconde où Bubba pressait la détente, le fit pivoter, et la balle, au lieu d'atteindre les footballeurs, aboutit droit entre les deux yeux du portrait de la maman de Bubba accroché au mur, près de la caisse.

Épouvanté, Nick regarda le trou dans le portrait et dans les briques et songea qu'il était un homme mort : Bubba aimait beaucoup sa maman. Et voilà qu'il lui avait mis une balle entre les deux yeux...

La colère qui se peignit sur le visage de Bubba lui fit froid dans le dos.

— Je... je suis désolé... bredouilla Nick alors que Bubba le fixait comme un lion son dîner.

— Pas aussi désolé que tu vas l'être ! Tu m'as fait tirer sur ma maman ! Merde, mais qu'est-ce qui ne tourne pas rond chez toi, petit ?

Nick, qui avait reculé, se retrouva dos au mur, coincé. Il leva la main en une pitoyable tentative de défense.

— Je ne pouvais pas te laisser les tuer, Bubba.

— Et pourquoi pas ?

— D'abord parce que c'est illégal. Tu crois que les flics avaleraient une histoire de zombies ? Certainement pas. Et puis, ces types sont mes camarades de classe. Des cons, OK, mais des camarades quand même. Et j'ai déjà assez de problèmes à l'école comme ça. Je suis sûr que tuer trois membres de l'équipe de foot alors que nous devons jouer en championnat ruinerait ma réputation à jamais.

— Et alors ? Au cas où tu ne l'aurais pas remarqué, petit, tes copains d'école sont devenus des zombies. Si je n'étais pas intervenu, ils t'auraient arraché les entrailles et les auraient dévorées. Tu devrais me remercier au lieu de me faire tirer dans la tête de ma maman !

Nick se sentait mieux : apparemment, Bubba n'allait pas l'étrangler.

— Je sais, dit-il. Mais... ce n'étaient pas des morts vivants. Comment peut-on être un zombie et en vie ? Mourir n'est pas la première étape avant la mutation ?

— Mmm. Je reconnais que, techniquement, cela pose un problème. Mais seulement si l'on considère l'acception courante du terme « zombie ».

— Que veux-tu dire ?

Bubba gratta son menton piqueté de barbe.

— Eh bien, en supposant que leur bokor...

— Leur quoi ?

— Merde, petit, on ne t'apprend donc rien d'utile, à l'école ? Un bokor, c'est celui qui crée et contrôle les zombies. Dans quelle caverne as-tu vécu jusqu'à maintenant pour ignorer ça ?

Nick aurait plutôt parlé de « réalité » que de « caverne », mais il garda cette remarque pour lui. Il tenait trop à la vie pour la mettre en péril à cause d'un sarcasme. De plus, ayant amené Bubba à tirer sur le portrait de sa maman, il devait redoubler de prudence.

— La plupart du temps, reprit Bubba, les bokors se servent de cadavres, mais ce n'est pas une obligation. Plein d'études ont montré qu'il existait des zombies qui avaient muté avant de mourir.

Peut-être était-ce vrai, mais Nick n'en croyait pas un mot.

— Ouais, mais si c'est comme dans *Resident Evil* et que Mother Virus vienne tous nous contaminer ?

Nick baissa les yeux sur la marque laissée par la morsure et sentit la panique monter en lui. Le virus se propageait toujours à partir d'une morsure. Le zombie zéro. La première marque, le début de l'apocalypse. Et c'était lui qui avait tiré le gros lot.

— Mec, d'abord, je me fais tirer dessus, et voilà que maintenant, je vais devenir une saloperie de zombie. À ce rythme, je ne vivrai même pas assez longtemps pour avoir mon premier rendez-vous ni mon permis de conduire. Je ne veux pas mourir puceau et piéton ! Bubba, tu ne peux pas me laisser mourir ! Il ne me reste que dix-sept mois et trois jours avant mon seizième anniversaire !

Bubba lui donna une tape à l'arrière du crâne.

— Sois un vrai mec et arrête avec ces conneries hollywoodiennes ! Les zombies ne sont pas contagieux. On est à La Nouvelle-Orléans, Nick, et je combats les zombies depuis des décennies. La seule façon de virer zombie, c'est que ton bokor te fasse muter. Maintenant... les morsures de démons, ça, c'est une autre histoire. Mais tes potes n'étaient pas des démons. Ils étaient des zombies, rien d'autre, alors arrête de flipper, sinon je te tire dessus.

Nick prit de profondes inspirations pour calmer son cœur qui battait à tout rompre.

— Tu es sûr qu'une morsure de zombie n'est pas contagieuse ?

Si on lui avait dit qu'il poserait un jour une question pareille... Cette conversation était la plus déroutante qu'il ait eue de sa vie, ce qui, compte tenu des bizarreries échangées avec Menyara, en disait long.

— Affirmatif. Crois-moi, petit, je connais mes zombies.

Bubba aurait tout aussi bien pu dire qu'il connaissait ses lutins et ses fées... C'était complètement dingue. Et s'il n'avait pas eu peur que Bubba le descende, Nick en aurait fait la remarque à haute voix.

— Je pense qu'il faudrait quand même désinfecter nos plaies, reprit Bubba. Juste au cas où tout ça serait l'œuvre de quelque arme biologique élaborée par l'armée.

— Désinfecter quoi ? Quel épisode ai-je loupé ? demanda Mark, qui venait d'entrer dans le magasin après son somme à l'étage, dans l'appartement de Bubba.

Il bâillait et se grattait.

— Tu vois ce que tu as manqué en faisant la grasse matinée ? lui dit Nick, sur les nerfs. Bubba et moi, on s'est fait mordre par des zombies. Je suis sûr qu'ils sont contagieux : ce matin, un seul des élèves de l'école avait muté, et je viens d'être attaqué par trois autres. Ça se répand, on va tous être contaminés. Il faut faire quelque chose avant que ça ne touche toutes les jolies filles et qu'il ne reste plus que nous trois ! Appelons la Garde nationale ou le CBC, ou autre chose…

— Hein ? Le CBC, ce truc religieux ?

Bubba était perplexe.

— Mais non ! Je te parle de cet endroit où ils étudient les maladies et mettent en quarantaine les gens contagieux !

— Bubba, il veut parler du CDC[1] à Atlanta, où on étudie les maladies contagieuses, corrigea Mark.

Bubba émit un bruit de dégoût.

Mark, qui dépassait Nick d'une tête, était encore en tenue de chasseur de zombie, c'est-à-dire en combinaison de camouflage. Des brins de mousse espagnole dépassaient de tous les endroits dans lesquels il les avait coincés afin de se fondre dans la végétation du bayou. Son visage était couvert de peinture, et il portait des lentilles de contact jaunes cerclées de rouge simulant des yeux de zombie.

Mais ce n'était pas le pire : en plus, il empestait.

— Qu'est-ce que c'est que cette odeur ? demanda Nick, nauséeux, en se pinçant le nez.

---

1. CDC : *Center for Disease Control and Prevention*. (*N.d.T.*)

On aurait dit qu'un chat avait vomi après avoir mangé des asperges pourries.

Mark le regarda comme si sa question était absurde.

— De l'urine de canard. Ça empêche les zombies de penser que je suis humain.

— Ouais, eh bien moi, ça m'empêche de penser que tu es sain d'esprit.

— Laisse tomber, Mark, dit Bubba à son ami. Le gamin ne sait rien des méthodes de survie : il m'a empêché de tirer sur les zombies qui étaient dans le magasin et essayaient de le bouffer.

Comme Bubba précédemment, Mark donna à Nick une tape sur le crâne.

— Tu es cinglé, petit ?

Nick frotta son crâne endolori. Si Bubba et Mark continuaient à lui frapper la nuque, il finirait par avoir le cerveau endommagé.

— Non, je ne suis pas cinglé ! J'ai juste empêché Bubba de commettre un crime. Tu l'imagines au tribunal, expliquant au juge qu'il ne faut pas le coller sur la chaise électrique parce que sa victime était un zombie ? Crois-moi, je sais de quoi je parle : mon père a été condamné trois fois à la peine de mort pour avoir abattu des démons qui, je cite, « essayaient de me tuer, et si je les avais épargnés, ils auraient conquis la ville et réduit tous les habitants en esclavage ». C'est ce qu'il a expliqué au juge, mais la cour n'a pas considéré cette excuse comme valable. Mon père n'a même pas eu le droit de plaider la folie. Alors, quand j'affirme que clamer qu'il faut tuer des zombies n'est pas un argument recevable, vous pouvez me croire : ça ne marche pas.

Mark secoua la tête d'un air navré.

— Eh bien, c'est dommage, commenta-t-il.

Une voix de stentor s'éleva soudain.

— Hé, Bubba, tu es là ?

Bubba tendit précipitamment le fusil à Nick et murmura :

— C'est l'agent Davis. Pas un mot, hein !

Il marcha jusqu'au comptoir d'une allure décontractée, comme si de rien n'était. Épaté par un tel flegme, Nick cacha le fusil derrière un rideau tandis que Mark retirait sa combinaison.

Plus âgé de sept ans que Nick, Mark avait des cheveux châtain clair en broussaille et des yeux d'un vert éclatant. Ses traits étaient fins, à l'exception de sa mâchoire carrée. Sa barbe de trois jours le vieillissait. Nick enviait sa stature et sa corpulence athlétique. Même au prix d'épuisants exercices, jamais il n'obtiendrait la musculature dont Mark avait été doté par la nature. La vie était injuste.

— Montre-moi ta morsure, petit.

— Tu peux prendre un bain d'abord ?

Mark darda sur lui un regard si froid que Nick comprit qu'il valait mieux ne pas jouer au malin. Dans un soupir, il tendit son bras. Mark poussa un petit sifflement en voyant la vilaine morsure.

— Ouais, il faut vraiment désinfecter ça.

— Je vais devenir un zombie, hein ? s'écria Nick, fou d'angoisse.

— Je ne sais pas. Ce que je sais, c'est que la bouche humaine est la partie du corps qui renferme le plus de germes. Tu pourrais choper une parvovirose, ou la rage, ou un autre sale truc.

La réponse effara Nick.

— Mais la parvovirose est une maladie de chien, non ?

— Ouais. Mais qui sait ce qui se passe dans ton école ? Il pourrait y avoir des loups-garous en vadrouille, et eux, mon gars, ils sont réellement contagieux.

Nick rabattit vivement son bras contre sa poitrine.

— Je ne vais pas me changer en loup-garou, Mark.

— Crois ce que tu veux, mais je t'assure que j'en ai vu dans le bayou, la nuit. Tout un groupe. Ils se sont transformés en humains. Il y en a peut-être à côté de toi dans la journée, et tu ne t'en rends même pas compte.

Nick dut faire appel à toute sa maîtrise de soi pour ne pas éclater de rire devant ce fatras d'âneries. Il ne savait pas ce qui était le plus pathétique : que Mark se sente assez à l'aise avec lui pour lui raconter tout ça, ou qu'il croie à ce qu'il racontait.

Il choisit l'option numéro deux et laissa Mark le conduire à la salle de bains, où Bubba gardait alcool et eau oxygénée.

Mark nettoya sa plaie, et Nick serra les dents : l'alcool le brûlait, et l'odeur était infecte. Dès que le pansement fut terminé, il remarqua :

— J'ai vraiment l'air idiot, avec les deux bras bandés.

— Non, mec. Ce sont des blessures de guerre. Les nanas adorent les cicatrices. Pour elles, ça signifie que tu es capable de les défendre.

Nick était dubitatif.

— Alors, comment se fait-il que ni Bubba ni toi n'ayez de petite amie, Mark ?

— Je ne veux pas de tout le drame qui va avec. La dernière en date a mis le feu à toutes mes fringues avec ma bouteille de Jack Daniel's Black Label et a failli me décapiter avec mes CD, alors j'ai décidé de faire une pause pendant un moment. Bubba, pareil. D'ailleurs, je préfère ne pas en parler. Disons juste que je ne pense pas qu'il ait envie de remettre le couvert.

— C'est-à-dire ? insista Nick, curieux.

— Ce ne sont pas tes oignons ! lança Bubba, qui venait de les rejoindre. Hé, Mark, tu devrais apprendre la discrétion.

— Ouais, bon, j'ai toujours dit que le mariage, c'était bon pour les autres et que ça n'amenait qu'à une chose.

— Plein de parties de jambes en l'air ? demanda Nick en souriant.

— Non, petit. Pension alimentaire.

Décidément, ces deux-là étaient de vrais rayons de soleil qui traversaient les nuages les plus noirs…

En enfer.

— Bubba, qu'a dit la police ? s'enquit Nick.

— Que si l'un de mes voisins signale encore des coups de feu ici, je pourrai dire adieu à ma licence et je serai envoyé en taule. Bande de foutus espions. Tu as déjà vu Mme Thomas, juste à côté ? C'est la sorcière la plus moche de la planète. Une vraie Gorgone, je te jure.

— Une quoi ?

— Hé, petit, sors un peu la tête de tes bandes dessinées et intéresse-toi à la mythologie grecque. Les Gorgones étaient des femmes si laides que le simple fait d'en regarder une changeait un homme en pierre.

— Ah, OK. Dans mon école, ce serait ma prof d'anglais, Mme Richard. C'est une sale vache arrogante qui est persuadée que c'est son nom qu'on a donné à l'école.

Bubba entreprit de ramasser les morceaux de verre.

— Alors, Nick, d'après toi, pourquoi les zombies étaient ici ?

— Ils ont dit qu'ils cherchaient…

Il s'interrompit et essaya de relier les divers éléments. Voyons, Madaug sur les nerfs… Le petit génie boutonneux…

— Bubba, tu connais Madaug St. James ?

— Le *geek* qui me fait penser à Mark ?

— Hé ! protesta Mark, indigné.

Bubba ne lui prêta aucune attention.

— Je t'écoute, Nick.

— Il a dit qu'il devait impérativement te parler. Il venait juste de partir quand les joueurs de foot sont arrivés… et c'était lui qu'ils cherchaient.

— Et tu penses qu'il a quelque chose à voir avec ça ?

Nick sortit de sa poche le papier sur lequel Madaug avait écrit son numéro de téléphone.

— Je ne sais pas, mais je commence à croire qu'on a là un bon point de départ.

Plus il y songeait, plus il en était sûr : Madaug était derrière toute cette affaire. C'était la seule hypothèse qui tînt debout. Si Madaug était vraiment à l'origine de tout et si Nick était changé en zombie à cause de lui, des cerveaux allaient être réduits en bouillie.

Beaucoup de cerveaux. Nick en avait établi la liste, et celui de Madaug occupait la première place – enfin, s'il avait réellement fait cette liste, ce qui n'était pas le cas car cela lui aurait valu d'être expulsé de l'école et probablement jeté en prison. Mais si cette liste avait existé, Madaug aurait bel et bien été en tête.

6

Ils essayèrent pendant des heures de joindre Madaug, mais le numéro qu'il avait donné ne répondit jamais.

Nick regarda Mark qui raccrochait le téléphone encore une fois.

— Je suis sûr que les footballeurs l'ont mangé ! Ils ont senti son odeur ici, et ils étaient bien décidés à l'avoir. Ils ont dû remonter la piste, le choper et s'offrir un banquet.

Mark eut un petit sourire moqueur.

— Les zombies ont des sens très peu développés, Nick. Ce ne sont ni des chiens de chasse ni des loups-garous. Si tu ne bouges pas, ils passent à côté de toi sans te voir. Crois-moi, sur l'échelle des monstres terrifiants, ils sont au niveau zéro. Comparé à un vampire ou à un loup-garou, un zombie, c'est du gâteau.

— Alors, pourquoi l'urine de canard ?

— J'étais dans le bayou, je transpirais et le vent charriait mon odeur. C'était donc différent. Les sens des zombies sont peu développés mais pas inexistants.

Nick jugea superflu d'argumenter. Qu'un zombie soit capable ou non de humer une odeur ne valait pas la peine d'engager une discussion animée. Quant aux loups-garous, ils étaient pure invention. D'ailleurs, peut-être était-ce pareil pour les zombies. Pour le moment, il n'était pas totalement convaincu de leur réalité.

D'accord, il se passait quelque chose avec les footballeurs, mais Nick ne croyait pas au surnaturel. Tout ça, c'était des inventions de mamans pour faire peur aux enfants et de Hollywood pour gagner des sous. Les véritables monstres, les gens comme son père, étaient bel et bien humains, et c'était pour cela qu'ils étaient si dangereux.

On ne les voyait arriver que lorsqu'il était trop tard.

Bubba, qui jusque-là ne s'était pas mêlé de la discussion, se jucha sur son tabouret de façon à les dominer tous les deux. Il pointa l'index sur l'horloge au-dessus de la porte.

— Il est 16 heures, les gars. Je vais aller regarder Oprah à la télé. Alors, sauf s'il y a un incendie au magasin ou si nous subissons une invasion massive de zombies, je serai aux abonnés absents pendant une heure.

Il commença à s'éloigner, puis s'arrêta.

— À la réflexion, si des zombies débarquent, je m'en occuperai plus tard. Aujourd'hui, c'est une émission spéciale sur la façon de s'entendre avec les gens qui vous emmerdent. Il faut que je découvre mon côté zen.

— Ton côté zen, c'est de tirer, Bubba, commenta Mark. Écoute plutôt ta violence intérieure.

— Bien. Ma violence intérieure dit que je te couperai la gorge si tu m'emmerdes avant la fin de l'émission. Alors, fous-moi la paix.

Nick riait aux éclats quand il se rendit compte de l'heure qu'il était.

— Bon sang, il faut que je file !

— Pour aller où ? lui demanda Mark.

— Mon nouveau patron devait me prendre devant l'école… il y a trente-cinq minutes ! J'avais oublié. J'espère que je ne serai pas viré le premier jour…

— Tu veux que je t'écrive un mot d'excuse ? proposa Bubba.

— Non. J'y vais. À plus tard, les mecs. Si vous trouvez Madaug, faites-le-moi savoir.

Il ramassa son sac à dos, ouvrit la porte à la volée et partit en courant. Par chance, il avait l'habitude de courir pour attraper le tram, et l'école n'était qu'à cinq pâtés de maisons du magasin, une distance qu'il parcourut en un temps record.

Le ruban jaune tendu par la police était toujours là, ainsi que quelques agents qui veillaient à ce que personne ne le franchisse. Ils regardèrent Nick attentivement, comme s'ils s'attendaient qu'il morde quelqu'un ou commette quelque autre acte bizarre. Nick ralentit le pas et scruta les voitures alignées le long du trottoir. Une seule était occupée, et pas par Kyrian.

Voilà. Il était renvoyé. Sa mère allait le tuer. Pire, il allait lui falloir payer la note de l'hôpital, laquelle, il l'avait vérifié, équivalait à plus de deux années d'inscription à la fac. Il aurait mieux valu qu'Alan lui tire dans la tête !

Il avait été frappé d'un mauvais sort à la naissance. Sinon, comment expliquer que tout ce qu'il entreprenait tourne mal ? Écœuré, il baissa la tête et reprit le chemin du magasin de Bubba.

— Nick Gautier ?

Il se retourna en entendant cette voix inconnue. L'homme qu'il avait vu assis dans la BMW sortait du véhicule. Pas loin de la quarantaine, il avait des cheveux blond foncé à la coupe recherchée – en d'autres mots, il empestait l'argent. Il rappelait quelqu'un à Nick, sans que celui-ci puisse déterminer qui.

— Qui êtes-vous ? Je ne vous connais pas.

L'homme sourit.

— Non, mais tu connais mon fils, Kyl Poitiers. Il est dans ta classe. Kyrian m'a demandé de passer te prendre et de t'accompagner chez lui. Alors me voilà.

— Et comment je peux être sûr que c'est la vérité ?

Il ressemblait à Kyl, Nick s'en rendait compte maintenant, mais cela ne le rassurait pas pour autant.

— Tu n'as pas confiance en moi ? demanda M. Poitiers.

— Je ne fais confiance à personne. Ma mère m'a assez répété de ne pas monter en voiture avec des gens que je ne connais pas. Ne le prenez pas mal, mais vous pourriez être un pervers ou un dingue.

M. Poitiers éclata de rire.

— Je ne le prends pas mal. Tu sais ce que je vais faire ? Te donner l'adresse de Kyrian et cinquante dollars pour un taxi. Je te retrouverai chez lui.

Nick hésita. La proposition n'atténuait pas sa méfiance.

— Et comment je saurai que c'est vraiment chez M. Kyrian que vous m'envoyez et pas chez quelqu'un d'autre ? L'adresse, c'est peut-être celle où vous emmenez toutes vos victimes.

— Seigneur, que ne donnerais-je pas pour que mon fils soit aussi malin que toi !

L'homme sortit un téléphone portable de sa poche et composa un numéro.

— Salut, Kyrian. Désolé de te déranger. Je suis là avec le gamin, mais il ne veut pas monter en voiture avec moi. Il est encore plus soupçonneux que tu ne me l'avais dit.

M. Poitiers tendit l'appareil à Nick, qui, les sourcils froncés, le porta à son oreille.

— Oui ?

— Salut, Nick. Phil ne te fera pas de mal. Monte dans sa voiture et tu arriveras à bon port dans quelques minutes.

Nick n'était toujours pas convaincu. La voix était familière, mais…

— Comment je peux savoir que vous êtes bien M. Hunter ?

— Eh bien, parce que je suis la seule personne à part toi à savoir que tu aidais tes copains à voler ces touristes, avant de changer d'avis et de les sauver.

Nick eut la sensation d'avoir soudain un grand poids dans l'estomac. Il n'avait soufflé mot à personne de ce qui s'était vraiment passé. Pas même en confession. C'était un secret entre Dieu et lui.

— Comment savez-vous ça ?

— J'étais là depuis plus longtemps que tu ne le pensais et j'ai tout vu. Maintenant, monte dans la voiture.

Nick coupa la communication et rendit le téléphone à M. Poitiers.

— OK, m'sieur, je vous crois. Gardez vos cinquante dollars.

— Non, je t'en prie, prends-les quand même. Considère-les comme une récompense pour être aussi intelligent.

Nick n'était pas habitué à ce que les gens ne soient pas en colère contre lui. Il n'osait pas prendre le billet.

— Vous ne m'engueulez pas ?

— Pour t'être montré prudent ? Bien sûr que non. Je répète constamment à Kyl de se comporter comme tu l'as fait. Je suis fier de connaître un garçon doté d'une cervelle. Allez, monte.

Nick hésitait toujours. C'était bizarre qu'un homme comme Phil Poitiers ne le méprise pas. Très, très bizarre.

Il finit par se résoudre à s'asseoir sur le siège du passager. Phil se remit au volant et démarra. Puis il baissa le volume de la radio afin de pouvoir parler.

— J'aurais dû prendre Kyl avec moi. Tu te serais senti plus à l'aise.

— Ça n'aurait rien changé. Ma mère m'a expliqué que les pervers se servaient d'autres enfants pour attirer leurs proies.

Il ne précisa pas que Kyl ne faisait pas partie de ses amis. Kyl était un morveux de snobinard qui le harcelait autant que Stone. Toutefois, son père semblait être un type correct.

Le silence retomba tandis que Phil se frayait un chemin dans la circulation dense. Peu après, ils arrivèrent dans Garden District. Ce quartier était celui des somptueuses demeures datant d'avant la guerre de Sécession, témoins d'une époque révolue où l'élégance et les bonnes manières étaient de mise, ce qui était loin d'être le cas aujourd'hui.

Nick et sa mère se promenaient souvent dans le coin, surtout parce que l'écrivain préféré de sa mère y habitait et qu'elle essayait de l'apercevoir chaque fois qu'elle le pouvait.

Il resta bouche bée quand ils franchirent une grille et roulèrent jusqu'à la plus grande maison qu'il eût jamais vue, de style grec, avec des colonnes doriques qui composaient un immense péristyle.

Phil suivit l'allée en demi-cercle et s'arrêta devant le perron.

— Nous y sommes, dit-il sans couper le moteur. J'avais pour charge de t'amener à la porte. Mission accomplie.

Nick se sentait très intimidé par cette demeure dont la somptuosité et la sévérité lui paraissaient inquiétantes. Il savait que Kyrian Hunter avait de l'argent, mais il y avait un gouffre entre savoir quelque chose et en avoir la preuve sous les yeux. Comment vivait-on lorsqu'on jouissait d'une telle fortune ? Il ne parvenait même pas à s'imaginer prenant un hamburger au McDo sans compter ses sous !

Il réunit tout son courage et sortit de la voiture. Son sac à dos à la main, il gravit la volée de marches jusqu'à la porte d'acajou poli incrusté d'un vitrail aussi travaillé que du cristal taillé. Il se serait cru dans un film. Il levait la main pour presser la sonnette quand la porte s'ouvrit sur une petite Hispanique qui le considéra avec l'amabilité d'un maton accueillant un nouveau détenu. Elle portait une blouse ample et un jean, et ses cheveux sombres étaient attachés en un chignon serré.

— Nick ?

— Oui, m'dame.

Elle recula pour le laisser entrer.

— M. Kyrian t'attend à l'étage, dans son bureau.

Elle voulut prendre son sac à dos, mais Nick le serra contre lui.

— Tu ne me fais pas confiance ? lui demanda-t-elle, manifestement vexée.

— Pardonnez-moi, m'dame, mais je ne connais même pas votre nom.

— Je suis Rosa, dit-elle, la mine impassible, et je suis la gouvernante de M. Kyrian. Maintenant, veux-tu que je prenne ton sac ?

Il se sentit stupide d'avoir refusé de le lui donner. Mais il n'avait pas l'habitude de laisser quiconque lui prendre quelque chose sans lutter au préalable. Pas même un objet sans valeur. C'était pour cette raison qu'il avait empêché Brynna de toucher son sac.

Il se résigna et tendit le sac à Rosa. Elle le prit et chancela légèrement, surprise par son poids.

— Seigneur, tu es bien plus fort qu'il n'y paraît. Comment charries-tu ça sans devenir bossu ?

Il haussa les épaules.

— Il faut que j'aie toutes ces affaires pour l'école.

D'un geste de la main, elle montra l'escalier qui montait en s'incurvant jusqu'au palier du premier étage.

— Troisième porte à droite. Inutile de frapper, il t'entendra arriver.

Mmm. Encore un élément fort peu rassurant...

Nick monta lentement, prenant son temps pour examiner au gré de son ascension ce qu'il pouvait voir du palais. Une rampe incrustée de motifs ouvragés dont il aurait mis sa main au feu qu'ils étaient en or, des sols de marbre luisant... Enfin, il supposait que c'était du marbre... Bon sang, ce qu'il avait envie de s'enfuir en courant, de retrouver le monde familier de la rue ! Il n'était pas dans son élément, ici. Il avait l'impression d'être un imposteur et un parasite.

Il était vraiment mal à l'aise... et comprit soudain pourquoi : la lumière du jour n'entrait pas dans la maison.

Toutes les fenêtres étaient bouchées par des persiennes et de lourdes tentures. Pas le moindre rayon de soleil ne filtrait au travers. C'était sacrément étrange ! Sa mère lui répétait toujours d'économiser l'électricité dans la journée, d'éteindre la lumière pour ne pas gaspiller d'argent bêtement.

Il était arrivé devant la porte indiquée par Rosa. Elle lui avait dit d'entrer sans frapper. Ce qu'il fit.

Kyrian était assis devant un ordinateur, un casque sur une oreille. Il parlait.

— Talon, je t'entends mais je ne t'écoute plus. Le gamin vient d'arriver, alors je te rappellerai plus tard.

Il coupa la communication, retira le casque et le posa sur son bureau, à côté de l'ordinateur.

— Talon ? dit Nick.

Kyrian sourit sans montrer ses dents, une habitude qu'avait remarquée Nick quand l'homme venait le voir à l'hôpital.

— Un ami. Je suis sûr que tu auras l'occasion de le rencontrer. Comment va ton bras ?

— Ça fait un mal de chien. Les médicaments ne marchent plus.

— Il paraît que tu as eu des problèmes à l'école aujourd'hui ?

— Je n'ai pas eu de problèmes à l'école parce qu'on ne m'a pas laissé entrer. C'était royal !

La réponse parut déplaire à Kyrian, mais il ne fit pas de commentaire.

— As-tu appelé ta mère ?

— Non. Pourquoi ?

— Ne penses-tu pas qu'elle a appris ce qui était arrivé et qu'elle se fait du souci ?

— Je ne vois pas comment elle l'aurait su.

— Nick, c'est ta mère. Elle va s'inquiéter. Crois-moi, tu n'as pas la moindre idée de l'amour qu'ont tes parents pour toi – jusqu'à ce qu'il soit trop tard.

Il y avait dans l'intonation de Kyrian une note indéfinissable, peut-être l'écho d'une vieille souffrance qui venait de se ranimer.

Nick jugea qu'il ne serait pas bon qu'il se montre borné ou irrespectueux.

— Je sais qu'elle s'inquiéterait si elle savait, mais je suis sûr qu'elle n'est au courant de rien. On n'a pas la télé. On n'a même pas le téléphone. Pour nous joindre, il faut appeler Menyara et lui laisser un message.

Kyrian parut tellement choqué et consterné que Nick prit la mouche.

— Hé, gardez votre pitié pour vous ! On s'en sort très bien comme ça. Personne n'a besoin de tous ces bazars électroniques pour vivre. Vous savez, les gens ont vécu des milliers d'années sans ça ! Il y a une grosse différence entre ce dont on a envie et ce dont on a besoin.

Kyrian leva les mains en signe de reddition.

— Calme-toi, Nick. Je n'ai pas pitié de toi. Quand j'étais gosse, moi non plus je n'avais rien de tout cela, et crois-moi, je sais de quelle façon vivaient les gens autrefois.

Nick balaya du regard le mobilier luxueux qui démentait ces paroles. Il était difficile d'imaginer Kyrian Hunter démuni.

— Vous avez parcouru un long chemin depuis, hein ?

— Dans certains domaines, oui.

— Et dans d'autres ?

Kyrian haussa les épaules.

— Laisse-moi présenter les choses ainsi : l'argent ne résout pas les problèmes. Il en apporte de nouveaux.

— C'est-à-dire ?

— C'est-à-dire que j'espère que tu ne souffriras jamais des mêmes trahisons que moi. Mon père m'a dit un jour qu'aucun ami ne me serait fidèle à cause de ce que je possédais et de ce que j'étais.

Le père de Nick lui avait dit à peu près la même chose. Qu'il ne devait se fier à personne parce que, chez les hommes, la trahison était une seconde nature. Et que lorsqu'ils succombaient à leur horrible penchant, ils le faisaient en riant.

Mais Nick refusait d'être aussi cynique.

— Votre père avait-il raison ?

— Pas totalement. J'ai eu un ami loyal, mais quand il est mort, je me suis retrouvé face à d'autres personnes qui ont donné raison à mon père. Je sais que c'est difficile à admettre, à ton âge. Les dieux savent que jamais je ne…

— *Les* dieux ? coupa Nick.

Kyrian sourit de nouveau, toujours sans montrer ses dents.

— Il faut me pardonner, petit. Je suis parfois un peu excentrique.

— C'est pour ça que tous les rideaux sont fermés ?

— Oh, tu as le sens de l'observation. C'est impressionnant. La plupart des gens ne remarquent pas ce détail.

— Moi, il y a peu de trucs qui m'échappent. J'ai l'habitude d'observer dans l'ombre. On en apprend davantage comme ça.

— Je n'oublierai pas cela.

Kyrian se leva et tendit le téléphone à Nick.

— Laisse un message à ta maman. Je ne veux pas qu'elle s'inquiète si elle a eu vent de ce qui est arrivé à l'école.

— Bon sang, pour que vous vous comportiez comme ça, il a fallu que vos parents vous aiment vraiment très fort.

L'autre nom de M. Hunter devait être M. Parfait.

— Mes parents sont morts il y a longtemps, dit Kyrian après une pause. Et le plus triste, c'est qu'ils me manquent tous les jours. J'ai passé toute ma jeunesse à me disputer avec mon père pour des bêtises, et aujourd'hui, je vendrais mon âme pour le revoir une dernière fois et lui dire que je regrette les ultimes paroles que je lui ai adressées. Des mots sur lesquels je ne pourrai jamais revenir et que je n'aurais jamais dû lui jeter au visage. Alors, appelle ta maman. Quelle que soit la relation que tu entretiens avec tes parents, sois bien certain que le jour où ils ne seront plus là, ils te manqueront.

Nick était moins sûr de cela que Kyrian. Il connaissait à peine son père. Quant à sa mère, c'était un autre problème. Jamais il ne lui ferait de mal délibérément.

Il composa le numéro de tante Mennie et pressa le combiné contre son oreille.

— Allô ? fit Menyara, avec un accent créole encore plus prononcé que d'ordinaire.

— Salut, tante Mennie. C'est Nick. Pourrais-tu...

— Nick ? Mon petit, où es-tu ? Ta pauvre maman est désespérée à cause de toi ! Elle est assise là, sens dessus dessous, et elle pleure ! Elle n'a pas dormi, n'a pas eu une seconde de paix depuis ce matin, quand elle a appris ce qui s'était passé à ton école ! Honte à toi de la laisser s'inquiéter comme ça ! Nous sommes allées à l'école, nous t'avons cherché partout, et tu t'étais volatilisé ! Personne n'a pu nous renseigner, et pendant ce temps, toi, tu étais bien tranquille dans ton coin ! Honte à toi, petit ! Honte à toi !

Nick se recroquevilla quand sa mère prit l'appareil. Il avait l'impression de s'être transformé en crotte de chien. Cela ne ressemblait pas à Menyara de le réprimander ainsi. Elle laissait ce soin à Cherise. Qu'elle l'ait fait en disait long sur l'état dans lequel se trouvait sa mère.

— Bébénou ?

La voix de Cherise. Le petit nom tendre. Nick fondit. Plus jamais elle n'employait ce surnom qu'elle lui donnait quand il était tout enfant.

— Tu vas bien, bébénou ?

— Oui, M'man. Je vais bien. Je suis vraiment désolé de ne pas avoir appelé. Je... je pensais que tu n'étais pas au courant.

— Pas de problème, mon chéri. Je suis contente que tu ailles bien. C'est si bon de t'entendre ! La police n'a rien voulu me dire au sujet des victimes et m'a assuré que les familles seraient prévenues… Alors, j'attendais que les agents sonnent à la porte et m'annoncent…

Sa voix se brisa sur un sanglot.

— Je ne voulais pas te faire peur, Maman ! s'écria Nick, bouleversé.

— Tout va bien, maintenant. Tu es sain et sauf, et c'est ce qui compte. Où es-tu ?

Nick se tourna vers Kyrian, dont le regard fut explicite : « Je te l'avais bien dit, petit. »

— Je suis chez M. Hunter. Et avant, j'étais au magasin de Bubba. Je l'ai aidé ce matin, puisqu'il n'y avait pas cours. Il a dit qu'il me paierait double.

— Mais tu n'as rien, n'est-ce pas ?

— Non.

— Dieu merci !

Kyrian prit le téléphone des mains de Nick.

— Madame Gautier ? Ici Kyrian. Cela vous convient-il si Nick dîne ici ? Je le ramènerai chez vous vers 19 heures.

Il marqua une pause, le temps d'écouter la réponse de Cherise, puis reprit :

— Oui, madame. Je prendrai bien soin de lui et veillerai à ce qu'il ne lui arrive rien. Je vous le promets.

Il raccrocha, et Nick lui demanda aussitôt :

— Pourquoi vous lui dites « madame » alors qu'elle est plus jeune que vous ?

— C'est une marque de respect.

Ce que Nick ne comprenait pas, mais qu'il appréciait.

— Il n'y a pas beaucoup de gens qui montrent à ma mère le respect qu'elle mérite. Je vous suis très reconnaissant.

Kyrian rangea le téléphone dans sa poche.

— J'ai appris il y a bien longtemps à ne pas juger les gens d'après leur apparence, leur façon de s'exprimer ou les vêtements qu'ils portent. Ce n'est pas parce qu'une maison est pimpante et reluisante à l'extérieur que l'intérieur n'est pas pourri. Ta maman est une femme qui a bon cœur, et je suis heureux que tu sois assez mûr pour t'en rendre compte.

Nick sentit grandir en lui l'estime qu'il portait à Kyrian.

— Vous savez quoi ? Je pense que je peux travailler pour vous.

Kyrian lui adressa l'un de ses sourires lèvres pincées.

— Content de l'entendre. Bon, je peux te faire visiter les lieux, maintenant ?

Nick aimait la manière dont parlait Kyrian : il passait de l'argot à des expressions sophistiquées, parfois désuètes, qu'il prononçait avec un accent indéfinissable.

— Tes tâches seront bien légères. Rien de fatigant. Si quoi que ce soit accentue les douleurs de ton bras, ne le fais pas. Il n'est pas question que tu perdes les bénéfices de la rééducation.

Nick le suivit jusqu'à l'escalier.

— Pourquoi faites-vous ça ? Vous savez exactement ce que je faisais, dans la ruelle, et pourtant vous allez me laisser vadrouiller chez vous avec tous ces trucs de valeur ? Vous n'avez pas peur que je vous vole quelque chose ?

Kyrian, qui avait commencé à descendre, se retourna et lui décocha un regard sévère.

— Quoi que tu me voles, je pourrai le remplacer. Les choses matérielles comptent très peu pour moi. Et j'ai envie de t'aider, Nick. Tu me rappelles un gosse que j'ai connu autrefois. Un gamin têtu comme une mule. Il n'écoutait rien, et il voulait montrer au monde qu'il était un vrai dur et n'avait besoin de personne pour le guider dans l'existence. Il tenait à tout apprendre par lui-même, ce qui est le moyen le plus difficile.

— Que lui est-il arrivé ?

— Contre l'avis de ses parents, il s'est engagé dans l'armée et il a rencontré un homme qui a changé sa vie.

C'était son commandant. Pour quelque mystérieuse raison, cet homme était très patient. Quand d'autres auraient tué cet arrogant petit prétentieux, il a vu le potentiel qui était en lui. Il a transformé la vie du garçon, et j'aimerais rembourser cette dette à travers toi.

Nick mit quelques instants à comprendre le sens des paroles de Kyrian.

— Ce gosse, c'était vous ?

— Oui.

— Et le type qui a changé votre vie ?

Kyrian baissa les yeux vers la main qu'il avait posée sur la rampe. Une bague ornait son annulaire.

— Un homme du nom de Julien. Et crois-moi, ajouta-t-il avec un sourire sardonique, c'était le pire fils de pute qu'on ait jamais vu sur un champ de bataille. Comparés à lui, Jackie Chan et Chuck Norris sont des lopettes.

— C'est lui qui vous a appris à vous battre comme vous l'avez fait quand vous m'avez sauvé ?

— Oui.

Nick ne pouvait qu'en convenir, Kyrian se débrouillait vraiment bien.

— Vous pourriez m'apprendre ?

— Quand ton bras sera guéri. Pour l'instant, je vais tenir la promesse que j'ai faite à ta mère de ne pas te fatiguer.

— Ouais, mais…

— Pas de « mais ». Aujourd'hui, ce n'est qu'un préambule. Je veux que tu découvres cet endroit. Rosa sera ta supérieure directe, tu devras donc lui obéir. Dans la mesure où je travaille la nuit, c'est à elle que tu auras affaire la plupart du temps.

Kyrian recommença à descendre l'escalier. Nick l'imita.

— Il y a combien de gens qui travaillent pour vous ?

— Seulement Rosa et George, le jardinier. Et maintenant… toi.

— Et M. Poitiers ?

— C'est un ami. J'ai beaucoup d'amis qui me rendent des services de temps à autre.

Nick était impressionné.

— Ça doit être cool d'être un roi.

Une lueur de tristesse passa dans les yeux de Kyrian.

— Je crois qu'en premier, je vais te montrer ton bureau.

Nick était ébahi.

— J'ai un bureau ?

— Mais oui.

Kyrian passa devant la cuisine, puis amena Nick dans une pièce à elle seule plus grande que tout l'appartement qu'il partageait avec Cherise. Il y avait là deux bureaux, deux ordinateurs et deux beaux et confortables fauteuils de cuir. Des rayonnages chargés de livres couvraient les murs.

— Le plus grand bureau est celui de Rosa, expliqua Kyrian.

Nick s'avança vers le « petit » bureau, qui avait déjà des dimensions imposantes, et fit courir sa main sur le plateau. Du merisier. Une merveille. Mais ce qui le fit sourire, ce fut le grand écran de l'ordinateur.

— C'est le mien ? Pour de vrai ?

— Oui. Tu pourras t'en servir pour faire tes devoirs. Il est connecté à Internet et…

— Connecté et tout et tout ? coupa Nick, ébahi.

— Oui. Parfois, j'aurai besoin que tu cherches des renseignements pour moi ou que tu commandes des choses.

— Vraiment ?

— Vraiment.

Nick ne savait que dire. Jamais il n'aurait imaginé cela. Quand Kyrian lui avait offert ce job, il s'était dit qu'il serait chargé de promener le chien, de nettoyer les toilettes ou d'autres tâches aussi peu reluisantes. Même dans ses rêves les plus fous, il n'avait pas une seule seconde imaginé qu'il aurait son propre bureau, avec un ordinateur à disposition.

Il s'aperçut que Rosa avait déjà posé son sac à dos près du poste qui lui était dévolu. Il se sentit tout à coup adulte, éminemment respectable, avec un véritable emploi.

Il leva la tête et riva son regard à celui de Kyrian.

— Combien vais-je gagner ?

— Dans la mesure où tu travailleras à mi-temps, tu commenceras à mille la semaine.

Nick crut son cœur sur le point de s'arrêter. Mille quoi ? Lires ? Roubles ? Yens ?

— Pardon ?

— Brut, bien sûr, précisa Kyrian. Et tu auras des primes de rendement, donc tu augmenteras ton salaire si tu le souhaites. Je trouve normal de récompenser l'ardeur au travail et…

— Attendez ! Revenez un peu en arrière. Je veux être sûr d'avoir bien compris. Mille… par semaine ?

— Oui.

— Mille dollars américains ?

— Oui.

— Pas des billets de Monopoly ?

Kyrian parut irrité.

— Non, Nick. Du vrai, du bon argent. Et tu auras également ta propre carte de crédit.

Nick ne parvenait pas à y croire. La somme lui paraissait surréaliste.

— Et je n'aurai rien d'illégal ni de moche à faire ?

— Je te demanderai juste de surveiller ton langage, surtout avec Rosa.

Remarque qui appelait une question.

— Combien la payez-vous, puisqu'elle est à plein temps ?

Kyrian éclata de rire.

— Bien plus que ce que je vais te payer, toi, mais sans doute pas suffisamment pour qu'elle supporte tes réflexions. Alors, si tu tiens à garder ton job, il faudra que tu lui montres du respect.

— Ne vous en faites pas, je n'ai pas l'habitude d'être insolent avec les femmes.

Une règle qu'il n'appliquait pas avec les hommes, et de toute façon pas avec les gens qui lui marchaient sur les pieds, quel que soit leur sexe.

— Combien allez-vous déduire de mon salaire pour le remboursement de la facture de l'hosto ? demanda-t-il, se rappelant soudain ce problème majeur.

— Tu continues à avoir de bonnes notes, tu te tiens bien, tu restes fidèle au poste pendant six mois et on oublie la facture.

Voilà qui était trop beau pour être honnête. Nick était jeune, mais il n'était pas né de la dernière pluie.

— Ma maman dit que nous n'acceptons pas la charité et que nous payons toujours ce que nous devons.

— Nick, regarde autour de toi. Cette somme que j'ai donnée à l'hôpital, elle ne va pas me manquer.

Il se tut un instant.

— J'ai été témoin de ton moment d'égarement. Tu t'étais engagé sur la mauvaise voie et, tout à coup, tu t'es ravisé. Personne ne t'y a contraint. Tu as agi de ton propre chef. Mon but, c'est de te garder sur le bon chemin. Je sais que les gens désespérés font des choses désespérées. Je t'ai donc offert ce travail pour éloigner la tentation. Tu es un bon petit, et tu mérites de souffler un peu. Je suis sûr que la vie ne t'a guère ménagé jusqu'à aujourd'hui.

C'était vrai. La vie avait été un combat pour sa mère et lui depuis sa naissance.

— OK, mais ça fait beaucoup d'argent pour ne pratiquement rien faire.

— Tu ne te tourneras pas les pouces. Tu feras partie d'une équipe dont j'ai un besoin vital pour faire correctement mon travail. De surcroît, si tu continues à bien travailler au lycée, ce que je compte te verser maintenant ne sera que peu de chose comparé au salaire que tu toucheras lorsque tu seras adulte.

— Mmm. Et je n'aurai pas à me mettre tout nu ? s'enquit Nick, toujours méfiant.

— Grands dieux, non. Garde tes vêtements : ni Rosa ni moi n'avons envie de devenir aveugles. Il y a une piscine à l'arrière de la maison, mais quand tu te baigneras, porte un maillot. Cela m'ennuierait que mes voisins se plaignent ou que George démissionne.

Kyrian prit un petit boîtier sur son bureau et le tendit à Nick.

— C'est pour toi.

— Qu'est-ce que c'est ?

— Un téléphone mobile. Comme ça, je pourrai te contacter quand j'en aurai besoin.

Nick n'arrivait pas à y croire.

— C'est pas vrai !

— Si. Cela fait partie des avantages du job, mais tâche de ne pas dépasser ton forfait : si je reçois une facture de dix mille dollars pour un mois, je t'étrangle. Prends-le. Il est déjà en service et le numéro est sur l'écran. Pense à le donner à ta mère. J'ai programmé mon propre numéro : il te suffira d'appuyer sur la touche deux pour me joindre.

Tant de générosité bouleversait Nick. Les mots lui manquaient.

— Super. Merci.

— Je t'en prie.

Le téléphone de Kyrian sonna à cet instant. Il le sortit de sa poche, regarda le numéro et répondit.

— Non, je suis levé depuis un moment. Pourquoi ?

Il fronça les sourcils en écoutant la réponse de son interlocuteur. Pendant ce temps, Nick examinait son propre appareil sous toutes les coutures, émerveillé.

— Qu'entends-tu par « il y a eu d'autres attaques » ?

La question attira l'attention de Nick. Kyrian parlait-il des zombies ?

— D'accord. J'arrive au plus vite, et je serai à l'affût de tout ce qui pourrait sortir de l'ordinaire.

Il écouta son correspondant encore quelques minutes puis raccrocha.

— Quelque chose ne va pas ? demanda Nick.

Kyrian éluda la question.

— Y a-t-il quelqu'un dans ton école qui aurait envie de découper à la hache des joueurs de football ?

Cet homme n'avait donc jamais fréquenté le lycée ?

— Ça dépend du joueur de football. Pourquoi ?

— Il y a eu deux autres attaques. De nouveau contre des joueurs. Combien de gars l'équipe compte-t-elle ?

— Attendez, laissez-moi réfléchir... Je ne suis pas sûr parce que je ne joue plus, mais je dirais une cinquantaine, J et U confondus.

— J et U ?

Nick était surpris que Kyrian ne sache pas de quoi il parlait.

— Les Juniors et les Universitaires.

— Ah. Et pourquoi ne joues-tu plus ?

Nick haussa les épaules tandis qu'un souvenir déplaisant lui revenait. Il était un excellent joueur, mais cela ne lui avait pas sauvé la mise.

— Je me suis fait expulser la première semaine pour m'être battu avec Stone qui s'était moqué de mes chaussures. Au cas où vous ne l'auriez pas remarqué, je ne suis pas très sociable.

— J'ai remarqué, répondit Kyrian en riant. Écoute, il faut que je passe d'autres coups de fil, alors balade-toi au rez-de-chaussée pour te familiariser avec la maison, et ne te fatigue pas. Si tu veux boire ou manger, va à la cuisine. Fais comme chez toi.

Nick attendit d'être seul pour tenter une fois encore, avec son nouveau téléphone, de joindre Madaug.

Toujours pas de réponse.

Mmm. Mauvais, ça. Si ce qu'avait dit Kyrian était vrai, ils avaient perdu un quart de l'équipe. Cette année, ils n'iraient pas en championnat d'État.

Mais qu'est-ce que cela pouvait bien lui faire ? Curieux, qu'il ait pensé à ça en priorité. Il y avait quand même plus important. Les joueurs, dans leur état normal, s'en prenaient déjà à pas mal de gens. Maintenant qu'ils devenaient des zombies, cela ne pouvait qu'empirer : ils allaient s'attaquer à tout le monde. Qu'est-ce qui avait déclenché ce désastre ? Et comment l'arrêter ? se demanda-t-il en se dirigeant vers la cuisine, guidé par la délicieuse odeur du plat mitonné par Rosa.

Il souleva le couvercle du faitout pour en inspecter le contenu pendant que Rosa émincait des oignons et des crevettes.

— Qu'est-ce que vous préparez ?

— Du gombo.

Nick en avait mangé toute sa vie, mais jamais celui de sa mère n'avait eu cet aspect ni cet arôme.

— Alors, c'est à ça que ressemble le gombo des riches…

— Que veux-tu dire ?

— Il n'y a pas de restes dedans et vous mettez de la vraie viande, pas des morceaux de bacon ni des trucs morts ramassés au bord de la route.

— Je suis sûre que tu n'as jamais mangé de trucs morts ramassés au bord de la route, dit Rosa en riant.

Nick ne l'aurait pas parié. Sa mère aurait juré que non, mais parfois la viande qu'elle rapportait à la maison… eh bien, elle avait tout l'air d'avoir été trouvée sur le bas-côté. Peut-être même décrochée de pneus…

— Goûte, lui proposa Rosa en lui tendant une cuillère.

— Vraiment ? Oh, merci.

Il plongea la cuillère dans le faitout, souffla dessus puis la porta à sa bouche. Seigneur ! C'était encore meilleur que ne le laissait présager l'odeur ! Son estomac se mit à gronder si fort qu'il eut l'impression qu'un monstre allait s'en échapper. Rosa le regarda.

— Désolé, m'dame. Je n'ai pas mangé à midi.

Bubba ne l'avait pas autorisé à prélever dans le tiroir-caisse de quoi s'acheter quelque chose. Il mangeait à la cantine lorsqu'il était à l'école, mais n'avait pas les moyens de déjeuner ailleurs.

— Mais pourquoi n'as-tu pas dit que tu avais faim ? demanda Rosa, apparemment choquée.

Elle le poussa vers l'îlot central et lui fit signe de s'asseoir sur l'un des deux tabourets.

— Mets-toi là. Je vais te préparer un sandwich.

— Je peux attendre jusqu'au dîner. J'ai l'habitude.

— Dans cette maison, personne n'a faim, fiston. Alors, tu t'assieds et tu manges.

Il se sentait nerveux. Personne n'était aussi gentil avec lui. Jamais. Avait-il basculé dans la Quatrième Dimension ou quoi ?

Ouais, ce devait être ça. Il allait mourir. Il était victime d'un sort funeste, il était sur le point de se décomposer, de se transformer en démon aux chairs putrescentes... Ses membres allaient tomber, comme dans ce film qu'il avait vu... Et tout ça parce qu'il avait aidé un couple de vieux à échapper à ses amis !

Il se ressaisit, se morigéna d'être aussi stupide.

Mais non, il n'était pas stupide. Le fait était là, indubitable : quelque chose ne tournait pas rond dans le monde. Tout partait en vrille. Plus rien n'était normal. Sûr et certain, il était victime d'un sort. Il allait mourir.

Un grattement à la porte de derrière l'arracha à ses sinistres pensées. Puis un grondement guttural, qui rappelait celui d'un chien acculant un chat. Un rottweiler, au moins.

Il regarda Rosa, les sourcils froncés, et s'aperçut qu'elle fixait la porte.

— Quel genre de chien Kyrian a-t-il, Rosa ?

— Il n'a pas de chien.

— Alors, qu'est-ce qui…

Il n'eut pas le temps d'achever sa phrase : la porte s'ouvrit à la volée sur deux membres de l'équipe de football qui se jetèrent sur lui.

7

Nick exécuta un mouvement qu'il n'avait pas fait depuis qu'il n'était plus arrière dans l'équipe : il fonça sur la gauche, exécuta un virage à angle droit et prit les assaillants à revers, lesquels, emportés par leur élan, aboutirent droit dans le mur. Il attrapa Rosa et la propulsa loin du danger tout en cherchant un objet susceptible de faire une bonne arme.

Rosa s'empara du couperet à viande avant qu'il ait eu le temps de s'en saisir, prit le couteau à découper dans l'autre main, puis, ce qui sidéra Nick, brandit ses deux armes redoutables comme une vraie pro du combat rapproché et fit face aux agresseurs.

— Recule, Nick ! ordonna-t-elle. Je n'ai pas toujours été gouvernante, tu sais. Tout fils de pute assez idiot pour débarquer ici animé de mauvaises intentions ne mérite que de tomber raide mort par terre et d'être découpé comme un porc.

Les zombies chargèrent.

Rosa bloqua le premier d'un coup de lame sur le bras. Il se borna à émettre un grognement et à la repousser pour foncer sur Nick, qui attrapa une poêle posée sur la cuisinière. Tant pis pour le dîner, se dit-il en jetant le contenu bouillant dans le visage du footballeur.

Cette fois, l'adversaire battit en retraite en hurlant. Nick lui donna quelques bons coups de poêle avant d'aller prêter main-forte à Rosa, qui se colletait avec son acolyte. Il s'était interposé quand l'autre revint à la charge et lui fit une clé au cou par-derrière. Nick cria : c'était son épaule blessée qui avait encaissé le choc. D'un coup de tête en arrière, il se débarrassa du zombie.

Deux secondes plus tard, un éclair aveuglant envahit la cuisine.

Nick plaqua les mains sur ses yeux pour les protéger. Il entendait les hurlements d'agonie des zombies. Quand il baissa les mains, il recula, stupéfait : les zombies avaient disparu, et à leur place se tenait l'homme le plus grand qu'il avait jamais vu.

— Vous allez bien, Rosa ? s'enquit-il.

— Oui, Acheron, merci.

La porte de la cuisine se referma sans que personne l'ait touchée. Acheron s'avança vers Nick d'une démarche souple de grand prédateur. Il avait de longs cheveux noir corbeau striés de mèches vertes, les yeux masqués par des lunettes aux verres d'un noir d'encre, et il était habillé de noir. Son tee-shirt était orné d'un crâne de vampire phosphorescent. Sur son sac à dos était peint le symbole de l'anarchie.

— Content de te rencontrer, Nick.

Son accent étonna Nick. Il ne lui rappelait aucun qu'il connût.

— Comment connaissez-vous mon nom ?

— Je sais beaucoup de choses.

Ce qui fichait les jetons, songea Nick. Ce mec était-il un genre d'espion ?

Il balaya la cuisine du regard. Il n'y avait plus trace du duo d'agresseurs.

— Qu'est-il arrivé aux footballeurs ?

— Ma démone les a mangés, dit Acheron d'un ton tellement tranquille que Nick, pour un peu, l'aurait cru.

— Ouais, c'est ça, railla-t-il. Et je suppose que le Grand Méchant Loup va venir finir le travail ? À moins que ce ne soit le Bonhomme en Pain d'Épice qu'il me faille craindre ?

Acheron lui décocha un sourire en coin.

— Kyrian avait raison, tu es un petit…

Il croisa le regard de Rosa, marqua une brève pause, manifestement le temps de chercher un terme plus doux que celui qu'il s'apprêtait à prononcer, et acheva :

— … insolent.

Il sortit son téléphone portable, qui semblait minuscule dans son immense main, et composa un numéro. Nick suivit des yeux Rosa, qui était retournée à sa cuisine après avoir lavé le coutelas ensanglanté, comme si rien ne s'était passé. Bon sang, voilà qu'il entendait le thème musical de *La Famille Addams* dans sa tête. Il se trouvait dans une maison de fous…

— Suis-je le seul à être effaré par ce qui vient d'arriver ? Vous vous comportez comme si tout était normal… Enfin, quand même, ces événements, pour vous, ne font pas partie d'une journée habituelle, si ?

— Oh, ça dépend du voisinage, répondit nonchalamment Acheron avant de poursuivre dans le téléphone : Salut, Kyrian. Tu devrais sortir de la douche et descendre. Ta maison vient juste d'être envahie par des zombies que Rosa et ton jeune gars ont combattus.

Voilà pourquoi Kyrian n'était pas venu voir ce qui se passait. Il n'avait pas entendu le vacarme de la bagarre.

Acheron coupa la communication, puis s'approcha de Rosa et lui souffla quelques mots à l'oreille en espagnol. Incrédule, Nick se rendit compte que, bien qu'il ne connût pas un traître mot de cette langue, il comprenait parfaitement ce que disait le géant.

— Oublie ce qui s'est passé. La nourriture s'est répandue par accident sur le sol et rien de bizarre n'a eu lieu. Pas d'attaque. Juste un jour comme les autres.

Il regarda Nick, qui avait reculé, rongé d'inquiétude à l'idée de ce que cet homme pourrait lui faire. Acheron leva la main, et Nick entendit tonner un ordre télépathique dans sa tête :

— Sors d'ici ! Tout de suite !

Il ne se le fit pas dire deux fois. Il se rua hors de la cuisine, contourna le pied de l'escalier... et s'immobilisa quand Acheron apparut comme par magie devant lui. Sauf que cette fois, Nick ne le voyait plus sous la forme d'un jeune homme mais sous celle d'une créature dotée de crocs, de cornes, à la peau mouchetée de bleu et aux lèvres noires.

Bon sang, mais que contenait ce gombo qu'il avait goûté ? se demanda Nick. Des hallucinogènes ? Probablement : l'illusion venait de céder. Acheron était de nouveau un grand et beau type.

Et si un phénomène surnaturel s'était produit ?

Non, il ne croyait pas à ce genre de truc. Mais comment qualifier ce qui se passait ? Ce n'était pas normal. Il n'y avait aucune explication logique au fait qu'Acheron ait surgi ainsi devant lui. Aucune non plus, maintenant qu'il y réfléchissait, à la façon dont la porte de la cuisine s'était refermée seule, ni à cet éclair aveuglant qui avait accompagné l'apparition d'Acheron.

C'était tout simplement impossible.

— Qu'êtes-vous ? demanda Nick, après avoir dégluti avec peine.

— Quelqu'un de complètement perplexe : tu te souviens de tout ce qui s'est passé.

C'était une affirmation, pas une question, et Nick eut la sensation qu'il lisait dans ses pensées.

— Ouais, je m'en souviens. Difficile d'oublier les zombies tueurs et la cuisinière psychopathe. À quoi rime ce cirque ?

— Tu ne l'imagineras jamais, Nick, assura Acheron dans un ricanement démoniaque. Réponds plutôt à cette question : pourquoi les zombies sont-ils après *toi* ?

— Non. Vous d'abord, répondez à celle-ci : pourquoi avez-vous des cornes et les lèvres noires ? Qu'êtes-vous ?

Le sourire mauvais d'Acheron s'effaça.

— Quoi ?

— Je vous ai vu, il y a une minute ! Quand vous vous êtes matérialisé pile poil devant moi ! Vous aviez des cornes et la peau bleue !

— Quel genre de légume as-tu mangé, petit ? Ou alors tu as pris de la méth' ? Tu sais que ça tue ? Tu as sniffé ? Tu ferais mieux d'arrêter ces saloperies avant qu'elles détruisent les trois neurones qui te restent !

— Ben voyons, je suis stone, et vous... vous n'êtes pas humain ! Je le sais, vous n'êtes pas humain.

Le vilain sourire réapparut sur les lèvres d'Acheron.

— Très peu de gens le sont.

— Mais je vous ai vu, mec ! Ce que vous avez fait aux zombies quand vous êtes arrivé, et puis à Rosa, ça prouve bien que vous n'êtes pas humain. Vous allez me tuer parce que j'ai tout découvert ?

Acheron prit le temps de réfléchir aux options qui s'offraient à lui. Nick Gautier était bien davantage que ce qu'il semblait être. À quatorze ans, son esprit aurait dû être aisément nettoyé par ses pouvoirs, comme l'avait été celui de Rosa. Non qu'Acheron aimât se servir de ses pouvoirs sur quiconque. Par principe, il les utilisait le moins possible. Mais certaines circonstances exigeaient qu'il fît exception. L'irruption de zombies dans une cuisine en faisait partie.

Oui, décidément, Nick intriguait Acheron. Normalement, les êtres capables de bloquer sa capacité d'effacer leurs souvenirs ne développaient ce don que bien plus tard. Et même alors, seule une volonté de fer pouvait résister à la sienne.

D'ailleurs, maintenant qu'il y réfléchissait, aucun mortel n'avait jamais réussi à lui résister ! Seuls les dieux et une poignée de démons parvenaient à lutter contre sa puissance psychique.

Plus grave et plus étrange, Nick avait entraperçu sa véritable apparence de dieu. C'était sidérant et inquiétant. Il fallait le tuer, ce maudit gamin. La logique imposait de le faire disparaître. Mais Kyrian, pour quelque absurde raison, s'était attaché à lui.

Acheron ferma les yeux et se servit de ses pouvoirs pour avoir une idée de l'avenir, voir ce qui se passerait s'il tuait Nick.

Et il ne vit rien, juste une immensité de néant.

Merde.

Deux semaines auparavant, quand Nick avait été blessé, la vie tout entière du gamin, du début à la fin, lui était apparue sans peine, aussi claire qu'un ciel d'été, et voilà que maintenant il ne distinguait même pas ce que contenait sa poche.

Mauvais, ça. Très mauvais. Car cela ne pouvait signifier qu'une chose : le gamin allait à un moment ou à un autre avoir un impact sur son existence et les Moires avaient aveuglé Acheron pour qu'il ne puisse interférer dans les choix de Nick.

Bon sang, il détestait que ce genre de truc arrive. C'était pour cela qu'il empêchait quiconque de devenir proche de lui, pour cette raison qu'il n'avait pas d'ami intime autre que sa démone. Le morveux devant lui était destiné à altérer son avenir. Pas étonnant qu'il soit incapable de se servir de ses pouvoirs sur lui.

Il soupira et rouvrit les yeux. Inutile d'essayer de combattre la destinée. Il avait appris des siècles plus tôt que cela était vain. Autant accepter l'inévitable et se présenter dans les règles. Parce que, chaque fois qu'il avait tenté d'infléchir son avenir, il n'avait fait qu'empirer les choses.

— Je suis Acheron Parthenopaeus.

— Waouh, et moi qui trouvais mon nom merdique. Vos parents devaient vraiment vous avoir dans le nez.

Il parlait d'or.

— Appelle-moi Ach. C'est plus facile et ça va plus vite.

Nick lui tendit sa main valide.

— Nick Gautier. Maintenant, on recommence : qu'est-ce que vous êtes ?

— Le meilleur ami que tu te feras jamais, ou ton pire ennemi, lança Kyrian, qui descendait l'escalier.

Nick se retourna.

— Oh, ça y est, je pige ! Parce qu'il me tuera si je lui casse les pieds, c'est ça ? répliqua-t-il avec un rire sarcastique.

Kyrian leva les yeux au ciel, et Acheron lâcha dans un soupir résigné :

— Je m'abstiendrai de tout commentaire, général. Mais je t'avais dit que ce gamin serait une source de problèmes, et pour le moment, il semble bien que j'avais raison.

Nick s'approcha d'Acheron et lui demanda à voix basse :

— Kyrian est-il au courant de… Vous voyez à quoi je fais allusion, hein ? Votre bizarrerie.

— Oui. Mais Rosa, non. Alors, quand elle sera dans les parages, garde ça pour toi, OK ?

— Reçu cinq sur cinq.

— Je présume que Nick a vu quelque chose d'inhabituel ? s'enquit Kyrian.

— Pas très inhabituel, non… si on vit dans un jeu vidéo, commenta Nick.

— Je trouve qu'il a plutôt bien encaissé, remarqua Acheron.

— Ach oublie de mentionner le moment où j'ai vraiment eu les jetons et filé comme une fillette. Kyrian, saviez-vous que votre gouvernante maniait le couteau comme un voyou des rues et n'hésitait pas à taillader allègrement des gens avec ?

— Oui, Nick, je sais tout sur elle, répondit Kyrian en riant. Je connais sa dextérité avec une lame, et c'est pour cela que je l'ai embauchée. Si j'étais toi, je garderais en tête qu'il vaut mieux ne pas lui manquer de respect : elle le prendrait mal.

— Ne vous en faites pas, je saurai réprimer ce genre d'envie.

Nick fit mentalement le bilan de tout ce qui venait de se passer au cours des dernières minutes.

— Donc, Kyrian, vous avez une gouvernante-ninja psychotique. Et Acheron, qu'est-il pour vous ?

L'atmosphère s'alourdit soudain. Le malaise entre Acheron et Kyrian était presque palpable.

— Aaaah ! s'exclama Nick, qui comprit soudain pourquoi les deux hommes gardaient le silence. Comme le dit le dicton : les opposés s'attirent. Tous les deux, vous êtes des amis *très* spéciaux.

— Qu'entends-tu par là ? demanda Kyrian, les sourcils froncés.

Acheron lui jeta un regard courroucé.

— Il pense que nous sommes un couple !

Kyrian s'écarta vivement de lui.

— Non, Nick, non, non ! Ce n'est pas qu'Acheron ne soit pas un homme séduisant. Encore que je n'ai jamais vraiment remarqué s'il l'était ou pas. Simplement, les hommes ne sont pas mon type.

Le regard de Nick allait de l'un à l'autre. Ces deux-là, se dit-il, n'avaient rien en commun, sinon qu'ils formaient une paire de sacrés durs.

— Comment se fait-il que vous vous connaissiez ? Vous, Kyrian, à part tout votre fric, vous paraissez normal. Et Acheron… non.

— Hé, petit, serais-tu en train de me dire que tu n'as pas de copains bizarroïdes ?

— Euh, si, mais pas comme vous. Les miens font juste de drôles de trucs, comme manger du Jell-O avec des pailles et se faire jeter de chez *Kroger* pour avoir bouffé les échantillons de démonstration, mais ils ne sont jamais aussi bizarres que vous.

— Tss, tss... Je ne suis pas d'accord. À la différence de certaines personnes que tu fréquentes, je ne me parfume pas à l'urine de canard ni ne pars chasser des loups-garous dans le bayou.

— Bon, d'accord, Mark et Bubba sont un peu dingos, mais ils ne nettoient pas le cerveau des gens et ne ferment pas les portes sans les toucher.

— Comment sais-tu que ce n'est pas le vent qui a rabattu la porte ?

— Le même vent qui vous aurait emporté à travers toute la maison et fait atterrir juste devant moi ?

— Possible. La force des ouragans. On est à La Nouvelle-Orléans, après tout. Ce genre de chose arrive.

Nick décocha à Acheron un regard moqueur.

— Désolé, mais je ne suis pas Dorothy et je n'ai pas vu le magicien d'Oz. D'ailleurs, comment ça se fait que vous connaissiez Bubba et Mark ?

Acheron resta muet, et Kyrian impassible.

— Alors ? insista Nick.

Acheron se décida à répondre après s'être éclairci la gorge :

— Je m'ennuie, parfois. Alors, il m'arrive d'avoir envie de me payer la tête de quelqu'un. Mark est une cible idéale. Il a envie de voir des trucs, et il suffit de quelques ombres mouvantes agitées au bon endroit pour le rendre heureux... et me distraire.

— Mec, vous êtes givré, remarqua Nick, tout en admettant à part lui qu'il pouvait comprendre qu'Acheron s'amuse de cette façon. Et les zombies ? Vous les faites apparaître aussi ?

— Non. Là, je suis autant dans le brouillard que toi. En fait, j'étais venu ici pour avertir Kyrian à leur sujet. J'ignore combien de gens sont contaminés. Apparemment, la plupart seraient des ados membres de l'équipe de football de ton école, Nick. C'est de là que tout est parti. Le *Ground zero* de toute l'affaire.

Kyrian semblait aussi désorienté que Nick.

— Comment se fait-il que tu n'en saches pas plus, avec les pouvoirs que tu as, Acheron ?

— Difficile à croire, même pour moi, mais il y a des choses qui m'échappent, des énigmes que je ne parviens pas à déchiffrer. Cette histoire de zombies en fait partie. Quelqu'un les soustrait à ma sagacité, probablement l'entité qui les a engendrés, une entité qui semble avoir jeté son dévolu sur le personnel administratif et les ringards de l'école.

— Pourquoi vous me regardez comme ça quand vous parlez de ringards ?

Acheron haussa les épaules, puis donna une chiquenaude au bas de la hideuse chemise hawaïenne de Nick.

— Les gens normaux ne se fringuent pas comme ça.

Nick lissa du plat de la main le devant de sa chemise et se redressa.

— Je la trouve nickel. Mais puisqu'on parle de look, vous vous êtes vu ? Pourquoi portez-vous ces lunettes noires à l'intérieur quand il fait si sombre ?

— Parce que, où que j'aille, le soleil brille toujours pour moi, répliqua Acheron d'un ton rogue.

Rosa vint à point créer une diversion.

— Nick ? N'avais-tu pas dit que tu avais faim ?

— Si, m'dame.

— Alors, viens manger quelque chose et… Oh, Acheron ! Quand êtes-vous arrivé ?

— J'ai sonné à la porte il y a un petit moment.

— Vraiment ? C'est curieux. Je n'ai pas entendu la sonnette.

— Vous me connaissez, Rosa. Je suis aussi discret qu'un fantôme.

Nick sentit un frisson courir le long de son dos. Rosa avait tout oublié. Il aurait dû prendre ses jambes à son cou, mais Acheron l'attirait, l'intriguait. Cet homme était capable de faire rendre gorge en claquant les doigts à tous les Rambos de la terre. Pourtant, il l'aimait bien. Il percevait une grande gentillesse en lui. Il avait l'impression d'avoir retrouvé un frère perdu depuis une éternité.

Et au temps pour la voix qui martelait dans sa tête : « Reste loin de lui, il est le mal incarné, il te détruira ! »

Bon sang, mais qu'est-ce que c'était que cette voix ? Il devenait fou !

— Alors, Nick, tu viens ? insista Rosa.

— Oui, m'dame.

Il ne savait pas dire non à une femme. Sa mère l'avait bien dressé. Elle ne supportait pas les refus. Il suivit donc docilement Rosa jusqu'à la cuisine, vers ce repas que son estomac réclamait à cor et à cri.

Acheron suivit Nick des yeux. Son instinct lui disait que, de quelque mystérieuse façon, Nick était la clé des événements en cours. Il percevait une présence, quelque chose d'invisible, d'inaudible. Une ombre cachée, maléfique, glaciale, qui lui donnait le frisson. Elle était faite de haine pure, mais il était incapable de discerner vers qui était tournée cette haine. Vers lui ? Vers Nick ?

— Qu'est-ce que tu ne dis pas ? lui demanda Kyrian à voix basse, afin de n'être entendu que de lui.

— Tu as déjà eu une de ces sales impressions dont on ne peut pas se débarrasser ?

— Chaque foutue nuit.

Acheron eut un rire bref.

— Tu projettes toujours de faire de Nick ton écuyer ?

— Il n'est pas encore assez âgé, mais, oui, c'est mon projet. Pourquoi ? Y a-t-il quelque chose à son sujet que je devrais savoir ?

Acheron sentit le tatouage sur son biceps glisser jusqu'à son coude et sa peau le brûler. C'était la façon qu'avait Simi de lui faire comprendre qu'elle était bien réveillée, qu'elle voulait sortir de son corps et prendre forme humaine.

Ou alors, elle faisait une indigestion et s'agitait. Elle avait dévoré trop de zombies, et sa gloutonnerie la rendait malade.

Il se frotta le bras afin de la calmer.

— Nick paraît être un brave garçon, Kyrian.

— Mais ?

Mais il y avait en lui quelque chose qui n'était pas tout à fait… normal. Le problème, c'était qu'il ne parvenait pas à mettre le doigt dessus.

Inutile d'alarmer Kyrian pour l'instant, puisqu'il n'avait rien de précis à lui dire.

— Non, je n'ai rien à ajouter. Ne laisse pas les zombies te dévorer pendant que tu patrouilleras, ce serait un vrai gâchis de perdre un aussi bon Chasseur de la Nuit que toi.

Kyrian fléchit son pied afin que l'une de ses lames jaillisse de la pointe de sa botte.

— Je pense être capable de m'occuper d'eux.

Acheron n'en était pas si sûr. Kyrian avait toujours eu des difficultés à blesser des adolescents. Mais bon, il pouvait le comprendre.

Pour Simi, en revanche, c'était une tout autre histoire. Elle avait mangé les zombies, dans la cuisine, avant qu'ils aient eu la moindre chance de l'atteindre ne fût-ce que du bout du petit doigt. C'était pour cela qu'Acheron avait rendu momentanément aveugles Nick et Rosa. Sa démone avait son petit caractère, et lorsqu'elle humait des friandises non humaines qu'elle estimait être sur la liste des nourritures permises, rien ne pouvait l'arrêter.

Il allait être obligé de la libérer, sinon elle se baladerait dans tout son corps jusqu'à ce qu'il paraisse affecté de la danse de Saint-Guy.

— Le soleil se couche, Kyrian. Tu veux que je ramène Nick chez lui ?

— Oui, merci. Pendant ce temps, j'irai rejoindre Talon dans le Quartier français. Peut-être qu'on trouvera des infos sur cette affaire de zombies.

— Bonne chance.

— À toi aussi.

Kyrian se dirigea vers la porte qui donnait sur le garage. Acheron attendit qu'il soit vraiment parti avant de regagner la cuisine. Nick plaisantait avec Rosa. Ce gamin était très charismatique. Il possédait une aura de chaleur qui donnait envie aux gens de l'écouter, quelque chose qui était plus que du charme, plus qu'une personnalité séduisante.

Acheron aussi avait un don qui attirait les gens comme un aimant, mais ce n'était pas le même. Ce don-là ne lui laissait d'autre choix que de repousser les autres avant qu'ils ne perdent tout contrôle d'eux-mêmes. Une chance, Nick semblait immunisé contre ce don, et pour Acheron, c'était un immense soulagement. Rares étaient ceux qui y restaient insensibles, à cause du sort que sa tante lui avait jeté à sa naissance. Le nombre de personnes qui n'avaient éprouvé qu'indifférence à son endroit au cours des siècles se comptait sur les doigts d'une seule main.

Pourquoi Nick faisait-il partie de cette infime minorité ? C'était curieux. Il y avait quelque chose d'anormal chez ce gamin.

Mais non, il devenait paranoïaque. Autrefois, il avait été humain, dans l'ignorance absolue de sa vraie naissance et de sa destinée – un autre sort jeté par sa famille. Jusqu'à ses vingt et un ans, il n'avait pas su qu'il était un dieu ni que sa vraie mère était la déesse atlante de la destruction. Et lorsque ses pouvoirs avaient été libérés, ils avaient failli détruire le monde et ramener l'espèce humaine à l'âge de pierre.

Se pouvait-il que ce gamin innocent en train de manger du gombo fût une créature comme lui ? se demanda Acheron.

Bon, voilà qu'il devenait non seulement paranoïaque mais idiot. À moins que…

Quand il était humain, aucun dieu n'avait été capable de déceler sa nature profonde. Artémis elle-même l'avait pris pour un homme ordinaire.

Il considéra Nick. Les zombies étaient venus pour lui et pour personne d'autre, c'était certain. Mais dans quel but ?

8

Nick s'immobilisa devant la rutilante voiture noire d'Acheron. Une Porsche 911 Turbo ! Waouh. La perspective de monter dedans lui faisait battre le cœur à tout rompre.

— Comment cette voiture peut-elle être à vous, Ach ?

— Eh bien, j'ai rempli et signé un très gros chèque et ensuite, un merveilleux événement s'est produit : le vendeur m'a donné les clés et laissé partir au volant. Magique, hein ?

— Je suis le seul à avoir le droit d'être ironique, répliqua Nick, contrarié.

— Petit, j'ai bien plus d'années de pratique dans ce domaine que toi. Maintenant, monte.

— Je ne peux pas toucher cette splendeur, voyons ! J'aurais trop peur de laisser des marques de doigts.

— Sûr que ce serait affreux. Si ça arrivait, je serais obligé de la jeter aux ordures et d'en acheter une autre. Donc, ne respire même pas sur les garnitures des sièges, sinon je t'étripe.

Acheron se mit au volant. Nick savait bien qu'il plaisantait, et pourtant il hésitait à s'asseoir. Il n'avait vu ce genre de voiture qu'en photo ou dans des films. Elle coûtait... voyons, un rapide calcul... quinze années de salaire de sa mère. Des gens vivaient dans des maisons qui coûtaient moins cher que cette caisse. Lui, il habitait un appartement qui ne valait pas le prix des pneus ! Bon sang, quel effet cela pouvait-il faire de posséder un engin pareil ?

— Monte, Nick ! Je n'ai pas toute la nuit devant moi.

Tout en se mordillant la lèvre, Nick souleva un pan de sa chemise et ne toucha la poignée qu'à travers le tissu, de peur d'en ternir le chrome. Acheron avait déjà posé son sac à dos sur le plancher. Oh, la vache, quelle bagnole cool...

Il s'assit, veillant à ne pas salir le tapis de sol avec ses chaussures, et referma la portière.

— Vous dealez de la drogue, Ach ?

— Non, je suis un cow-boy, un genre de shérif, répondit Acheron en démarrant. Je gère des gens.

— Hein ? Quel genre de gens ?

— Des gens comme toi, têtus, frondeurs, agaçants et qui ont la langue bien pendue.

Il appuya sur l'accélérateur, et la Porsche bondit en avant. Nick s'accrocha à la poignée et la serra fiévreusement tandis qu'Acheron se glissait dans le flux des voitures à une vitesse supersonique.

— Détends-toi, petit. Je ne vais pas cabosser ma Porsche.

Nick n'en était pas du tout certain.

— Vous aimez conduire vite, hein ? Combien de prunes avez-vous déjà prises ?

Acheron ne répondit pas, et Nick en fut soulagé : il n'avait pas envie de finir comme décoration sur le capot du véhicule de quelqu'un d'autre. Qu'Acheron ne se laisse pas distraire augmentait ses chances de survie.

Mais il grinça des dents quand Acheron se faufila entre deux semi-remorques.

— Nom d'un chien... Vos parents savent que vous conduisez comme ça ? Et où vous l'avez eu, votre permis ? Dans une pochette-surprise ?

— Qui a dit que j'avais le permis ? répliqua Acheron en riant.

Nick ne put retenir un cri d'effroi.

— Détends-toi, petit. Rappelle-toi, j'ai les pouvoirs diaboliques du Jedi. Il ne nous arrivera rien.

Et il accéléra encore.

— Je crois que je ferais mieux de tenter ma chance avec les zombies... Arrêêêtez ! gémit Nick quand les pneus cessèrent d'être en contact avec le bitume une fraction de seconde, au moment où Acheron donnait un coup de volant pour éviter une voiture qui déboîtait.

Ouais, les pouvoirs diaboliques du Jedi...

— D'où vous sortez ces pouvoirs ? demanda Nick : Acheron conduisait quand même avec des lunettes noires en pleine nuit...

— On me les a offerts pour mes vingt et un ans.

— Vous êtes si vieux que ça ?

Nick ne lui aurait pas donné plus de dix-huit ou dix-neuf ans.

— Plus vieux que ça, répondit Acheron en riant de nouveau.

— Et qu'est-ce que vous avez filé en échange ? Votre âme ?

Toute gaieté quitta immédiatement l'expression d'Acheron.

— Quelque chose comme ça.

Nick était très impressionné. Il aurait tué pour avoir des pouvoirs pareils.

— À qui vous l'avez vendue ? Au diable ?

Nick aurait jugé stupide de poser cette question à quelqu'un d'autre, mais depuis qu'il avait vu de quelles prouesses Acheron était capable, il en était sûr, ces fameux pouvoirs existaient. Et Acheron se les était bien procurés quelque part. Pas au supermarché du coin, en tout cas.

Acheron ne savait comment répondre au jeune garçon. Il n'aimait pas parler de son passé, ni même y penser, et ce pour de multiples raisons. Mais sa situation n'était pas un grand secret, dans la mesure où la plupart des gens qu'il connaissait avaient vendu leur âme à la seule personne capable d'exercer un contrôle sur lui.

— J'appartiens à une déesse, Nick.

— Laquelle ?

— Artémis. Tu as déjà entendu parler d'elle ?

Nick se gratta l'oreille.

— Euh… la déesse grecque de la lune, c'est ça ?

— Elle est liée à la lune, oui, mais Séléné est la déesse de la lune. Artémis est celle de la chasse.

— Et qu'est-ce qu'elle chasse ?

— Les trois quarts du temps, moi, marmonna Acheron avant de reprendre à voix haute : Elle est pratiquement à la retraite, maintenant. La plupart des dieux anciens n'ont de pouvoir que lorsqu'ils sont adorés par des disciples.

— La plupart ?

Quelques-uns, comme Acheron, n'avaient pas besoin de disciples pour nourrir leurs pouvoirs, et ils étaient vraiment dangereux parce que ces pouvoirs ne s'affaiblissaient jamais. Malheureusement, Artémis pouvait puiser dans ceux d'Acheron quand cela lui chantait, et elle ne se privait pas de le faire. Mais, et c'était là une chance pour le monde, elle ne s'en servait que contre Acheron.

Aucun éclaircissement ne venant, Nick insista :

— Faites-vous partie des dieux qui sont affaiblis ?

— Je n'ai jamais dit que j'étais un dieu.

Acheron se demanda pourquoi il prenait la peine de nier : Nick paraissait sentir ce qu'il était. Décidément, ce gamin était unique.

Nick garda le silence un long moment, le temps d'assimiler ce qu'il venait d'apprendre. Il y avait chez Acheron une telle puissance qu'il la ressentait jusque dans la moelle de ses os. Si Acheron n'était pas un ancien dieu, il était… quelque chose d'équivalent.

— Vous ne m'avez pas dit ce que vous étiez exactement, Ach.

— Contente-toi de penser à moi comme à un immortel très puissant et tout ira bien.

— Oh… Immortel ?

— Ouais.

— Mais alors, quel âge avez-vous vraiment ? Deux ou trois cents ans ?

— Onze mille ans, avoua Acheron en esquissant un sourire qui trahissait son inquiétude.

Nick resta bouche bée. Non, ce n'était pas possible. Il ne pouvait pas être aussi vieux.

— C'est des conneries.

— Surveille ton langage, petit.

— OK. Foutaises. Ça ne tient pas debout. Il n'y avait même pas d'humains, à cette époque. Vous vous payez ma tête.

— Oh, il y avait bel et bien des gens, crois-moi. Et j'en faisais partie.

Nick était pétrifié. Il essaya d'imaginer le monde d'où venait Acheron, les gens qui le peuplaient…

— Vous ne blaguez pas, hein ?

— Je suis super sérieux.

Mmm. Nick ne parvenait pas à avaler cette histoire. Pouvait-on vraiment être immortel ? Il avait lu des livres, vu des films sur le sujet, mais quand même…

— Comment est-ce possible ? Vous êtes un vampire ou quelque chose comme ça ? Qu'est-ce qui vous a rendu immortel ?

— D'excellents gènes.

Nick sentait l'irritation le gagner. Les réponses évasives d'Acheron ne le satisfaisaient pas. Il en voulait de précises, et tout de suite.

— Arrêtez de finasser. Il faut que je sache tout de ces trucs de vaudou que vous faites, et surtout comment vous êtes devenu immortel. Bon, ça ne me dirait rien maintenant, je suis trop jeune, ça m'emmerderait, mais dans quelques années, ça serait top que vous me rendiez immortel. Vous voulez bien, Ach ?

Mais il eut beau lui décocher un sourire charmeur, Acheron resta de marbre.

— Écoute, Nick, je n'aime pas parler de mes pouvoirs, et rares sont ceux qui savent ce dont je suis capable. Je te fais confiance en te livrant un secret et j'entends bien que tu le gardes. Si tu en es incapable…

Il baissa la tête et le regarda par-dessus la monture de ses lunettes.

— … disons que je suis sûr que tu manqueras beaucoup à ta maman.

— Pas autant que je me manquerais si vous me tuiez.

Il battit des cils comme une fille et appuya la tête contre l'épaule d'Acheron.

— S'il vous plaît, Ach, ne me faites pas de mal. Je ne veux pas mourir puceau. Laissez-moi au moins coucher une fois avec une fille avant de me tuer, ce que, d'après ma mère, je ne peux pas faire sans être marié et sans avoir fini mes études. C'est-à-dire dans une bonne dizaine d'années. Marché conclu ?

Acheron le repoussa contre la portière.

— Tu es vraiment cinglé, tu sais ?

— Ouais. C'est à cause de tous ces éclats de peinture que j'ai bouffés quand j'étais gosse. Ils étaient bons, mais ça m'a endommagé les chromosomes.

Acheron lâcha un lourd soupir destiné à dissimuler son envie de rire. Il commençait vraiment à apprécier ce gamin. Bien plus qu'il ne l'aurait dû.

— Dix ans, hein ?

— C'est ça. Vous pourrez me tuer quand j'aurai vingt-quatre ans, à condition que je ne sois plus puceau, et pas un seul jour avant !

— Marché conclu, donc. À condition que tu ne l'ouvres pas.

— Motus et bouche cousue, monsieur.

— Mais à vingt-quatre ans…

— Je serai tout à vous, bébé.

Acheron secoua la tête.

— Je ne t'intimide pas du tout, hein ?

— Eh bien, quand vous m'avez suivi dans la maison de Kyrian, j'avoue avoir un peu mouillé ma culotte, ce qui décevrait ma mère après tout le mal qu'elle s'est donné pour que j'aille sur le pot. Mais lorsque j'ai compris que vous alliez me laisser la vie sauve – grosse erreur de votre part, soit dit en passant –, je me suis fait la remarque que vous me trouviez trop mignon pour me tuer.

C'était vraiment difficile de faire preuve d'autorité et de sévérité avec un gamin qui pratiquait ce genre d'humour, constata Acheron à part lui. De plus, c'était plaisant d'être avec quelqu'un qui ne jouait pas les fiers-à-bras, n'avait pas la grosse tête. Cela faisait bien longtemps qu'il n'avait pas été traité comme un humain par quelqu'un qui connaissait sa vraie nature.

— Tu es mignon, Nick, mais n'oublie jamais que je suis un carnivore venant d'une époque où nous devions tuer, peler et dépecer notre nourriture avant de la manger.

Nick essaya d'imaginer Acheron sous l'apparence d'un homme des cavernes en pagne de fourrure chassant des smilodons et les abattant avec une lance. Y avait-il encore des smilodons, onze mille ans plus tôt ? Et les gens, portaient-ils des pagnes ou allaient-ils tout nus ?

Mais ces interrogations n'étaient pas les plus importantes.

— Vous aimez flanquer la trouille aux gens, hein ?

— Autant que tu aimes les asticoter, et ce pour exactement la même raison.

À savoir les tenir à distance. La tactique de Nick pour que les autres ne se moquent pas de lui et que, lorsqu'ils le faisaient malgré tout, cela ne le blesse pas outre mesure.

Mais de quoi Acheron essayait-il de se protéger ? La grande énigme était là.

Acheron gara la Porsche devant la maison de Nick, et le jeune homme songea que le bâtiment semblait encore plus délabré et minable maintenant qu'il avait vu la demeure de Kyrian et celles de son quartier.

À son grand soulagement, Acheron resta impavide en voyant la ruine dans laquelle il habitait.

Un couple qui marchait dans la rue s'arrêta pour regarder la Porsche. Nick lâcha un petit sifflement puis commenta :

— Mec, mes voisins doivent être complètement déboussolés. D'abord, ils me voient partir dans une Lexus, puis je rentre en Porsche ! Je suis étonné qu'ils n'appellent pas les flics pour signaler une activité suspecte.

Acheron gloussa en coupant le contact.

— Je pense que les ORL ont à se soucier de choses plus importantes cette nuit que des voitures qui s'attardent devant chez toi.

— Les… ORL ?

— Les officiers représentants de la loi.

— Ah. Chouette anagramme.

— Acronyme, rectifia Acheron, avec un accent extrêmement prononcé.

Nick trouva la sonorité très plaisante.

— Attendez… Répétez ce mot.

— Acronyme.

Zut. L'accent si curieux et si joli avait disparu.

— C'est impressionnant, que vous arriviez à zapper votre accent à volonté. Comment vous faites ça ?

— Entraînement très poussé. Maintenant, si tu n'y vois pas d'objection, il faut que je te laisse. Le boulot m'attend.

— Et c'est…

— Je vais me colleter avec des gens, comme avec toi en cet instant : dehors, Nick.

Nick ouvrit la portière et descendit de voiture. Acheron prit son sac à dos et le suivit sur le trottoir défoncé, aux dalles de guingois, soulevées par les racines et les herbes folles. Des cafards filaient dans tous les sens, quelques-uns sous la plante que lui avait envoyée Bubba.

Essayant de ne pas songer aux insectes, Nick atteignit la porte juste avant que sa mère ne l'ouvre. En le voyant, Cherise l'étreignit si fort qu'il cria :

— Mon bras ! Mon bras !

Elle le lâcha immédiatement.

— Oh, je suis désolée, mon chéri. J'ai eu si peur… et je te retrouve enfin. Je te botterais bien les fesses, petit ! Je me suis fait un sang d'encre ! Ne recommence jamais ça, tu m'entends ? Jamais !

Nick frotta son bras blessé qui l'élançait affreusement… à cause du gros câlin de sa mère.

— Tu sais, M'man, il paraît qu'il existe des médicaments pour ce genre de sautes d'humeur. Tu devrais peut-être envisager d'en prendre.

— Ne t'avise pas d'être insolent avec moi après ce que tu m'as fait subir aujourd'hui ! Tu as de la chance d'être sorti indemne de cette horreur. Si tu t'étais trouvé ailleurs qu'au travail, tu n'y aurais pas échappé.

Elle se retourna pour fermer la porte et sursauta en découvrant Acheron sur le seuil. Nick la vit blêmir.

— Tout va bien, M'man. C'est un ami de M. Hunter. Il m'a raccompagné.

Acheron tendit à Cherise le sac à dos de Nick.

— Je lui portais juste ses affaires, madame Gautier. Navré de vous avoir fait peur.

Cherise sourit en se rendant compte qu'elle était restée bouche bée.

— Je… je…

— Je comprends, madame Gautier, coupa Acheron. Ma haute taille, mes vêtements ont tendance à faire peur aux gens.

Sans oublier l'aura de danger qui faisait crépiter l'air autour de lui. Nick commençait à s'y habituer, mais comprenait que sa mère en soit émue.

— Vous travaillez pour M. Hunter, vous aussi ?

— Non, madame. Nous ne sommes que de vieux amis.

— Vous ne m'avez pas l'air assez âgé pour avoir de vieux amis.

Cherise avait fait la même supposition que lui, remarqua Nick.

— Crois-moi, M'man, il est plus vieux qu'il ne le paraît.

— Bon, eh bien, merci d'avoir ramené mon bébé à la maison. J'apprécie vraiment.

— Pas de problème. Nick, sois sage. À bientôt.

— Merci, Acheron.

Cherise verrouilla la porte derrière lui, alla ranger le sac à dos derrière le rideau pour éviter de trébucher dessus puis commenta :

— Il est un peu original, hein ?

— Et encore, tu n'as rien vu.

— Alors ? Comment s'est passé ton premier jour avec M. Hunter ?

— Impeccable.

Si on oubliait les zombies, le tempérament de Rosa, Acheron… Mais il était inutile de terroriser Cherise.

— Bien. Je vais me préparer pour le travail, dit-elle en se dirigeant vers la chambre.

Nick l'arrêta en lui attrapant le bras.

— Non.

— Qu'est-ce que tu veux dire ?

— Je veux dire que tu démissionnes. Ce soir.

Elle dégagea son bras.

— Arrête avec ces bêtises, Nick. On a besoin de cet argent.

— Plus maintenant, M'man. M. Hunter va me payer quatre mille dollars par mois.

— Quatre… Et pour faire quoi ?

— Des petits boulots par-ci, par-là. C'est ce qu'il a dit.

— Oh non, non, non. Je ne marche pas. Personne ne paie une telle fortune pour des petits boulots légaux. J'exige que tu démissionnes à la première heure demain.

— M'man, il ne me demande rien d'illégal, je te le garantis.

Manifestement, elle refusait de le croire.

— Pour autant d'argent ? Allons, Nick, ne me prends pas pour une idiote. Je ne suis pas née de la dernière pluie.

— M'man, écoute, je t'en prie. Kyrian est vraiment riche comme Crésus. D'après Acheron, il me trouve même sous-payé. Il n'a aucune notion de la valeur de l'argent.

— Personne n'a d'argent au point de jeter par la fenêtre quarante-huit mille dollars par an pour un gamin qui ne ferait que des bricoles. Réfléchis à ça.

La veille, Nick aurait été d'accord. Mais après ce qui s'était passé aujourd'hui… eh bien, il avait confiance en Kyrian et ne doutait plus de l'honnêteté de ses intentions.

— Si, M'man, Kyrian est assez riche pour payer une somme pareille sans sourciller. J'ai visité sa maison et je t'assure que jamais tu n'en as vu de semblable. Alors, arrête de danser au club, parce que je vais gagner en travaillant à temps partiel de quoi nous garantir une vie agréable. Tu n'auras rien d'autre à faire que rester à la maison.

Ce dont ils rêvaient depuis toujours.

— S'il te plaît, Maman, insista-t-il, fais-moi confiance.

L'expression de Cherise s'adoucit. Elle posa la main sur la joue de son fils.

— Voilà ce que je te propose : tu travailles pour M. Hunter quelques semaines, jusqu'à ce que tu reçoives ton premier chèque, et ensuite nous aviserons, d'accord ?

La tactique de Cherise était évidente : elle disait cela pour qu'il se taise, rien d'autre. Elle n'avait pas écouté ses arguments.

— Maman, pourquoi ne me crois-tu pas ?

— Parce que tu as mal compris cet homme.

— Faux.

— Eh bien, on verra, Nicky. On verra.

Bon sang, ce qu'il détestait ce ton condescendant, cette manière d'insinuer qu'il ne savait pas de quoi il parlait. Elle le prenait pour un idiot ! Mais continuer à argumenter ne servirait à rien.

Elle lança avant d'aller s'habiller :

— Je t'ai laissé des œufs brouillés au fromage sur le fourneau.

Zut. Il aurait dû penser à apporter un peu du gombo de Rosa. La prochaine fois, il y penserait.

— Tu peux les finir, je suis gavé : la gouvernante de Kyrian m'a donné à manger il y a une heure.

— Et c'était bon ? demanda-t-elle de la chambre.

— Ouais.

— Meilleur que ce que je te prépare ?

Il allait répondre la vérité – oui – mais eut le bon réflexe. Il avait déjà commis l'erreur de dire un jour que Menyara faisait des biscuits meilleurs que sa mère, et cette dernière l'avait fort mal pris.

— Non, M'man. Aucun gombo n'égale le tien.

Elle lui décocha un clin d'œil avant de fermer la porte. Il poussa un soupir de soulagement. Il avait réussi à traverser un terrain miné sans se faire réduire en charpie. Une performance. D'ordinaire, il loupait ce genre de test. Apparemment, il se débrouillait de mieux en mieux avec les femmes.

Aujourd'hui avec sa mère, demain avec sa petite amie... Kody, par exemple...

Peut-être aurait-il dû l'appeler. Il avait toujours sa Nintendo, puisqu'il n'avait pas pu la voir à l'école.

Mais il n'avait pas son numéro.

Ça, c'était un gros problème. Qu'il réglerait dès le lendemain au lycée. Il lui demanderait ses coordonnées et en plus l'inviterait à manger un beignet.

Il alla prendre son vieil exemplaire des *Hammer's Slammers* puis s'étendit sur son matelas pour lire. Il venait de retrouver la page où il l'avait laissé la veille quand sa mère souleva le rideau.

— Je m'en vais. Tu as besoin de quelque chose avant que je parte ?

— Non, ça va.

— Bon. Mennie a dit qu'elle passerait plus tard. Je serai là un peu avant l'aube.

Nick posa son livre. Sa mère voyagerait en tram à l'aller comme au retour alors que des zombies pouvaient traîner dans les rues. Pour eux, elle serait juste un en-cas.

— Ça t'embêterait si je venais au travail avec toi ce soir ?

— Tu as besoin de te reposer.

— Oui, mais avec toute cette m... Enfin, tous ces trucs bizarres qui se passent, je me sentirais mieux si tu n'étais pas toute seule.

Un sourire se dessina sur le beau visage de Cherise.

— Tu veux devenir mon protecteur ?

— C'est mon job, non ?

— Bon, d'accord. Enfile une veste. Je préviens Mennie.

Nick s'empressa de quitter son lit. Il était rare que sa mère l'autorise à l'accompagner au club en semaine. Il était soulagé qu'elle ait accepté. Qu'elle sorte seule dans la nuit l'inquiétait. La Nouvelle-Orléans était une ville peu sûre, et sa mère était tout ce qu'il avait au monde. Il entendait donc bien être un infaillible garde du corps.

Le temps de jeter sa veste sur son bras blessé et de rejoindre Cherise sur le perron, Mennie était là.

— Pourquoi ne prends-tu pas ma voiture, chérie ?

Cherise hésita.

— Eh bien... tu sais que je n'aime pas avoir la responsabilité de biens qui ne m'appartiennent pas. En plus, c'est difficile et très cher de se garer dans le Quartier français. Bourbon Street est déjà saturée.

— Alors, gare-toi sur Royal Street. Je t'en prie, Cherise, je me sentirais mieux si vous n'étiez pas seuls dans la rue à des heures indues, tous les deux. Cherise, pense au pauvre Nicky.

Cherise regarda son fils, puis hocha la tête. Menyara lui tendit ses clés de voiture et embrassa Nick sur le front.

— Veille bien sur ta mère.

— Toujours.

— Merci, Mennie, dit Cherise. Je laisserai les clés sur le comptoir de la cuisine, comme ça tu pourras les récupérer demain matin.

— Parfait.

Nick suivit sa mère jusqu'à la Taurus bleu foncé qui attendait à côté de leur Yugo rouge toute cabossée – elle était en panne, et ils n'avaient pas les moyens de la faire réparer pour l'instant. Nick s'installa le premier. Cela lui faisait un drôle d'effet de se trouver dans la voiture de Menyara sans celle-ci. D'habitude, ils ne l'utilisaient que lorsqu'un ouragan menaçait, qu'il fallait évacuer les lieux et que la Yugo était hors-service.

Ou quand Nick avait besoin de points de suture...

Il chassa cette pensée et attacha sa ceinture pendant que sa mère faisait démarrer la Taurus. Mais avant d'enclencher une vitesse, elle se tourna vers lui et lui ébouriffa les cheveux.

— Tu sais, bébé, puisque j'ai la voiture, tu devrais rester à la maison.

— Non, parce que tu seras quand même obligée de marcher de Royal jusqu'à Bourbon.

— Ah, mon redoutable petit ange gardien…

— Je suis plus grand que toi.

— Oui, mais je suis plus méchante.

Sa mère disait toujours cela, or, c'était la personne la plus gentille qu'il connût. C'était entre autres pour cette raison qu'il était si protecteur avec elle. Dans bien des domaines, elle était aussi innocente qu'une colombe. Elle était du genre à ne voir que le bon côté des gens. Au point de défendre le père de Nick alors qu'il n'y avait vraiment rien de positif chez cet homme : c'était le diable incarné.

Il ferma les yeux et écouta la zydeco, c'est-à-dire la musique cajun, qui s'échappait à bas volume de l'autoradio. C'était, avec Elvis, la musique préférée de sa mère. La zydeco faisait vibrer ses racines cajuns, disait-elle, et Elvis lui rappelait son enfance, quand elle reprenait en chœur les chansons du King avec ses cousines et sa sœur. Il ne comprenait pas pourquoi elles essayaient d'imiter Elvis alors qu'elles étaient des filles, mais à quoi bon chercher de la logique dans quoi que ce soit, surtout après la journée qu'il venait de vivre ?

Penser à Elvis lui mit en tête la scie de Mojo Nixon, *Elvis is everywhere*. Et merde, il en avait pour des jours avant de se débarrasser de cette chanson !

Arrivés sur Royal Street, ils se garèrent à deux pâtés de maisons du club. Nick descendit de voiture et scruta la rue. Des touristes se promenaient, d'autres étaient arrêtés devant les vitrines des bijouteries ou des magasins d'antiquités. La boutique de Liza n'était pas loin. Elle devait être sur le point de fermer et de mettre sa recette en ordre pour l'apporter à la banque.

Il escorta sa mère jusqu'au club puis hésita quand elle frappa à la porte de service à l'arrière de l'immeuble.

— M'man, ça t'embêterait si, au lieu d'entrer avec toi, j'allais voir Liza ?

— C'est vraiment ce que tu comptes faire ? demanda Cherise, soupçonneuse.

— Oui. Ça ne me plaît pas qu'elle aille seule à la banque avec plein d'argent liquide.

— Je me demande comment j'ai fait pour avoir un fils aussi formidable, dit Cherise en l'embrassant sur la joue. Vas-y, mais ne traîne pas.

— Promis.

Il salua d'un signe de tête John, qui laissait entrer sa mère, puis revint sur ses pas, remonta Royal Street et se dirigea vers la boutique de poupées.

Comme il l'avait supposé, Liza était derrière son comptoir et faisait le relevé de ses encaissements par carte de crédit. Elle releva la tête quand il donna deux petits coups contre la vitrine, lui sourit et vint lui ouvrir.

— Eh bien, quelle surprise ! Qu'est-ce qui t'amène, mon cœur ?

— J'ai accompagné Maman au travail, et je voulais savoir si vous aviez besoin que j'aille à la banque avec vous.

Elle verrouilla la porte derrière lui.

— C'est très gentil de ta part, et la réponse est oui. Je serai contente d'avoir de la compagnie. J'ai presque fini. Tu veux un Coca ou autre chose pendant que je termine ?

— Vous avez des cookies ?

— Toujours.

Nick se faufila derrière le comptoir et de là, dans l'arrière-boutique, où Liza gardait des biscuits tout frais. Il ignorait comment elle les confectionnait pour qu'ils fondent ainsi dans la bouche et lui donnent envie d'en avaler des tonnes.

— Au fait, Liza, lança-t-il par-dessus son épaule, merci d'en avoir envoyé à l'hôpital ! Ils ont égayé ma journée.

— Tout le plaisir était pour moi, monsieur Gautier. Es-tu déjà allé chez Kyrian ?

— J'y étais tout à l'heure.

Il revint dans la boutique et continua :

— J'y ai rencontré l'un de ses amis. Un type qui s'appelle Ach Parthen-quelque chose. Je n'arrive pas à prononcer son nom.

Liza se figea, ce qui intrigua Nick.

— Vous le connaissez aussi ?

— Oui, acquiesça Liza en rangeant les espèces dans l'enveloppe bleue destinée aux dépôts de liquide.

— Et vous savez prononcer son nom ?

Liza fit de son mieux, articulant lentement et distinctement, à plusieurs reprises, jusqu'à ce que Nick répète correctement « Acheron Parthenopaeus ».

— On en a plein la bouche, commenta-t-il. Je ne crois pas vouloir apprendre à l'épeler. Vous vous imaginez avec un nom pareil en maternelle ? Dire que je trouvais « Gautier » difficile à prononcer... Je n'ai réussi à le dire correctement que vers dix ans !

Liza éclata de rire.

Nick avalait le dernier cookie quand elle prit sa veste. Elle la jeta sur ses épaules et alla activer l'alarme pendant que Nick l'attendait à la porte. Dès que le bip signifiant que le système était actionné retentit, elle fit sortir Nick et ferma à clé.

Elle glissa son bras sous celui, valide, de Nick et remarqua :

— Ces promenades avec toi me manquent, Nicky. J'ai une chance de te reprendre à Kyrian ?

— C'est à lui qu'il faut que vous en parliez : dans la mesure où il a payé l'hôpital, d'une certaine façon, je lui appartiens.

— Je suis sûre qu'il te paie mieux que moi.

— Un peu plus, oui. Mais il ne me fait pas de cookies aux pépites de chocolat.

Liza s'arrêta devant le guichet automatique et fit son dépôt. Puis Nick la raccompagna jusqu'à sa voiture. Elle s'en alla, et lui-même s'apprêtait à repartir au club quand un son étrange provenant de la ruelle qui séparait la boutique de Liza de la suivante l'arrêta.

Un chien…

Non. C'était le son qu'il avait entendu chez Kyrian. Le son émis par les zombies qui le chassaient.

Il sentit son dos se couvrir d'une sueur glacée et eut la certitude que le ciel s'était soudain assombri. Toutes les lumières de la rue s'éteignirent, et des alarmes de voitures se déclenchèrent.

À peine s'était-il demandé ce qui se passait que quelque chose déboula de la ruelle, si vite qu'il n'eut pas le temps de déterminer ce que c'était, et s'abattit sur lui.

9

L'impact contre sa poitrine fut si violent qu'il perdit l'équilibre et s'affala par terre. Il roula sur lui-même, réussit à repousser la masse qui l'avait heurté et se remit debout, prêt à se battre, même si son épaule l'élançait atrocement.

Son estomac se serra quand il reconnut Stone.

Il crut d'abord que Stone était un zombie, avant de se rendre compte qu'il était aussi normal qu'il pouvait l'être, c'est-à-dire bien peu.

— Mais qu'est-ce que tu fous ? s'écria Nick, après avoir ravalé le chapelet d'insultes qu'il avait sur le bout de la langue : pas question que Stone comprenne à quel point il avait eu la frousse, cela lui aurait fait trop plaisir.

Stone lui donna une bourrade en s'esclaffant.

— Je t'ai fichu les jetons, fillette ?

Au diable la modération, décida Nick.

— Tu n'es qu'un tas de merde.

Stone lui empoigna le cou avec une force inouïe.

— Je vais te faire rentrer ces mots dans la gorge, Gautier. Et tes dents avec.

Nick tenta de se libérer, mais Stone accentua la pression sur son cou jusqu'à ce que sa vision se brouille et que ses oreilles bourdonnent. Quelle sorte de prise mortelle de kung-fu employait-il là ? Nick avait l'impression d'être un chiot qu'on aurait attrapé par la peau du cou. Son corps était devenu tout mou, sans force. Il se balançait comme une marionnette.

C'était vraiment humiliant et très, très énervant.

— Lâche-le, Stone. Tout de suite.

Caleb Malphas venait de sortir de l'ombre. Stone resserra son étreinte.

Caleb était le quarterback et la star de leur équipe de football. Il détenait tout le pouvoir et la popularité dont rêvait Stone, qui en crevait de jalousie.

Et, ô merveille, il était dépourvu de la bêtise et de la cruauté de Stone, qui céda à l'injonction.

— Je rigolais juste avec lui, Caleb, se justifia-t-il.

Les cheveux sombres de Caleb, plaqués en arrière, mettaient en valeur la perfection de ses traits. Il considéra Stone d'un air malicieux.

— Vraiment ? Alors, pourquoi ne filerais-tu pas ventre à terre avant que *je* décide de rigoler avec *toi* ?

— Hé, on n'est pas à l'école, Malphas. Dehors, je ne suis pas le même type.

Stone était mal à l'aise. Caleb envahissait son espace vital. Il se tenait trop près de lui, si près que leurs nez se touchaient presque.

— Moi non plus, Blakemoor, je ne suis pas le même. Et je te garantis que l'animal qui est en toi n'arrive pas à la cheville du démon qui est en moi. Maintenant, barre-toi avant de tester la force de mes coups sans les rembourrages pour les amortir.

Stone cilla et recula en marmonnant des imprécations, manifestement à l'intention de Nick auquel il en cuirait dès que Caleb ne serait plus là pour le protéger.

— De toute façon, tu ne mérites pas que je m'esquinte les phalanges, Gautier.

Et, sur un dernier regard mauvais, il enfouit les mains dans ses poches et traversa la rue.

Nick lui cria :

— Tu devrais être content que j'aie le bras en écharpe, parce que sinon, il te manquerait quelques dents, face de cul !

— C'est ça, ta pire insulte ? lança Caleb.

— Tu en veux d'autres ?

Caleb éclata de rire.

— J'aime ton humour, Gautier. Dommage que tu ne sois pas dans mon équipe.

Nick eut l'impression que Caleb parlait d'autre chose que de football.

— Qu'est-ce que tu fais ici ? lui demanda Nick.

— J'allais au *Triple B*. C'est presque l'heure du cours « Comment combattre et exécuter les zombies » de Bubba et de Mark, le truc le plus marrant depuis la fois où Stone s'est fichu le feu en classe de chimie.

Un souvenir qui fit rire Nick. Stone essayait de faire le malin devant Casey Woods quand il avait renversé une éprouvette pleine d'un produit hautement inflammable qui avait explosé et brûlé sa manche. Malheureusement, Mme Wilkins avait été très rapide avec l'extincteur, et Stone n'avait perdu que ses sourcils et sa dignité. La moitié de la classe avait espéré que Stone prendrait l'apparence de Freddie Krueger, mais les dégâts sur sa personne s'étaient révélés minimes, et il avait survécu et continué à être leur cauchemar.

— Tu viens avec moi, Nick ?

La proposition était séduisante, mais Nick hésita.

— Eh bien… je suis censé retourner au club où bosse ma mère.

S'il ne le faisait pas, Cherise le tuerait.

— Et louper les recettes de Bubba et de Mark pour liquider les zombies ? Allez, Nick, tu sais bien qu'il faut que tu voies ça. C'est super.

Caleb sortit son portable et le lui tendit.

— Appelle ta mère et demande-lui si tu peux venir.

Nick était indécis. Au cours des années passées, Caleb ne s'était pas montré particulièrement amical avec lui. En fait, il l'avait tout bonnement ignoré. Alors, pourquoi se souciait-il aujourd'hui qu'il l'accompagne ou non ? Peut-être essayait de lui jouer un sale tour, comme le type sympa qui, dans le film de De Palma, invite Carrie White au bal de fin d'année pour l'inonder de sang et se moquer d'elle.

Le problème, c'était que lui, il ne possédait pas les dons parapsychologiques de Carrie pour se venger.

— Alors ? Qu'est-ce que tu attends, Nick ?

Que la foudre le frappe sur place, parce que c'était plus logique qu'une invitation du mec le plus populaire de l'école à assister à un cours merdique de Bubba.

— Pourquoi es-tu si sympa avec moi, Caleb ?

— Les ennemis de mon ennemi sont mes amis.

— Et qui est ton ennemi ?

— Oh, tu ne le croiras jamais... Et puis, je sais ce que tu penses : comment un type aussi populaire que moi peut-il avoir un ennemi ou des problèmes ? C'est ça, hein ?

Ouais, à peu près.

— Je n'ai pas remarqué qu'on t'ait balancé contre un casier, récemment.

— C'est parce que tu n'es pas avec moi tout le temps. Crois-moi, la vie n'est facile pour personne. On a tous des cicatrices qu'on a peur de montrer et, un jour ou l'autre, on est tous jetés tête la première contre un casier par quelqu'un de plus costaud et de plus teigneux. Il y a des jours pires que d'autres pour tout le monde.

Peut-être, mais Nick aurait parié que le concept de mauvaise journée n'était pas le même pour Caleb que pour lui.

— Qu'est-ce qui t'est arrivé, Caleb ? Tes parents t'ont engueulé pour avoir emprunté la nouvelle voiture de ta mère, ou parce que tu as oublié de dire à la bonne de nettoyer ta chambre ?

Caleb ne releva pas le sarcasme.

— Alors ? Tu appelles ta mère ou non ? Je ne te tends pas un piège, là. J'essaie juste d'être un bon pote.

Nick se promit, s'il se retrouvait plongé dans un bain de sang de porc, de liquider ce salaud à coups de hache. Puis il prit le téléphone et composa le numéro du club. Ce fut Tiffany qui décrocha.

— Salut, Tiff, c'est Nick. M'man est dans les parages ?

— Sûr, mon chou. Attends.

Pendant qu'il patientait, Caleb alla regarder une vitrine. Nick ne comprenait toujours pas pourquoi il agissait ainsi. Jamais ils n'avaient été copains, jamais ils n'avaient traîné ensemble. Pourtant, ils avaient fréquemment assisté aux mêmes cours. Mais Caleb ne lui avait quasiment pas adressé la parole avant ce jour, sinon pour lui dire de bouger son cul afin qu'il puisse accéder à son casier. Caleb était l'une des stars de l'équipe de football, mais c'était un solitaire. Personne ne savait grand-chose sur lui. Il ne parlait pas de sa vie ni de ses parents, et si quelqu'un lui posait une question personnelle, il éludait. Mais il était manifeste, au vu de ses vêtements et de son équipement, que sa famille était friquée. Le bruit courait à l'école que son père était l'un des types les plus riches de la ville.

Il y avait aussi des rumeurs selon lesquelles Caleb était un délinquant qui avait appris à jouer au football en maison de redressement, qu'il avait tué son père et ensuite vendu son foie au marché noir.

Compte tenu de ce qu'avait dit Caleb quelques instants plus tôt, Nick imaginait que la vie ne devait pas être gaie chez lui. Sinon, pourquoi un mec avec un look pareil, de l'argent et une méga popularité aurait-il traîné dans les rues tout seul et suivi des cours de lutte donnés par deux allumés contre des créatures qui n'existaient pas ? Quoique… Après ce qui s'était passé aujourd'hui, difficile de dire que les zombies étaient purement fictionnels.

— Nick ? Tu vas bien ?

— Ah, M'man. Ouais, je vais bien. Je suis à deux pas du club. J'ai raccompagné Liza et j'ai rencontré un copain d'école…

— Bonsoir, madame Gautier !

C'était Caleb, qui s'était approché et avait crié dans le combiné.

— C'est Caleb Malphas, M'man. Il voulait savoir si je pouvais aller avec lui au magasin de Bubba pour assister à l'un de ses cours.

— Ô Seigneur… Et qu'enseigne-t-il ce soir ?

— Comment combattre et exécuter les zombies.

Cherise poussa un long soupir de lassitude.

— Il y aura de nouveau de la dynamite ?

— Je ne crois pas. Les flics ont été plutôt sévères, après le dernier incident. Chaque fois que les autorités se pointent, Bubba fait profil bas pendant un bout de temps.

— Et ce cours va durer combien de temps ?

Nick interrogea Caleb du regard.

— Pas plus d'une heure, en principe, répondit celui-ci en souriant. Mais, comme d'habitude, Bubba ou Mark se faisant esquinter pendant les trente premières minutes, il faudra s'interrompre pour aller à l'hôpital. Des fois, ils ne font qu'entrer et sortir des urgences si leurs brûlures ne sont pas trop méchantes. Normalement, le cours se termine tôt. Ouais, je dirais une heure, en comptant le temps qu'on passe à rigoler au point d'être incapables de faire un pas.

Le plus triste, c'était que Caleb ne plaisantait pas.

— Une heure ? Et tu ne seras pas seul, Nicky ?

— Non, M'man. Caleb sera avec moi, et il est sacrément costaud.

— Quel âge a-t-il ?

Nick grinça des dents de frustration. Pourquoi fallait-il que sa mère coupe toujours les cheveux en quatre, alors qu'il suffisait qu'elle réponde oui ou non ? Bon sang, elle aurait dû être avocate !

— Caleb, quel âge tu as ?

Caleb parut réfléchir, comme s'il avait besoin de calculer, puis répondit :

— Quinze ans.

— Quinze ans, répéta Nick dans le combiné.

— Et que font ses parents dans la vie ?

Cette fois, Nick perdit son sang-froid.

— Quelle importance cela a-t-il ?

— Cela en a pour moi, et si tu veux aller avec lui, il me faut une réponse.

Nick leva les yeux au ciel.

— Caleb, que font tes parents ?

Une étrange expression passa sur le visage du garçon. Ce fut d'un ton plat qu'il débita :

— Mon père est agent de change et ma mère, son éternelle et réticente concubine qui lui a vendu son âme pour rouler en Ferrari.

Nick ne jugea pas utile de préciser la situation de Mme Malphas.

— Le père de Caleb est agent de change, M'man.

— Et sa mère ?

— Femme au foyer.

— Mmm. C'est un brave garçon ?

— Non, M'man. C'est Satan incarné. En fait, dès que le cours sera fini, on ira se soûler et se faire tatouer, puis on se trouvera quelques putes et on se paiera du bon temps grâce au fric de sa famille.

Caleb éclata de rire, mais Cherise ne partagea pas, loin s'en fallait, son hilarité, pas plus qu'elle n'apprécia le douteux humour de son fils.

— Ne me parle pas comme ça, Nick Gautier, sinon je ne t'autoriserai à sortir que quand tu seras assez vieux pour avoir des cheveux blancs. Maintenant, réponds à ma question.

Comprenant qu'il avait intérêt à se montrer conciliant, Nick adoucit son intonation.

— Oui, M'man, Caleb est un brave garçon. Il n'a jamais eu d'ennuis à l'école et il est inscrit au tableau d'honneur. Il est capitaine de l'équipe de football. Et c'est un tueur en série qui planque les cadavres de ses victimes dans le frigo chez lui quand ses parents quittent la maison.

Et zut. Il avait essayé de neutraliser son ironie, mais chassez le naturel…

Caleb rit derechef et se pencha vers Nick pour que Cherise l'entende.

— Je mange aussi des bébés au petit déjeuner, madame Gautier, et je torture de petits animaux pour le plaisir. Mais mon psychothérapeute dit que je fais de gros progrès.

— Ne faites pas les malins avec moi, les garçons ! dit Cherise d'un ton aussi tranchant qu'une lame.

— Désolé, M'man, on n'a pas pu résister.

Il l'entendit échanger quelques mots avec son patron, puis elle reprit la communication.

— D'accord, Nick, tu peux y aller, mais je veux que tu sois ici dans une heure.

— Bien, m'dame, je serai là.

— Je t'aime, mon bébé.

Rouge comme une pivoine, Nick se détourna de Caleb avant de souffler :

— Je t'aime aussi, M'man.

Puis il raccrocha et rendit le portable à Caleb en aboyant :

— Je ne veux pas entendre un mot là-dessus !

Caleb leva les mains en signe de reddition.

— Pas de problème. J'aimerais bien avoir une mère que je pourrais aimer. La mienne est une cinglée qui supporte avec peine mon existence. Et puis tu n'as pas fait de bruits de bisous… Alors, de quoi pourrais-je me moquer ?

Non, il n'avait pas fait de bruits de bisous, cette fois… parce que Caleb était à côté de lui.

Ils se dirigèrent vers le magasin de Bubba. Tout en marchant, Nick songeait à son étrange rencontre avec Stone.

— À ton avis, Caleb, que faisait Stone derrière la boutique de Liza ?

Cela ne lui ressemblait pas de sortir seul. D'ordinaire, Stone avait besoin d'être applaudi et épaulé par sa cour, car c'était un lâche.

Caleb fit un signe du menton en direction de la lune.

— Il traînait probablement avec ses potes pour chercher de la came à sniffer dans les poubelles. C'est la pleine lune, Nick. L'animal en Stone a pris le dessus. Il essayait probablement de se téléporter quelque part et, vu qu'il est trop jeune, il a foiré son coup. Je crois qu'il a atterri derrière chez Liza parce que, plus tôt dans la soirée, elle avait invoqué les dieux. Ses pouvoirs ont dû interférer avec ceux de Stone, ou un truc dans ce genre.

Cette réponse inepte agaça Nick.

— Tu ne vas pas commencer avec ces conneries d'histoires de Garous !

— Tu ne crois pas aux Garous, Nick ?

— Je crois aux zombies, et simplement parce que j'en ai vu aujourd'hui. Le reste, c'est du grand n'importe quoi.

— Nick, tu vis à La Nouvelle-Orléans, tu es catholique, tu es pote avec Bubba et Mark, et pourtant tu ne crois ni aux démons, ni aux vampires, ni aux loups-garous ?

— Les seuls vampires que j'aie jamais vus sont les gothiques qui matent la maison d'Anne Rice et boivent du soda à la fraise en prétendant qu'il s'agit de sang.

— Tu es vraiment matérialiste.

Oui, et il en était fier. Il n'aimait pas l'idée que quelqu'un pût le manipuler comme une marionnette. Mieux valait être prosaïque que bêtement crédule.

— Je parie que toi, tu ne l'es pas, Caleb.

— Effectivement. Je crois à tout ça.

— Pourquoi ?

— Allons, Nick, ça ne t'est jamais arrivé de marcher dans la rue et d'avoir soudain l'impression que la main du diable te frôle l'échine ? Tu vois ce que je veux dire : on frissonne, on sent que quelque chose ne va pas, mais on ne peut pas déterminer ce que c'est. Eh bien, c'est un démon qui fait un bout de chemin avec toi, mec. Il t'évalue pour savoir s'il peut jouer avec toi.

Pour Nick, tout cela, c'était de la foutaise.

— Tu essaies de m'embrouiller, Caleb.

— J'essaie de te préparer à affronter le monde réel.

— Le monde réel, c'est d'avoir un bon boulot, de payer ses factures et de ne pas s'attirer d'ennuis.

Et de rester en vie.

— Waouh ! Tu as totalement intégré le mode de pensée gnangnan !

— Ce n'est pas un mode de pensée, c'est la vérité.

— Si tu le dis.

Caleb le précéda à la porte du *Triple B*, l'ouvrit et s'effaça pour le laisser entrer.

— Hé ! C'est fermé ! Il n'y a pas de cours de... Oh, c'est vous, les gars ! Entrez.

Mark était sorti de l'arrière-boutique. Nick se renfrogna : l'accueil était plutôt hostile.

— Que se passe-t-il, Mark ? demanda-t-il.

Sans répondre, Mark alla fermer la porte à double tour, puis retourna la pancarte « Fermé » et leur fit signe de le suivre.

— Vous n'allez pas le croire, dit-il.

Oh, bon sang ! Chaque fois que Mark prononçait ces mots, c'était pour annoncer un truc effarant.

Mais dès qu'ils eurent pénétré dans le local, Nick se figea : Bubba et Madaug étaient assis devant l'ordinateur. Madaug, le petit salaud… Comment osait-il être là après n'avoir pas décroché son téléphone de la journée ? Il allait l'étrangler !

Les lunettes de Madaug étaient de guingois sur son nez. Il passait nerveusement la main dans ses cheveux courts tout en fixant l'écran.

— Comment est-il arrivé ici ? demanda Nick à Mark.

— À pied.

— Sérieusement. Après tout ce qu'on a fait pour le trouver aujourd'hui, quand s'est-il pointé ?

— Il y a une heure ou deux.

Sans prêter la moindre attention aux autres, Madaug désigna de l'index une ligne de code parmi toutes celles qui s'étaient affichées.

— Regarde, Bubba. C'est de ça que je parlais. Cet algorithme a été conçu pour brider de façon subliminale leur cortex cingulaire antérieur pendant que celui-ci stimule le cortex orbitofrontal et les amygdales, ce qui augmente leur taux de sérotonine.

Nick se rendit compte que Caleb était aussi perdu que lui et en fut soulagé. En revanche, Bubba et Mark semblaient aussi à l'aise que des poissons dans l'eau face à ce charabia, ce qui le stupéfiait.

— Ouais, approuva Bubba. Mais je ne vois pas comment ça te donne le contrôle de l'hypothalamus.

— Ça ne le donne pas vraiment. Seul le système nerveux somatique devrait être affecté, avec une petite production parallèle de stress dans l'hypothalamus, qui aurait inhibé son comportement agressif. Ce que je ne comprends pas, c'est comment j'ai pu perdre le contrôle. Qu'est-ce que j'ai laissé passer, Bubba ?

Nick s'éclaircit la gorge avant de déclarer :

— Je peux vous dire ce que moi, j'ai laissé passer : l'intégralité du truc. De quoi parlez-vous, bon sang ?

— De *Chasseur de zombies*.

— Et en quoi c'est différent des discussions que vous avez d'habitude ?

Mark poussa un soupir.

— Il ne s'agit pas de tuer des zombies, Nick, mais de jouer à les tuer.

Madaug précisa :

— J'ai inventé un jeu vidéo qui s'appelle *Chasseur de zombies*, et c'est là-dessus qu'on travaille.

— Oh, cool ! Je peux jouer ?

— Non ! s'écrièrent Mark, Bubba et Madaug en chœur.

— Fais-nous confiance, Nick, ajouta Bubba en avalant une gorgée de soda, c'est un jeu auquel tu ne veux pas participer.

— Pourquoi ?

— Parce que ceux qui y jouent se transforment en zombies, précisa Madaug dans un petit sourire.

Et voilà. Ils continuaient à lui raconter des conneries, songea Nick avant de le dire à haute voix.

— Détrompe-toi, mec, c'est vrai, répliqua Bubba.

Il pointa sa canette de soda sur Madaug et continua :

— Ton petit copain ici présent est sacrément brillant.

Mais oui, brillant. Et il se faisait balancer contre les casiers.

Nick ne comprenait pas comment Madaug pouvait être intelligent au point de concevoir un programme de jeu vidéo et ne pas être fichu par ailleurs d'éviter les gens qui lui voulaient du mal.

Madaug remonta ses lunettes sur son nez.

— J'ai découvert qu'une certaine séquence de lumière et de son peut altérer les fonctions cérébrales. Le cerveau est comme un ordinateur, et quand on réussit à court-circuiter sa programmation, on peut le pirater et modifier le disque dur de quelqu'un.

Nick devait admettre qu'il était impressionné.

— Comment as-tu appris tous ces trucs ?

— Ma mère est neurochirurgienne à Tulane et mon père neurologue spécialisé en criminologie. Ils ont des conversations ennuyeuses à périr pendant les repas, et ils m'obligent à les écouter pendant que je bouffe l'infecte cuisine de ma mère. Actuellement, mon père fait une étude sur les moyens d'inhiber la propension aux comportements violents, et c'est ce qui m'a donné l'idée pour le jeu. J'ai lu ses notes, fait des recherches de mon côté, puis Bubba m'a montré comment aller au cœur du programme et créer des niveaux qui affecteraient le schéma cérébral.

Caleb donna une bourrade dans l'épaule valide de Nick.

— Tu vois ce qu'on peut apprendre quand on écoute ses parents ?

— Aïe ! Ce n'est vraiment pas le genre de truc dont on parle à table chez moi.

Mais si quelqu'un avait envie de tout savoir sur la *pole dance* ou sur la meilleure technique d'éviscération d'un être humain, Nick était celui auprès duquel il fallait se renseigner.

Des sujets qui, ce soir, ne présentaient aucun intérêt ni la moindre utilité. Quoique, en cas de nouvelles attaques de zombies, l'art de l'éviscération pourrait se révéler utile…

— Et qui a le jeu ? demanda Nick à Madaug.

— J'en ai donné une copie à Brian parce qu'il est toujours après moi. Je voulais voir si je pourrais le reprogrammer, le mettre en état de stress chaque fois qu'il ressentirait le besoin de me tomber dessus. Au lieu de lui procurer du plaisir, la pulsion de violence aurait déclenché de la peur, l'obligeant à se raviser. C'était mon plan.

— Eh ouais, fit Bubba en prenant un autre soda. Brian était le cobaye de Madaug.

Ce commentaire ébranla manifestement Madaug.

— C'est ça, confirma-t-il, la mine sombre. Et maintenant, je n'arrive pas à remettre la main sur le jeu vidéo. Je ne sais pas qui l'a, mais apparemment, d'autres personnes l'ont testé, et c'est à cause de ça qu'on a des zombies qui sortent de partout.

— Ils se sont collés autour de la console à deux ou trois à la fois, compléta Bubba. Les jeunes ne sont plus comme nous, qui nous calfeutrions, solitaires, dans notre chambre. Qu'est-ce que c'est que cette espèce de *geeks* qu'on a de nos jours ? Des *geeks* qui ont des copains avec lesquels ils jouent sur leurs consoles ! Incroyable. C'est la fin d'un monde, croyez-moi.

Cet éclat laissa Nick perplexe.

— Mais enfin, Bubba, Mark et toi, vous n'êtes pas copains ?

— Ah, Seigneur, non ! Mark n'est pas mon copain. Il est mon subordonné.

Mark s'insurgea.

— Je préfère « apprenti ». J'ai revendiqué une fois le titre de Padawan…

— Un novice Jedi ? coupa Nick.

— Ouais. Mais Bubba a refusé en prétextant que les maîtres, dans les bouquins et les films, étaient toujours tués par leurs élèves et qu'il n'était pas question qu'il meure une fois qu'il m'aurait appris tout ce qu'il fallait sur la façon de se débarrasser des zombies.

— Alors, pourquoi vouloir être son apprenti ? N'est-ce pas la même chose ?

— Oh non, dit Mark en riant. Dans les films, ce sont les apprentis qui meurent.

Cette logique échappait à Nick.

— Bref, Madaug a voulu reprogrammer Brian pour qu'il lui fiche la paix, reprit Bubba, mais nous pensons que le programme fonctionne à l'envers et excite Brian et les copains qui jouent avec lui au lieu de les calmer. Il faut donc qu'on retravaille le code pour ramener Brian et ses potes à la normale.

L'idée semblait bonne, en théorie, mais il restait un problème qu'ils n'avaient pas abordé.

— Pourquoi en ont-ils après moi ?

— Quoi ? firent Mark et Bubba d'une même voix, stupéfaits.

— Il y en a deux qui m'ont attaqué sur mon lieu de travail, et ils ont bien failli m'avoir.

— Ce n'est pas possible, dit Bubba en secouant la tête. Le programme n'est actif qu'à proximité de l'ADN de Madaug.

Nick montra son bras, à l'endroit où il avait été mordu.

— Possible ou pas, le fait est là : ils ont essayé de me transformer en hamburger.

Bubba lui prit le bras, écarta le pansement et étudia les deux blessures.

— Par exemple... C'est sacrément intéressant, commenta-t-il.

Sa décontraction sidérait Nick. Si c'était Stone qui avait été mordu, ç'aurait été drôle. Mais pas quand c'était lui qui avait été transformé en jouet à mâcher pour zombie !

— Je n'ai pas ton bagage scientifique, Bubba. Tout ce que je sais, c'est que je ne veux pas être une friandise pour les zombies.

— Pourquoi les zombies essaieraient-ils de manger Nick ? demanda Bubba à Madaug.

— Aucune idée. Je ne sais même pas pourquoi ils essaient de manger quelqu'un. Le programme que j'ai mis au point consistait à les calmer et les rendre passifs, pas agressifs.

— Et ça a bien foiré, mec, remarqua Nick.

Madaug consulta de nouveau son code avant de reprendre :

— D'après ce que j'ai observé, quand le programme s'active, ils attaquent tout ce qui se trouve autour d'eux.

Mais je ne les ai pas vus traquer qui que ce soit à part moi, et je ne comprends pas pourquoi ils font ça au lieu d'être paralysés de terreur.

— Tu les as changés en zombies, Madaug, observa Caleb. Ils en ont après ton cerveau.

Nick éclata de rire.

— Je dirais bien que c'est parce que tu as une cervelle de moineau qu'ils sont attirés par toi, mais ça pourrait te vexer.

— Ouais, et ensuite, je serais obligé de te casser l'autre bras.

— Ne m'obligez pas à vous séparer, tous les deux ! s'écria Bubba. Je n'ai plus de patience avec les gamins, aujourd'hui.

Il montra les rayonnages brisés.

— J'aimerais bien savoir à qui faire un procès pour que ma boutique soit réparée.

— Moi, je n'ai pas un rond, dit Nick avant de désigner Madaug. Fais un procès au fils de richard qui est à l'origine de tout ça.

Madaug n'eut pas le temps de se défendre : il y eut une succession de coups à la porte, suivis de gémissements poussés par quelqu'un qui s'efforçait d'entrer. Mark appuya la tête contre le mur comme s'il était à l'agonie.

— S'il vous plaît, Seigneur, faites que ce soit Tabitha qui nous joue un mauvais tour !

Bubba décrocha sa hache du mur.

— Protège le *geek*, dit-il à Mark. Moi, je vais voir ce qui se passe.

— Pourvu que ce ne soit pas encore un flic ! gémit Mark. Je n'ai plus de quoi me payer une caution !

Il regarda Nick.

— Oh, mais attends une minute… Je pourrais te vendre sur eBay.

— Tu n'en tirerais pas grand-chose, dans l'état où je suis, dit Nick en montrant son bras en écharpe. Mieux vaut que tu vendes Caleb et Madaug. Je suis sûr que ça intéressera quelqu'un d'acheter deux beaux garçons blancs.

Il se pencha par-dessus Mark, soulagé qu'il ait chassé l'odeur d'urine de canard avec une bonne douche, pour voir qui était à la porte. La hache posée sur l'épaule, Bubba l'ouvrit, et un groupe de gothiques se rua à l'intérieur et se dispersa dans la boutique. Ils étaient si excités qu'ils parlaient tous en même temps, et Nick ne comprenait donc pas un seul mot. Le dernier à entrer poussa un coup de sifflet strident. Nick reconnut Tabitha, moulée dans un pantalon si collant qu'il lui aurait valu dans certains États une amende pour atteinte aux bonnes mœurs.

— On a besoin de fournitures, dit-elle à Bubba. Beaucoup, beaucoup de fournitures.

— Pourquoi ? Qu'est-ce qui se passe ?

— Qui a lâché ces zombies ? demanda l'un des garçons qui accompagnaient la jeune fille.

— Et ils sont rapides ! ajouta un autre. On dirait des super zombies mutants sous acide !

Le plus grand des garçons montra son œil rouge et enflé.

— Ils ressemblent à s'y méprendre à une équipe de football contre laquelle on a joué il y a quelques semaines. C'est comme ça que j'ai chopé cet œil au beurre noir. En essayant d'empêcher Tabitha de commettre un meurtre.

Madaug s'approcha de lui, bouche bée.

— Éric ? C'est toi ?

L'autre le regarda, la mine sombre. Ses cheveux noirs avaient été coiffés en crête comme ceux de Robert Smith, de Cure. Il était encore plus maquillé que Tabitha : rouge à lèvres noir, khôl, blush noir, vernis noir sur les ongles…

— Qu'est-ce que mon frère fout ici ? s'écria Madaug.

— *Mazel tov*, Éric ! lança Bubba en frappant si fort le garçon dans le dos qu'il chancela. C'est ton frangin qui a créé ces zombies.

— Que… quoi ? balbutia Éric, incrédule. Tu te fiches de moi ? Hein, qu'il se fiche de moi, Madaug ? Qu'est-ce que tu trafiques ? Papa et Maman vont t'enfermer dans ta chambre jusqu'à ta mort !

— Je sais. J'essaie de réparer ce que j'ai fait, mais…

Il secoua la tête, comme pour chasser une idée parasite.

— Laisse tomber, tu ne comprendrais pas, reprit-il. Tu n'as pas réussi le moindre contrôle de sciences depuis l'école primaire.

Éric lui donna une bourrade, que Madaug lui rendit.

— Ne m'enquiquine pas, espèce de travesti cinglé. Je n'arrive pas à croire qu'on ait des gènes en commun. Je suis sûr que Maman et Papa t'ont trouvé sur une aire d'autoroute.

— Et toi, dans une cuvette de chiottes !

Tabitha intervint.

— Arrêtez, tous les deux. Gardez votre énergie pour tuer ce qui doit l'être : les morts vivants.

Bubba appuya l'extrémité de sa hache par terre.

— Attendez une minute… Bon sang, je ne peux pas croire que je vais dire ça, mais dans la mesure où, primo, on a affaire à des gamins innocents dont Madaug a manipulé le cerveau et, deuxio, à quelques adultes idiots qui devraient faire autre chose de leur vie que de jouer à des jeux vidéo, on ne peut pas les tuer. Tabitha, ceux-là ne sont pas des morts vivants. Ce sont bel et bien des êtres vivants, des abrutis qui respirent, et il faut qu'on les sauve.

Tabitha poussa un soupir de dégoût.

— Je préférerais leur enfoncer un pieu dans le cœur et laisser Dieu reconnaître les siens.

— Et je préférerais ne pas passer le reste de ma vie en taule, dit Éric. Je sais ce qu'on fait aux jolis garçons en prison, et je suis trop mignon pour laisser mes codétenus indifférents.

— Oh, arrête, intervint Mark. Ton problème, c'est qu'avec ton rouge à lèvres et tes longs cheveux, ils te prendront pour une nana. Tu ne seras pas enfermé dans le quartier des mecs, mais plutôt dans celui réservé aux putes. D'ailleurs, ce ne sera peut-être pas mal pour toi.

— Hé, les candidats chasseurs ! lança Bubba. Pourrais-je avoir votre attention une minute ? Il faut qu'on aille chercher ces gens et qu'on les trouve avant qu'ils mangent quelqu'un d'autre ! Ensuite, on les amènera ici pour essayer d'inverser ce qu'a fait Madaug.

— Et où on les mettra ? demanda Éric. Dans la baignoire ?

Bubba décocha un regard triomphant à Éric avant de s'approcher du mur et d'actionner un système d'ouverture caché, révélant une cellule secrète capitonnée, dotée de renforts en acier et de menottes accrochées au plafond. Nick n'avait jamais rien vu de tel.

— Ô mon Dieu ! s'exclama Tabitha en riant. Bubba a un local secret pour ses soirées sadomasos !

— Hé, tu es trop jeune pour être au courant de ce genre de trucs.

— Tu plaisantes, Bubba ? Ma tante possède *La Boîte de Pandore*, sur Bourbon Street. Si j'en crois ces menottes, tu es allé faire ton shopping chez elle.

Bubba siffla entre ses dents puis se tourna vers Éric.

— Tu ne peux pas la bâillonner ?

— Comment crois-tu que j'ai écopé de cet œil au beurre noir ? Pour info, sache qu'elle ne tape pas comme une fillette. Elle est peut-être issue d'une famille où les œstrogènes règnent, mais un mec a sacrément bien dû l'entraîner.

Mark haussa les sourcils.

— Pour moi, ça ressemble à de l'eye-liner mal posé. Tu es sûr d'avoir été frappé par une fille ?

— Et voilà ! On a de nouveau perdu notre objectif de vue ! pesta Bubba. Vous êtes pires que des gamins de maternelle ! Pendant les cinq prochaines minutes, j'exige que vous arrêtiez vos mauvaises plaisanteries et que vous vous concentriez. Je sais que je demande la lune, mais c'est une question de vie ou de mort, OK ?

— Oui, chef ! crièrent-ils tous en chœur.

— Bien. Nous devons protéger la ville. Je veux que vous alliez tous patrouiller à la recherche des zombies. Et quand vous les trouverez…

— Un coup de pieu dans le cœur ! s'écria Tabitha en sortant de sa botte l'un de ses stylets pour illustrer son propos.

— Non ! Vous les trouvez et vous débrouillez pour qu'ils vous poursuivent jusqu'ici, où Mark et moi les attendrons pour leur filer un tranquillisant. Tout le monde a bien compris ? Pas de meurtre. Pas d'effusion de sang.

— Voilà ce que j'appelle gâcher une belle nuit, commenta Tabitha.

Madaug regardait son frère aîné avec stupéfaction.

— Papa et Maman savent que tu sors avec une tueuse folle ?

— Non, et si tu le leur rapportes, je te colle les doigts à ton clavier avec de la Super Glue.

Un tic se mit à faire tressauter la mâchoire de Madaug, dont les joues s'empourprèrent.

— Maman a dit que si tu refaisais ça, elle te raserait la tête pendant ton sommeil.

— Les enfants ! tonna Bubba. Il y a de dangereuses créatures dehors ! Allons les chercher !

Madaug s'avançait vers la porte quand Bubba l'arrêta et le força à revenir vers l'arrière-boutique.

— Pas toi. On a besoin que tu restes ici et que tu continues à bosser sur une inversion du processus.

— Tu es prêt, toi ? demanda Caleb à Nick.

Ce dernier consulta sa montre.

— Je ne pourrai rester avec vous que quarante-cinq minutes. Sinon, ma mère me tuera.

— Alors, allons-y, Cendrillon. Vite, avant que tu te changes en citrouille.

Caleb partit avec Nick en direction de l'école, ce qui était logique étant donné que c'était là que tout avait commencé.

Dire que ce matin, sa plus grande peur était d'être en retard, songea Nick. Qui aurait imaginé qu'à la fin de la journée il en viendrait à craindre d'être étripé et dévoré ? Peut-être eût-il été sage qu'il vienne en cours muni d'une scie circulaire. Ce genre d'engin n'était pas inscrit sur la liste des armes proscrites par le principal.

Tout en marchant, il pensa à Madaug et à sa famille.

— Caleb, tu ne trouves pas bizarre que le frère de Madaug n'aille pas à l'école avec nous ?

Caleb plongea les mains dans les poches arrière de son jean.

— Il est probablement trop bête pour être admis.

— Tu crois ?

— L'influence des gènes sur l'intellect n'est pas toujours prédominante, j'en suis la preuve vivante. Je suis issu d'une longue lignée d'abrutis de première. Ça me fout les jetons de nager dans leur piscine génétique. Et pourtant, je suis là, et sacrément plus intelligent qu'eux tous réunis.

Nick ne voulait même pas songer à sa propre piscine génétique. Dieu seul savait de quoi elle était infestée. Il vivait dans la terreur constante qu'un jour un interrupteur bascule en position « on » dans sa tête et fasse de lui le même monstre que son père. Chaque fois qu'il essayait de parler de cela à sa mère, elle lui disait qu'il était ridicule. Et pourtant, il ne parvenait pas à chasser l'impression qu'il y avait en lui quelque chose qui brûlait de sortir. Quelque chose de sinistre, de glacé, d'insensible.

— Tu as des frères ? des sœurs ? demanda-t-il à Caleb, dans l'espoir de détourner son esprit de ses idées noires.

— Des demi-frères, des demi-sœurs. Et toi ?

— Non.

— Ah. Et que fait ton père ?

— Je ne parle pas de mon père.

À personne. Bubba et Mark étaient les seuls à savoir que son père était un criminel.

— Mon père ne fait pas partie de notre vie, à ma mère et à moi, continua-t-il, et je tiens à ce que ça reste comme ça.

— Je comprends. Je n'ai pas grand-chose à voir avec le mien non plus.

— Pourquoi ?

— Tu ne me croirais pas si je te le disais. Mais ça ne me pose pas de problème. Ce qui ne nous tue pas n'exige que quelques siècles de thérapie.

— Ouais, et de bonnes doses de Tylenol.

— Hé, tu sais quoi ? Si on se sépare, on couvrira davantage de terrain. Tu veux qu'on se retrouve à la cathédrale ?

— OK.

— Bien. Rendez-vous là-bas.

Nick s'engagea dans une rue transversale pour rejoindre Bourbon Street, qui regorgeait de victimes potentielles. Mais comment faire la différence entre un zombie et un touriste soûl ? Cela relevait de la gageure.

Tout en descendant la rue, il remarqua que le bourdonnement des lampadaires s'amplifiait. À l'approche de la maison Lalaurie, il ralentit le pas : la maison Lalaurie était l'endroit le plus maléfique de La Nouvelle-Orléans. S'il existait une bouche de l'enfer, cette maison était bâtie dessus. Depuis toujours, le bâtiment lui donnait le frisson. Et ce soir encore plus que d'habitude.

Le vent se mit soudain à souffler, soulevant ses cheveux et lui hérissant la nuque de chair de poule. En même temps, un énorme corbeau vola au-dessus de sa tête et alla se poser sur la rambarde en fer forgé du balcon, puis le regarda. C'était stupide, se dit-il. Un oiseau ne pouvait pas le regarder. Et pourtant, si. Le corbeau inclinait la tête et le considérait.

Ça fichait la trouille. Comme la bâtisse elle-même.

Dans cette maison, des douzaines de personnes avaient été torturées et assassinées de façon si horrible que sa mère refusait d'en parler. Toutes les familles qui en avaient été propriétaires après les Lalaurie avaient dit entendre les fantômes de ceux qui avaient perdu la vie à cause de la cruauté démente de Delphine Lalaurie. Sa propre cuisinière, épouvantée par ces atrocités, avait mis le feu à la cuisine en essayant de se suicider pour échapper à la folle. Les pompiers, pourtant habitués à faire face à la mort et au sang, avaient vomi en découvrant les victimes mutilées que Delphine avait laissées derrière elle.

— Aidez-moi…

La petite voix, une voix d'enfant, fit sursauter Nick. Il se retourna, regarda autour de lui. D'où provenait-elle ? Il ne distinguait personne dans l'ombre.

— J'ai si peur… Pourquoi ne vois-je rien ? Y a-t-il quelqu'un ?

Un éclat de rire retentit. Le lampadaire au-dessus de Nick explosa, et il fut arrosé d'éclats de verre. Il jura en bondissant en arrière et vit alors la petite fille à l'angle de la maison.

— Aide-moi à trouver ma maman, s'il te plaît…

Elle se glissa par la porte entrouverte dans un petit passage couvert qui donnait sur le jardin intérieur.

— Attends ! lui cria Nick en courant pour la rejoindre.

Il tendit la main pour l'attraper avant qu'elle n'aille plus loin… et sa main passa à travers son corps.

Bon sang… Mais qu'est-ce que…

La fillette fit volte-face, et Nick crut défaillir : son visage était déchiqueté, ses yeux d'immenses orbites vides et noires.

Elle dénuda une rangée de crocs et fondit sur Nick.

10

Nick recula en chancelant quand la « petite fille » grandit soudain jusqu'à mesurer près de deux mètres. Elle se pencha sur lui, agrippa sa chemise avec ses mains en forme de serres et lui ricana en pleine figure.

— Tu aurais dû faire ce que voulaient tes amis, Gautier. Les aider à voler et à tuer le couple de vieux. Tu as fait une belle bêtise en jouant les gentils. Tant que tu laisseras ta gentillesse t'affaiblir, nous pourrons nous nourrir sur toi.

La créature essaya de le mordre au cou, mais il la repoussa et repartit à toutes jambes vers la rue. À peine l'avait-il atteinte que trois autres créatures apparurent, lui bloquant le chemin. Des hommes, à première vue. Mais des flammèches dansaient là où auraient dû se trouver leurs yeux.

La température tomba brusquement, et Nick se mit à trembler de froid. Le trio empestait comme l'arrière-train des mules qui tractaient les carrioles dans le Quartier français.

Celui qui était manifestement le chef montra les dents, des dents longues et pointues.

— Tu pensais vraiment pouvoir nous échapper, Nick ?

Eh oui. Et il le pensait encore, cherchant une façon de les contourner. Mais ils formaient un barrage infranchissable. Et derrière lui, il n'y avait que le jardin clos de la maison Lalaurie.

— Que voulez-vous ? leur demanda-t-il, espérant ainsi gagner du temps.

— Te tuer, dit la fillette qui avait resurgi derrière lui, avant de plonger ses crocs dans sa gorge.

Nick poussa un cri de douleur et la frappa de son bras valide. Il réussit à se débarrasser d'elle et à s'enfuir. Les trois autres le poursuivirent.

Une hache. Il avait besoin d'une hache. Ou, mieux, d'un lance-roquettes.

Le corbeau s'envola droit vers lui et se posa sur son épaule. À la seconde où ses griffes la touchèrent, Nick ressentit comme une décharge électrique qui lui traversa tout le corps, si intense et si douloureuse qu'il en perdit le souffle. Pendant une demi-minute, tout sembla se figer autour de lui. Le vent, les agresseurs, l'oiseau.

Son cœur.

Puis, lorsque le monde redevint normal, aussi brutalement qu'il avait cessé de l'être, il poussa un cri : ses sens s'étaient aiguisés, et il se rendit compte que son bras était guéri. Une voix dans sa tête lui ordonna de se battre. Du tréfonds de son être monta, telle une lave brûlante, une sensation de puissance, de pouvoir hallucinante. L'oiseau quitta son épaule et alla de nouveau se percher sur le balcon pour observer ce qui allait suivre.

Les créatures fondirent sur lui. Nick savait qu'elles se déplaçaient à une vitesse surhumaine, pourtant il les vit aussi nettement que si elles avaient bougé au ralenti.

La première frappa.

Nick bloqua le coup et le rendit avec une telle violence que la créature recula en titubant. Il repoussa la deuxième d'un coup de tête. La troisième rugit de colère et se jeta sur le dos de Nick, qui la balaya d'un revers de bras puis l'acheva d'un uppercut au plexus.

La femelle le propulsa contre le mur.

Nick pivota sur ses talons d'un bloc et riposta d'une manchette à la gorge. Il avait l'impression d'être dans un film : elle lui tapait dessus frénétiquement, il esquivait et ripostait sans peine, tout en se demandant où il avait appris le kung-fu. Dire que sa mère jugeait qu'il perdait son temps quand il allait voir Jackie Chan au cinéma ! Apparemment, il avait acquis cet art du combat par osmose. Et il se sentait de taille à affronter le monde entier.

Il se servit de l'une des créatures comme d'un projectile pour en renverser une autre et, quelques instants plus tard, les agresseurs étaient tous par terre. Lui, debout, les regardait, même pas essoufflé.

Chuck Norris pouvait aller se rhabiller.

L'oiseau inclina la tête comme s'il approuvait, avant de s'envoler dans la nuit.

Nick s'étira et constata qu'il n'avait plus mal nulle part, alors que médecins et thérapeutes avaient dit qu'un complet rétablissement prendrait des mois. Ce qui lui arrivait était donc magique. Ou alors, il rêvait… Non. Il se savait parfaitement éveillé.

Les créatures s'évaporèrent en une fine brume qui se fondit dans la pénombre. La température redevint normale.

Et un homme apparut devant Nick.

Un homme qui ressemblait étrangement à son père, à l'exception d'une marque sur la joue : un arc et sa flèche. Vêtu de noir, il portait un manteau de cuir qui lui descendait jusqu'aux chevilles. Il avait les cheveux de la même teinte que ceux de Nick mais les portait plus longs, et ses yeux étaient noirs alors que ceux de Nick étaient bleus. Il mesurait un bon mètre quatre-vingt-dix et arborait un petit bouc soigneusement taillé.

Prêt à se battre, Nick demanda :

— Qui êtes-vous ?

— Du calme, Nicky. Je suis un ami et je suis là pour t'aider.

— Comment ça ?

L'homme leva la main, et une boule de lumière apparut dans sa paume, où elle dansa et clignota dans la pénombre. L'homme ferma la main, et la boule disparut.

— Tu n'imagines pas à quel point tu es important, Nicky, ni combien de pouvoirs vont s'opposer au tien, combien de créatures t'attaquer. Mais fais-moi confiance, petit, le seul être à part ta mère qui se soucie vraiment de toi, c'est moi.

Oh, vraiment ?

— Et vous êtes ?

— Ton oncle Ambrose.

Mais bien sûr.

— Je n'ai pas d'oncle.

— Mais si, Nicky. On t'a même donné mon nom.

Nick secoua la tête. Il portait le nom de son père et de son grand-père. Du moins était-ce ce qu'on lui avait dit.

— Ma mère ne m'a jamais parlé de vous.

— Parce que je suis ton oncle du côté paternel et qu'elle ne me connaît pas. Mais ça n'a pas d'importance. Mon but est de veiller à ce que tu ne commettes pas de grosses erreurs.

— De quel genre ? Vous parler, par exemple ?

La repartie fit rire Ambrose.

— Le monde n'est pas tel que tu le vois, petit. Un voile masque tout et t'aveugle comme il aveugle la plupart des gens.

Il tendit la main et repoussa les cheveux qui retombaient sur le front de Nick. Le jeune garçon ressentit une secousse.

— La perspicacité, la capacité de voir ce qui est caché, expliqua Ambrose, voilà le cadeau que je te fais, quoique tu en aies déjà eu un avant-goût. Désormais, tu auras ce don et pourras t'y fier. Je ne veux plus que tu sois dupé par quiconque.

Nick recula, incrédule : son prétendu oncle venait de changer sous ses yeux. Il n'était plus un homme mais... autre chose. Sa peau était mouchetée de noir et de rouge, ses yeux d'un jaune éclatant. Il n'était pas humain ! Et c'était terrifiant.

— Qu'êtes-vous ? demanda-t-il d'une toute petite voix.

— Ton ami, je te l'ai dit. Et je le serai toujours. Je serai le seul être en qui tu pourras avoir confiance.

Foutaises. Ce seul être, c'était lui-même !

— Mec, je ne vous connais pas et je ne vais certainement pas avoir confiance en vous.

— Nick, tu me connais bien mieux que tu ne le crois. Regarde en toi et tu sauras. Je te dis la vérité.

Nick regarda en lui, et ce qu'il vit lui glaça le sang. Non, ce n'était pas vrai...

Incapable de supporter cette révélation de son moi profond, il voulut s'enfuir en courant et s'en découvrit incapable. Un pouvoir invisible semblait le retenir prisonnier.

— Je comprends que tu te méfies de moi, Nick, et je ne te le reproche pas. Mais tu apprendras à écouter, le moment venu. Aujourd'hui, j'ai libéré tes pouvoirs pour te protéger.

— Quels pouvoirs ? Vous êtes shooté ou quoi ?

L'homme sourit, révélant une impressionnante rangée de crocs.

— Non. Tu dois garder secret ce que je vais t'apprendre. Que personne, et surtout pas Acheron, ne soit au courant.

— Comment ça ? Vous connaissez Acheron ?

— Inutile que tu comprennes tout pour l'instant. Ce qu'il faut que tu saches, c'est que ces morts vivants qui t'ont attaqué ne sont que des dommages collatéraux, des sous-produits. Ne t'inquiète pas pour ça. Tu auras la capacité de les vaincre et tu gagneras en force chaque fois qu'ils t'attaqueront. Je ne t'ai pas laissé sans défense.

— Écoutez, je ne sais pas ce que vous avez sniffé, mais…

Il essaya de contourner la haute silhouette de l'homme, mais celui-ci l'arrêta.

— Je suis de ton côté, Nick. Je te le répète, tu as peu d'amis, et ceux auxquels tu peux te fier sont encore plus rares.

— Nekoda en fait partie ?

Pourquoi le nom de la jeune fille avait-il jailli dans sa tête, en même temps que la vision de son joli visage souriant ?

Ambrose parut désorienté.

— Nekoda ? répéta-t-il.

Ah ! Ce type n'était pas aussi malin qu'il le prétendait ! Ni extralucide. Il n'était qu'un menteur.

— Vous ne savez pas qui est Nekoda, hein ?

Ambrose inclina la tête en arrière, les yeux tournés vers le ciel, comme s'il interrogeait le cosmos.

— Comment peux-tu connaître quelqu'un dont j'ignore tout, Nicky ?

— Sans doute parce que vous et moi, nous ignorons tout l'un de l'autre.

— Non, quelque chose ne va pas… Ce n'est pas possible…

Et, sur ces mots, Ambrose disparut. Incrédule, Nick regarda autour de lui. Il n'y avait aucune trace du passage de cet homme si étrange. Il avait dû avoir une hallucination.

Oui, mais dans ce cas, comment expliquer que son bras soit guéri, qu'il n'ait plus mal du tout ?

Tout aussi subitement qu'il s'était manifesté en lui, le pouvoir l'abandonna, et chaque atome de son corps ne fut plus que douleur. Son épaule l'élança si cruellement qu'il tomba à genoux et se plia en deux sous les assauts de la souffrance qui le frappait par vagues, lui brouillait la vision. Une minute plus tôt, il était debout, fier et solide, et voilà qu'il se retrouvait par terre, pantelant, misérable.

Avant de perdre connaissance, il entendit une voix de femme.

— Tu nous appartiens, Nick Gautier. Et tu apprendras où est ta place, sinon tu mourras.

11

Le corbeau abandonna Nick et monta très haut dans le ciel avant de se volatiliser : il avait été appelé loin de La Nouvelle-Orléans. Lorsqu'il réapparut, ce ne fut pas dans le Quartier français, où il aimait tant se nourrir, mais à des kilomètres de là, volant à tire-d'aile au-dessus d'une clôture de barbelés hérissée de lames. On l'appelait si souvent ici, à la prison d'Angola, que cet endroit lui était aussi familier qu'à chacun des détenus.

Il survola le mirador des gardes et se dirigea vers le Reception Center, le bâtiment où étaient enfermés les condamnés à mort. Il s'approcha de la bonne fenêtre. Même si faire cela lui répugnait, il devait obéir. Telle était la règle, et la moindre hésitation lui aurait valu une très dure sanction.

Il s'était perché sur l'appui de la fenêtre. Une main jaillit entre les barreaux, le happa par le cou et l'attira à l'intérieur.

Caleb se changea en homme et considéra l'être devant lequel il se trouvait : l'un des démons les plus redoutables et les plus puissants qui eussent jamais existé. Adarian Malachai, le mal incarné, était dépourvu de la moindre parcelle de bonté ou de compassion.

Sans mot dire, il projeta Caleb tête la première contre le mur. Puis il le remit sur ses pieds et le maintint par les cheveux.

— Qu'est-ce que tu crois être en train de faire ? gronda-t-il à l'oreille de Caleb, qui fit la grimace : le sang qui coulait de son nez s'insinuait dans sa bouche.

Il savait qu'il était inutile d'essayer de lutter contre Adarian. Cela n'aurait fait que décupler sa cruauté et sa violence.

— J'entraîne Nick, ainsi que tu me l'as demandé.

— Avec des zombies ? Tu as perdu la tête ou quoi ? Il aurait pu être tué ! Pourquoi ne les as-tu pas empêchés de l'attaquer ?

Caleb était sidéré : qu'est-ce que cela pouvait bien faire à Adarian ?

— Je ne savais pas qu'il les rencontrerait, se justifia Caleb, mais dans la mesure où ils ont déboulé, j'ai pensé que ce serait une excellente occasion pour lui de commencer à apprendre à se battre. Je suis resté là tout le temps. Il n'a jamais été réellement en danger. Et puis, s'il meurt, tu vis. Qu'y a-t-il de mal dans tout ça ?

— Tu es vraiment idiot, dit Adarian en le lâchant.

Caleb se métamorphosa, prenant sa véritable apparence, et frappa Adarian. Il savait que c'était une erreur, mais il n'était pas dans sa nature de se laisser malmener. Il restait un démon, qui ne supportait pas la moindre offense, la plus infime insulte.

— Courbe l'échine, Malachai, rugit-il. Tu n'es pas aussi puissant que tu le crois.

— Ouais, et tu m'appartiens, rétorqua Adarian en riant. Alors, n'essaie pas de m'intimider. J'ai déjà rongé les os de démons plus forts et plus anciens que toi.

C'était probablement exact, mais cela ne changeait rien au fait que Caleb aurait donné n'importe quoi pour avoir le pouvoir de détruire Adarian. Comment diable s'était-il débrouillé pour être enchaîné à ce… ce…

Il n'existait pas de mot assez ordurier pour qualifier cette créature.

Hélas, Caleb savait précisément ce qui l'avait conduit ici et haïssait cette raison autant qu'il haïssait le Malachai.

— J'ai accompli sans faillir ce que tu m'avais demandé. J'ai surveillé ton morveux pendant toutes ces années sans interférer dans ses actions.

— Tu aurais dû te lier avec lui plus tôt.

— Quoi ? Mais tu m'avais dit de ne pas le faire !

Adarian le saisit à la gorge. Ses yeux avaient viré au rouge rubis.

— Eh bien, maintenant, je te dis de veiller sur lui au péril de ta vie. Un nouveau pouvoir vient de surgir. Un pouvoir que je ne parviens pas à analyser. Mais je sens qu'il est sur les traces de Nick et j'exige que tu protèges mon fils. S'il lui arrive quoi que ce soit, je te le ferai payer, et quand j'en aurai terminé avec toi, tu regretteras de ne pas pouvoir regagner le trou de vase putride dans lequel je t'ai trouvé.

En réponse à la menace, les dents de Caleb s'allongèrent, s'affûtèrent.

— Je commande à des légions.

— Et moi, je te commande. N'oublie jamais ça.

Si seulement il l'avait pu…

— Un jour, je me libérerai de toi, Malachai.

— En attendant, tu exécuteras mes ordres à la lettre. Tu protèges mon garçon et sa mère, tu fais en sorte qu'il ne leur arrive rien. Compris ?

— Compris. Mais comment vais-je l'entraîner si je ne peux pas le faire attaquer ?

— Tu es plein de ressources, dit Adarian avec un sourire sardonique. Trouve un moyen. Et rappelle-toi : je suis dans cette prison parce que j'ai choisi d'y être. Je peux en sortir quand cela me chantera et venir te chercher.

C'était la vérité. Adarian vivait ici parce qu'il se nourrissait de la cruauté et du vice des autres. Cette prison, pour lui, équivalait à une usine productrice d'énergie. Elle lui permettait de conserver sa force époustouflante, une force capable de défaire n'importe qui ou n'importe quoi qui s'en prenait à lui.

Son unique faiblesse était son fils. La présence de Nick épuisait considérablement son énergie. Le petit con n'imaginait pas qu'en fuyant son père, il lui donnait la possibilité de demeurer au zénith de sa puissance, un immense désavantage pour tous les autres.

— Tu n'as pas intérêt à me trahir, Malphas, siffla Adarian entre ses dents serrées. Pas dans cette affaire.

S'il ne l'avait pas mieux connu, Caleb l'aurait soupçonné d'aimer son fils. Mais il s'agissait de pouvoir, pas d'amour. Si Adarian gardait Nick en vie et loin de lui, il pourrait reconstituer son armée à travers lui, et alors plus aucun pouvoir sur cette terre ni ailleurs ne serait en mesure de l'arrêter.

Nick mis à part, le seul autre être capable de vaincre l'armée du Malachai était enfermé dans une geôle et malade comme un chien : pendant que la force d'Adarian s'accroissait, celle de Jared se détériorait sous les coups d'une gardienne perverse qui ne se doutait pas de l'importance de son prisonnier.

Le fléau de la balance des pouvoirs s'inclinait, comme cela avait déjà été le cas à une époque lointaine, avant que l'histoire soit écrite. Puis les batailles sanglantes avaient commencé. L'un des plus redoutables soldats, Caleb, avait survécu, et le souvenir de ces guerres brûlait en lui. L'affrontement avec le père d'Adarian lui avait fait tout perdre. Et maintenant, il était le serviteur de son fils.

La vie n'était vraiment pas drôle.

— Je t'obéirai… maître.

Employer ce titre lui arrachait la gorge.

Adarian sourit.

— Brave petit. Et n'oublie pas : mon fils doit devenir mauvais jusqu'à la moelle. Il faut que tu le fasses changer. Suis-je clair ?

— Et si le seul moyen de le faire changer, c'était de tuer sa mère ?

Adarian, qui l'avait lâché, ferma de nouveau la main autour de son cou.

— Tu touches à un seul cheveu de sa tête ou tu laisses quelqu'un le faire, et tu auras droit au pire des cauchemars que tu puisses imaginer. Cherise est à moi, et personne ne posera jamais la main sur elle !

Caleb ne comprenait pas. Ce comportement relevait-il de l'amour ? Non. Le Malachai n'aimait personne, à part lui-même et le pouvoir.

Il prit sur lui pour ne pas protester, courba l'échine, reprit sa forme de corbeau et s'envola. Le destin était vraiment une belle saloperie. Il était condamné à protéger un gamin parce que le sort du monde, de l'humanité et des démons était entre les mains d'un ado de quatorze ans qui ignorait tout des pouvoirs déposés dans son berceau à sa naissance. Un ado dont la seule peur était que sa mère le corrige, une mère qui n'était même pas un en-cas acceptable pour Caleb et ses semblables. Quelle perte d'énergie !

L'imbécile chargé de cette lamentable mission, c'était lui. Il fallait qu'il protège le rejeton d'Adarian non seulement des démons, mais des Garous comme Stone et de tous ceux qui étaient attirés par Nick Gautier parce qu'ils sentaient qu'il n'était pas tout à fait humain.

Bon sang ! Ces humiliations ne cesseraient donc jamais ?

12

— Hou hou ! Monsieur le garçon humain ? Tu entends Simi, ou tu es mort ? Hou hou !

Nick se réveilla en sursaut : quelqu'un enfonçait la pointe de son doigt dans son biceps.

— Aïe ! Arrêtez ça !

Il ouvrit les yeux et découvrit la plus jolie fille qu'il eût jamais vue penchée sur lui. Elle était tellement séduisante qu'il était d'accord pour qu'elle envahisse son espace vital chaque fois qu'elle en aurait envie, même si ce n'était que du bout du doigt.

Ses longs cheveux noirs striés de rouge étaient nattés, et elle portait un collier clouté assorti à son corset de cuir noir. Elle devait avoir dix-sept ou dix-huit ans. Ses yeux rouges – une couleur probablement due à des lentilles de contact – étaient soulignés d'un épais trait d'eye-liner noir, ses lèvres maquillées d'un rouge aussi éclatant que celui de son vernis à ongles. Sous sa minijupe noir et rouge, ses jambes fines étaient gainées d'un collant violet, et ses pieds chaussés de Doc Martens rouge vif ornées d'un crâne et de roses.

Elle bougea la tête d'une façon qui rappela à Nick un oiseau, tout en le considérant d'un air consterné.

— Pourquoi dors-tu par terre, monsieur le garçon humain ? Simi ne pense pas que ce soit sûr. Ni confortable. Quelqu'un pourrait se dire que tu es mort et te voler, ou pire, te tuer. Enfin, non, si l'on croit que tu es déjà mort, mais les gens font tout le temps des trucs loufoques, comme tuer des morts alors qu'ils sont morts. C'est dingue, hein ? Bon, laisse tomber. Mais tu devrais te lever et ne plus dormir là. Tu as perdu ton lit ? Ou bien tu es une de ces personnes un peu spéciales qui n'ont pas de lit et dorment dehors ? Il y en a qui sont vraiment sympas. Elles offrent à boire à Simi, mais *akri* dit que je ne peux pas accepter parce que j'aurais une indigestion. Pire qu'avec le chewing-gum. C'est ce que dit *akri*.

Elle avait une étrange voix chantante, adorable et émouvante, mais qui rendait ses paroles un peu difficiles à comprendre, d'autant qu'il avait un mal de tête carabiné.

— Hein ? fit-il.

Elle poussa un long soupir résigné.

— Tu fais partie de ces humains incapables de suivre quand Simi parle. Bon, OK. C'est pour ça que Simi ne se donne pas la peine de parler aux humains, en général, parce que, ne te vexe pas, mais ils sont tous bizarres. Très bêtes aussi, souvent. À cause de l'absence de cornes, à mon avis. Il n'y a que les créatures intelligentes qui ont des cornes. Enfin, pas celles qui font « meuh... ». Elles sont crétines, celles-là. Mais *akri* dit qu'il y a toujours une exception à la règle. Les « meuh » en sont une. Ça n'empêche pas qu'elles soient délicieuses, alors Simi ne leur en veut pas de faire tomber la moyenne des créatures intelligentes dotées de cornes au niveau de celle des sous-espèces qui n'en ont pas.

Elle plissa les yeux pour fixer le front de Nick.

— Mmm. Je parie que tu serais super mignon avec des cornes. Non que tu ne sois pas mignon sans, mais tu es un peu jeune. Tu as combien ? Quatre années à l'aune humaine ? Oh non, attends, je me trompe. Quatre-vingt-dix ?

Elle plaisantait ou quoi ?

— Quatorze.

— Oh… fit-elle, l'index posé sur ses lèvres, réfléchissant intensément. Je n'aurais pas imaginé ça. Bon, est-ce que Simi peut t'aider à trouver un endroit qui ne serait pas dangereux pour dormir ? Mon *akri* aussi peut aider si on en a besoin. Il le fait toujours.

Nick secoua la tête, éberlué.

— Qui es-tu ?

De quelle planète venait-elle ? Voilà quelle était la bonne question. Manifestement, sur la Planète des Fous, il manquait un habitant.

Elle lui tendit une main gantée de dentelle.

— Je suis Simi. Et toi, qui es-tu, monsieur le garçon humain ?

Il prit prudemment la main tendue, craignant que la folie de la demoiselle ne soit contagieuse.

— Nick.

Elle lâcha sa main pour toucher le bord de son attelle.

— Tu es blessé, hein ? Tu avais ça avant d'aller dormir dans la rue ?

— Euh… oui.

Nick se leva, et Simi fit de même.

Bon sang, ce qu'elle était grande. Et ses bottes à plateforme n'arrangeaient rien.

Elle se pencha vers lui, et cette fois ce fut son cou qu'elle toucha.

— Tu saignes, monsieur Nick.

Il repoussa sa main et se tâta la gorge du bout des doigts. Il essaya de se rappeler ce qui s'était passé, en vain. Tout ce dont il se souvenait, c'était d'avoir quitté Caleb et de s'être dirigé vers Bourbon Street.

— C'est grave ?

— Simi te déconseille d'approcher des Démons parce qu'ils pourraient avoir faim et être tentés de boire tout ton sang et de te piquer ton âme, mais sinon, non, ce n'est pas grave. Je pense que tu vivras.

Elle marqua une pause, le temps de réfléchir de nouveau, puis reprit :

— Les gens ne meurent que quand ça coule sans s'arrêter. Si ça t'arrive et que tu tombes raide mort, est-ce que Simi pourra te manger ? *Akri* dit que Simi n'a pas le droit de manger de gens vivants, mais il n'a pas dit que les morts tout récents étaient interdits. Peut-être que c'est pour ça qu'il ne me laisse pas approcher des gens qui viennent juste de mourir.

— Mais qu'est-ce que tu racontes ? Ce n'est pas possible, tu n'es pas réelle !

Elle cilla, vivante image de l'innocence.

— Je ne comprends pas. Simi n'est pas redevenue invisible, si ? Ooooh... Ça ne serait pas bien, ça. J'ai promis à *akri* de ne plus jamais le faire en public. Mais parfois, Simi ne peut pas s'en empêcher. C'est comme mettre de la sauce barbecue sur la salade. C'est un réflexe qu'on a pour tuer le mauvais goût de la nourriture pour lapins.

Nick recula. Elle était vraiment dingue. Existait-il à La Nouvelle-Orléans des filles de moins de vingt ans à l'esprit sain ?

Kody...

Oui, il avait un besoin impératif d'une injection de Kody la Normale tout de suite.

— Mais non, tu n'es pas devenue invisible, assura-t-il d'un ton lénifiant. Euh... je suis en retard, il faut que j'y aille.

Elle se dressa devant lui, lui barrant le chemin.

— Tu entends ce bruit ?

— Quel bruit ?

— Des zombies. Ils viennent vers nous ! Youpi !

Ian St. James était seul dans la chambre de son frère aîné Madaug alors qu'il lui était formellement interdit d'y entrer. Désobéir était sanctionné par une sévère raclée de la part de Madaug et par une méga engueulade de ses parents. Mais Madaug possédait des jeux géniaux qu'il refusait de prêter à son frère.

Quel emmerdeur !

Bon, il ne saurait rien, donc pas de sanction à craindre. Il avait quitté la maison des heures auparavant et ne semblait pas avoir prévu de rentrer tôt. Ce qui donnait à Ian tout loisir de jouer sur l'ordinateur de son frère à l'une de ses dernières créations, le *Pokemon Death Trap Fever*. Madaug avait emprunté tous les personnages de *Pokemon* et les avait intégrés à ceux de *Mortal Kombat*. Maintenant, Charizard crachait de l'acide et pouvait déchiqueter les autres personnages en se moquant allègrement d'eux. Un vrai bain de sang qui aurait fait s'évanouir leur mère si elle l'avait su. Mais du moment qu'elle ignorait tout...

Le sourire aux lèvres, Ian alluma l'ordinateur et fit la grimace en voyant le manga quasi porno qui composait le fond d'écran. Leur mère serait tombée raide morte si elle l'avait vu. La fille portait si peu de vêtements qu'elle aurait tout aussi bien pu être nue. Et la façon dont elle levait la jambe pour frapper... Beurk. C'était répugnant. Au point que Ian posa la main sur le dessin, le temps de trouver le menu des jeux. Son frère lui répétait que, dans quelques années, il apprécierait ce genre de posture chez une femme, quand il aurait des poils à des endroits bizarres et les odeurs corporelles qui allaient avec. Mais, pour l'instant, Ian aimait n'avoir que dix ans. Il n'avait aucun désir de grandir et d'empester comme Madaug.

Il frissonna de dégoût tout en lisant la liste des jeux, jusqu'à ce que ses yeux s'arrêtent sur un titre qu'il ne connaissait pas encore. *Chasseur de zombies.* Tiens, tiens, qu'est-ce que c'était ? Madaug ne lui en avait pas parlé.

Il s'empressa de double-cliquer sur le titre et attendit le chargement en se frottant les mains, tout excité – et très nerveux, parce que son frère lui passerait un sacré savon s'il découvrait qu'il était allé sur son ordinateur.

Mais Ian adorait faire ce qui était défendu et... Il sursauta. Il venait d'entendre du bruit dans le couloir. Bon sang ! Si c'était Madaug et qu'il le trouvait là, il était mort.

Il éteignit l'ordinateur, se leva et, le cœur battant à tout rompre, alla ouvrir la porte.

Ce n'était pas Madaug mais un grand type inconnu et terrifiant, avec des yeux injectés de sang sous des paupières enflées.

— Cerveau, grommela-t-il, ses horribles yeux rivés sur Ian.

Oh non, par pitié, pas ce genre d'idiotie ! Qu'avaient donc les ados dans le crâne pour croire que quelque chose d'aussi bête pouvait effrayer les garçons de son âge ?

— Eh, je ne suis pas un bébé. Tu ne me feras pas peur avec ces conneries, dit-il d'un ton empreint de défi.

Mais il cessa vite de frimer : le type l'avait attrapé et mordu à l'épaule.

Il hurla et fit ce que sa mère lui avait toujours dit de faire si un type qui n'était pas son frère posait la main sur lui : de toutes ses forces, il lui donna un coup de genou dans les parties.

Le type recula en titubant, mais il bloquait la porte, empêchant Ian de s'enfuir. La panique s'empara de lui. Mentalement, il supplia Madaug de lui pardonner son intrusion dans sa chambre, lui promit de ne jamais recommencer, mais que, par pitié, ce... ce zombie ne lui mange pas le cerveau !

Il fonça jusqu'au bureau de Madaug, cherchant désespérant une arme. Merde ! Son *geek* de frère n'avait même pas un trophée sportif pour assommer le zombie ! Tout ce que Ian voyait, c'était un sandwich au jambon à moitié mangé, une figurine de Yoda, une canette vide de Dr Pepper, des miettes de chips, un emballage de pizza graisseux, une montagne de CD et un étui à lunettes. Rien, absolument rien d'utile.

Vite, il fallait qu'il réfléchisse et trouve quelque chose…

Le zombie l'agrippa de nouveau, et Ian attrapa le premier objet à sa portée : un stylo. Les pointes de stylos pouvaient servir à une foule de choses : réinitialiser une Nintendo, défaire des nœuds de lacets, se nettoyer les ongles, dessiner sur les murs… et frapper les zombies.

Dans un hurlement féroce, Ian planta le stylo dans le bras du zombie, qui hurla en retour.

Tel un lapin terrorisé, Ian se glissa entre ses jambes et fonça vers l'escalier en appelant sa mère à tue-tête. Une chance pour lui, il était habitué à détaler pour échapper à ses deux frères aînés, dont le jeu favori consistait à pourchasser leur petit frère avec une férocité qui ramenait celle du zombie à un accès de mauvaise humeur de fillette.

— Maman ! Maman ! hurla-t-il en déboulant dans la cuisine.

Il contourna le comptoir devant lequel elle préparait le dîner.

— À l'aide, Maman ! Un zombie me poursuit !

Il noua fébrilement les bras autour de sa taille. Elle poussa un soupir d'irritation.

— Seigneur, mais qu'est-ce qui ne va pas chez toi, mon chéri ?

Ian voulut expliquer, mais le zombie le prit de vitesse : il était déjà dans la cuisine, ses yeux fous rivés sur lui. Le stylo dépassait du bras dans lequel Ian l'avait planté.

La mère de Ian fronça les sourcils à la vue de l'adolescent.

— Danny ? Que fais-tu ici ? Comment es-tu entré dans la maison ? Je n'ai pas entendu la sonnette.

— Il veut manger nos cerveaux, Maman.

— Allons, Ian, ne sois pas ridicule. Danny fréquente la même église que nous. Tu ne le reconnais donc pas ?

— Non !

S'il avait vu un zombie à l'église, il s'en serait souvenu.

— Danny, reprit sa mère, es-tu venu pour une quête ? J'ai entendu dire que ton groupe de jeunes était…

Danny happa la tête de la mère de Ian et la mordit. Elle cria, et Ian lui fit écho en beuglant :

— Ne fais pas de mal à ma maman !

Et, avec toute la force de son poids, il lui fonça dessus, l'obligeant à lâcher sa mère et à reculer. Puis il se jeta sur ses jambes et le mordit au mollet jusqu'à ce que du sang emplisse sa bouche.

Personne n'attaquait impunément sa mère !

Danny geignit comme un bébé. La mère de Ian s'empara du moule à gâteau et en martela le crâne de Danny jusqu'à ce qu'il batte en retraite.

— Mets-toi derrière moi, Ian ! ordonna sa mère.

Pour une fois, il obéit sans discuter.

Elle avança de biais vers la porte, Ian collé contre son dos. Ouf ! Ils allaient réussir à fuir.

Du moins le crut-il jusqu'à ce qu'il voie d'autres zombies sur le perron.

Tous semblaient affamés.

Le cœur de Caleb manqua quelques battements quand, volant sous sa forme de corbeau, il vit Nick et une fille inconnue cernés par des zombies et bataillant ferme pour se débarrasser d'eux.

Bon sang, le Malachai allait le tuer…

D'en haut, il avait une parfaite vision de la scène. Les zombies avaient le dessus. Nick était couvert de morsures qui saignaient. La fille s'en sortait apparemment mieux que lui. Elle tenait à distance ceux qui s'en étaient pris à elle.

Il fit appel à ses pouvoirs pour envoyer une vague d'ondes cérébrales aux zombies afin de les disperser, sans succès. En fait, non seulement ils ne s'exécutèrent pas, mais ils devinrent plus agressifs envers Nick.

Que diable se passait-il ? L'une des premières choses qu'apprenait un démon, c'était à contrôler les morts vivants. C'était cette leçon que Nick était censé retenir maintenant.

Mais les pouvoirs de Caleb se révélaient sans effet sur les zombies. Pour quelle raison ? Cela lui échappait. C'était insensé.

Puis, tout à coup, il comprit : les agresseurs n'étaient pas des morts vivants. Ces zombies avaient été créés à partir d'êtres vivants, or les vivants, Caleb pouvait les posséder ou les influencer, mais pas les contrôler sans leur coopération.

Grognant de frustration, il vola jusqu'à un recoin sombre de la rue et se changea en humain. Le démon en lui exigeait qu'il foudroie les zombies, les anéantisse, mais cela aurait fichu en l'air sa couverture, et il avait appris à ses dépens, trois ans auparavant, que ses pouvoirs ne marchaient pas sur Nick. S'il les montrait à l'adolescent, il lui serait impossible de revenir en arrière. Certes, il pourrait toujours recourir à la méthode maladroite et guère précise employée par les humains pour effacer les souvenirs : un bon coup de massue sur le crâne. Oui, cela marcherait peut-être.

Ou lui laisserait un traumatisme. Ou, pire, le tuerait. Dans la mesure où la survie de Caleb dépendait de celle de Nick, mieux valait ne pas prendre ce risque.

Il fonça donc dans la mêlée pour aider Nick et la fille… et n'en crut pas ses yeux quand il se rendit compte que la fille n'en était pas réellement une. C'était une démone. Une Charonte.

Oh, bon sang, la situation se compliquait.

Il refoula immédiatement ses pouvoirs : le problème avec les Charontes, c'était qu'ils défendaient jalousement leur territoire et ne toléraient pas qu'un autre démon empiète dessus. Pour eux, si vous n'étiez pas un Charonte, vous n'étiez qu'un déchet, et tout déchet devait être dévoré. Littéralement. Et avec lenteur, sadisme et une bonne dose de sauce barbecue.

Les Charontes étant l'une des races les plus puissantes de démons, il était sage et prudent de rester loin d'eux. Surtout à l'heure des repas.

Que cette démone se batte aux côtés de Nick au lieu de l'attaquer était incompréhensible. Normalement, les Charontes ne s'associaient avec personne... sauf avec ceux qu'ils voulaient mettre au menu.

— Nick ! cria Caleb alors qu'un zombie se précipitait sur le cou de l'adolescent.

Nick pivota sur ses talons en entendant Caleb et vit Brett Guidry, l'un de ses camarades de classe, qui s'apprêtait à se jeter sur lui. Soulagé que Caleb soit revenu, il lui montra Brett d'un mouvement du menton.

— Il faut qu'on amène ces mecs à Bubba. Une idée sur la façon de procéder ?

— Ils doivent continuer à respirer ? s'enquit Simi.

— Oui ! répondirent Caleb et Nick à l'unisson.

— Ah bon. Dommage. Comme ça, ce n'est pas marrant.

Et elle poussa un soupir mélodramatique.

Nick était épouvanté par l'ampleur de la tâche : comment trois lycéens pourraient-ils conduire une douzaine de zombies jusqu'au magasin de Bubba sans se faire dévorer ? Quelle connerie il avait faite en sortant ce soir ! Mais bon, il fallait voir le bon côté des choses et... Quel bon côté des choses ?

Les zombies se rapprochaient. Nick se préparait à l'affrontement quand Simi les saisit, Caleb et lui, par la main, et les entraîna en courant jusqu'au coin de la rue, où elle s'arrêta.

— Où est la boutique de Bubba ?

Nick pointa l'index dans la bonne direction.

— OK. Vous partez au galop, les gars, et moi je reste en arrière pour les guider.

Nick secoua la tête. Les leçons que sa mère lui avait bien enfoncées dans le crâne portaient leurs fruits.

— Ce n'est pas normal. Il n'est pas question que je laisse une fille se faire dévorer par des cinglés.

Caleb regarda par-dessus son épaule. Les zombies gagnaient du terrain.

— Hé, vous deux, si on reste là à discuter, on va mourir.

Il poussa Nick en avant.

— Qu'elle soit l'appât puisque c'est ce qu'elle veut. Il faut qu'on aille ouvrir les portes du magasin en grand.

Nick aurait bien voulu se rebeller, mais Caleb était trop fort pour lui. Il le tenait par le bras, et Nick n'avait d'autre choix que de le suivre ou de perdre son précieux membre.

Ils avaient à peine dépassé le pâté de maisons suivant que deux autres zombies jaillirent d'une ruelle sombre et fondirent sur eux. Nick lança un juron en décochant au premier un coup de pied qui le réexpédia dans la ruelle.

— Merde, mais il y en a combien ? s'exclama-t-il.

Caleb secoua la tête.

— Aucune idée. Je commence à me demander si Madaug n'a pas vendu la licence de son jeu à Sony ou un truc comme ça. D'où est-ce qu'ils sortent, tous ? D'un endroit où on les clone ? Mais que se passe-t-il ?

Nick esquiva une morsure.

— On va se faire massacrer. Voilà ce qui se passe.

Il fit un croche-pied au zombie le plus proche de lui, puis regarda Simi. Elle amenait les autres vers eux.

— J'ai l'impression d'être Davy Crockett à Alamo.

Caleb repoussa le zombie en face de lui d'un uppercut.

— Ouais, moi aussi, sauf qu'on ne va pas mourir.

Nick aurait bien aimé en être aussi sûr. Parce que, dans l'immédiat, la situation se présentait mal pour eux. S'il avait été du genre à parier, il aurait tout misé sur les zombies.

Mais il domina sa peur et continua d'avancer en direction du magasin de Bubba. Les zombies les suivaient, et tout en marchant, Caleb et lui distribuaient des coups.

— Je déteste cette sensation d'être la carotte qui attire l'âne, remarqua-t-il.

— Mieux vaut être une carotte que de la viande froide, rétorqua Caleb en neutralisant d'une manchette un zombie qui s'approchait.

Exact, convint Nick à part lui.

Il arriva au magasin le premier, ouvrit la porte et appela Bubba, Madaug et Mark.

— On a un groupe qui va entrer ! Faites-leur de la place et préparez-vous à bien refermer derrière eux !

Réussir à les faire entrer dans le magasin était déjà une gageure, mais dans la cellule capitonnée, cela relevait carrément du miracle. Où étaient les X-Men quand on avait vraiment besoin d'eux ?

Nick s'empara de l'aiguillon à bestiaux que Bubba gardait accroché au mur, au cas où… Eh bien, maintenant, non seulement Nick comprenait la paranoïa de Bubba, mais il se réjouissait qu'il en souffre. Bubba avait raison : on ne pouvait jamais savoir quand ces choses allaient surgir. C'était pratique et judicieux de garder un aiguillon électrique ou une hache à portée de main. Néanmoins, des grenades et un lance-roquettes n'auraient pas été superflus.

L'aiguillon électrique serait pratique pour regrouper les zombies et les guider vers la cellule. Mais à la seconde où il envoya une décharge au premier zombie, Nick s'aperçut que Mark et Bubba avaient modifié le voltage. Cet engin n'était plus destiné à guider du bétail mais à foudroyer, et méchamment. La décharge était si forte que le zombie fut précipité par terre comme s'il avait reçu une décharge de Taser d'un million de volts.

— Bon sang… fit Nick, éberlué.

Bubba le regardait en souriant bêtement, très fier de lui.

— Les voisins se plaignent quand je tire sur les gens, mais jamais quand je leur balance une décharge.

Mark approuva.

— Le mauvais côté de la chose, c'est qu'il faut les traîner hors de la boutique. Si on les laisse dedans, dès qu'ils sont de nouveau capables de bouger, ils sont de très mauvais poil et assoiffés de sang.

Madaug, Caleb et Simi continuaient à guider les zombies jusqu'à la cellule. Armé de son aiguillon, Nick en neutralisa un qui s'attaquait à Simi. Finalement, c'était plutôt drôle, comme jeu. Il leur envoyait une décharge, ils criaient et tombaient comme des poissons morts. Il se demanda ce que cela aurait donné s'ils avaient été mouillés, mais décida qu'il n'était pas assez sadique pour faire l'essai. Une chance pour eux.

Un nouveau zombie qui visait sa tête fut mis hors-service. Décidément, on s'habituait vite au maniement de cet engin, d'autant qu'on n'avait pas à craindre d'être envoyé en prison pour l'avoir utilisé.

Le temps que Nick ait étendu le dernier zombie pour le compte et que Bubba et Mark aient traîné le premier dans la cellule, ils firent une sidérante découverte : dès que le choc électrique cessait de faire effet, les zombies redevenaient normaux.

— Ne me touchez pas ! cria Brett en repoussant Bubba. Mon père est avocat, et je vous collerai un procès aux fesses pour violences physiques !

— Oh ? Tu devrais y réfléchir à deux fois, petit, parce que si je dois comparaître devant un tribunal pour t'avoir brutalisé, tant qu'à faire, je vais t'en donner pour ton argent !

Brett pâlit et regarda autour de lui comme s'il se réveillait d'un cauchemar.

— Comment suis-je arrivé ici ?

Nick pointait l'aiguillon sur lui. Il n'était pas encore certain que Brett fût de nouveau lui-même. Il avait vu trop de films dans lesquels le monstre faisait semblant d'être redevenu normal pour que ses adversaires baissent la garde et soient ainsi plus faciles à tuer. Il ne se laisserait pas duper.

— Tu as essayé de me bouffer le cerveau, espèce de psychopathe.

— Quoi ? s'exclama Brett, effaré.

— C'est vrai, mec, confirma Caleb. Tu as sauté sur Nick et sur moi.

Madaug prit l'aiguillon afin d'en examiner les pointes.

— Waouh, Nick, il semble bien que tu aies trouvé comment les guérir. Voilà comment on va les remettre d'aplomb.

— En les électrocutant ?

Nick songea à l'usage qu'il pourrait faire de l'aiguillon sur Stone et réprima un sourire.

— Oui, répondit Madaug. Le voltage marche sur le système nerveux central. Je pense que l'impulsion électrique crée un court-circuit dans le programme, ce qui rétablit les fonctions telles qu'elles étaient avant que le joueur commence la partie. La décharge inverse tout ! Nick, tu es un vrai génie.

Nick mit l'aiguillon sur son épaule.

— Ouais, que quelqu'un me tape sur les fesses et me donne un biscuit pour me récompenser.

Simi vint lui taper sur la fesse droite. Offensé, Nick se frotta le postérieur.

— C'est toi qui as proposé ça, remarqua-t-elle. Tu aurais préféré qu'un de tes copains le fasse ?

— Oh que non. Si quelqu'un doit toucher cette partie de ma personne, je préfère que ce soit toi.

Ou, mieux, Kody.

— Nous aussi, approuvèrent les autres en chœur.

Les zombies revenaient à eux. Tous étaient désorientés. Ce qui leur était arrivé les laissait ébahis. Et aucun des douze ne se rappelait avoir joué avec le jeu de Madaug.

Aucun.

— Tu crois que le choc électrique leur a fait perdre la mémoire ? demanda Nick à Madaug.

L'amnésie, même partielle, l'inquiétait : il craignait d'en être lui-même frappé. Il n'avait pas le moindre souvenir de ce qui s'était passé à la maison Lalaurie. Avait-il été un zombie pendant un moment ?

Seigneur, pourvu qu'il n'ait pas mangé de cervelle humaine...

À cette seule idée, il trouva goûteux les œufs en poudre de sa mère.

Madaug se gratta le menton, comme chaque fois qu'il réfléchissait intensément.

— Je ne sais pas, dit-il enfin. Il faudrait qu'on fasse une expérience.

— Comment ça ?

— Eh bien, qu'on file une décharge à Brian et qu'on observe ce qui se passe ensuite. C'est le seul moyen d'avoir une certitude dans la mesure où lui, j'en suis sûr, est devenu un zombie après avoir joué à mon jeu.

— Et comment on va arriver jusqu'à lui ? Tu sais qu'il est en détention, dit Nick. Et la police a tendance à mal réagir face à des gens qui se pointent au poste avec des aiguillons à bestiaux et des Taser.

Simi sautillait sur place.

— On pourrait faire en sorte que la police le neutralise pour nous !

— C'est ça, dit Mark. Avec la veine qu'on a, ils lui tireront dessus avec un vrai flingue et le tueront. Et alors, adieu notre expérience. On n'apprendrait rien.

Comme si c'était le pire qu'il puisse leur arriver en ce moment...

Madaug ne s'avouait pas vaincu.

— Soit on se débrouille pour le faire sortir, soit on entre dans sa cellule et on lui colle une décharge. Sinon, on ne saura pas avec certitude si ça marche. Il se peut que le retour à l'état normal ne soit que temporaire et qu'ils redeviennent des zombies dans un délai plus ou moins court. Pensez-y.

Et Nick y pensa. Il pensa aussi au reste de sa vie derrière des barreaux, si sa mère ne le tuait pas avant.

— Je suppose qu'aucun de nos ex-zombies n'aimerait rester dans la cellule capitonnée jusqu'à ce qu'on ait compris ce qui se passait…

Brett, qui avait écouté, l'attrapa par la chemise.

— Je ne sais pas à quel jeu le *geek* et toi vous livrez, Gautier, mais si tu lèves ne serait-ce que le petit doigt pour m'empêcher de sortir d'ici, je te fais remonter les burnes jusqu'à la gorge à coups de pompe.

La menace fit grincer Nick des dents.

Dans la seconde qui suivit, Simi saisit la main de Brett et la serra si fort qu'on entendit les os craquer. Brett hurla. Simi ne lâcha toutefois pas sa main.

— Nick est l'ami de Simi, expliqua-t-elle. Tu le menaces, et Simi est très mécontente et veut te manger la tête. Crois-moi, c'est un truc dont tu n'as pas envie. Alors maintenant, tais-toi, vilain, sinon Simi dira à *akri* qu'elle ne sait pas ce qui t'est arrivé et pourquoi tu es tout mâchouillé. Non que Simi aime mentir, mais il y a des exceptions à toutes les règles. Et tu es sur le point d'en devenir une.

Elle le poussa vers la cellule.

— Va là-dedans et tiens-toi tranquille. Les autres aussi.

L'expression des ex-zombies était claire : ils n'avaient pas la moindre envie d'obéir. Mais aucun d'eux n'avait le cran de s'opposer à Simi.

— Ta copine me plaît, Nick, dit Bubba en souriant. Quand elle a un truc à dire, elle ne prend pas de gants, hein ?

— Euh… non, effectivement.

Mais certains de ses mots n'avaient guère de sens. Par exemple, qui était cet *akri* qu'elle mentionnait régulièrement ? Probablement une grosse brute chargée de la garder dans les clous.

Mark verrouilla la porte secrète et repoussa la cloison. De cette façon, quiconque entrerait dans la boutique ne verrait pas les prisonniers.

— Et s'ils appellent à l'aide ? s'enquit Caleb, inquiet.

— Ça ne leur servira à rien. Les murs sont insonorisés et tapissés de métal, donc aucun téléphone portable ne passe. Ils resteront enfermés jusqu'à ce qu'on décide de les laisser sortir.

— Ne nous faisons pas tuer pour les avoir laissés mourir de faim, dit Mark dans un rire nerveux.

Nick se plaça devant lui.

— Mark, il y a une foule d'autres raisons qui font que je ne veux pas être tué. Et je ne veux pas non plus aller en prison. Ça ne me botte pas, de mourir ou de finir en prison.

Mais il avait un mauvais pressentiment : ils allaient tout droit vers un endroit ou l'autre. Le cimetière ou le pénitencier.

13

— Nick ? appela Mark, de l'autre côté de la porte de la cabine de douche. Ta maman au téléphone. Elle est plus chaude qu'Angelina Jolie en bikini sur une plage... Non que je veuille dire que ta maman est canon, parce que ça ne serait pas correct de ma part... Ni qu'elle donne des idées et... Ah, merde, ça sonnait mieux dans ma tête, tout ça. Bon. Ce que je veux dire, c'est qu'elle est en pétard. Alors, prends l'appareil avant qu'elle m'explose les tympans.

Nick se figea. Quelle intéressante tirade. Mark nourrissait manifestement des fantasmes qui... Bon, mieux valait ne pas y penser. Parce que, tel qu'il connaissait Mark, il pressentait que s'il avait gratté un peu plus profond, il aurait été horrifié.

Il entrouvrit la porte, tendit le bras et attrapa le téléphone, prêt à essuyer les foudres de sa mère.

— Salut, M'man !

— Mais qu'est-ce que tu fais ?

Ouille. Elle était vraiment de très mauvaise humeur. Elle criait si fort qu'il dut écarter l'appareil de son oreille.

— Où es-tu, Nick ? As-tu une idée de l'heure qu'il est ? Tu as intérêt à revenir au club au galop, parce que si tu ne franchis pas la porte dans quelques minutes, tu auras droit à une raclée mémorable. Tu as compris ? Nick ? Tu m'écoutes ? Qu'as-tu à dire pour ta défense ? Hein ? Dis-moi, jeune homme.

Il ne voyait pas quel argument aurait pu la calmer. Il était même sûr que, quoi qu'il dise, sa colère prendrait des proportions cataclysmiques. Il estimait sa liberté importante mais se rendait bien compte que sa mère ne partageait pas cet avis. Dommage qu'il n'y ait pas d'avocats qui acceptent de représenter des enfants contre leurs parents.

— Quelle est ta première question, M'man ?

— Ne fais pas le malin avec moi, Nick Gautier. Je suis trop furieuse pour le supporter.

Mieux valait faire profil bas. Il avait appris longtemps auparavant qu'entrer en conflit direct avec sa mère n'apportait rien de bon. En revanche, un gentil, contrit et docile Nick pouvait obtenir bien plus qu'un Nick belliqueux et éviter une punition carabinée même quand il la méritait.

— Je suis désolé, Maman. Je n'essaie pas de faire le malin.

Pourvu qu'elle arrête de crier…

— J'étais couvert de… reprit-il.

Il s'interrompit : surtout ne pas prononcer le mot « sang », cela l'aurait fait exploser.

— … de colle. J'ai chopé ça pendant le cours.

Un bien petit mensonge qui épargnerait à sa mère un infarctus et à lui une interdiction de sortie jusqu'à sa majorité, et même au-delà.

— Je… euh… j'ai décidé de me laver chez Bubba avant de revenir au club. J'avais peur d'en mettre partout, et que tu aies des ennuis.

Inutile d'ajouter que la vue de ses vêtements maculés de taches rouges l'aurait plongée dans la panique et poussée à envoyer la police chez Bubba. Or, la dernière chose dont avait besoin ce dernier, c'était d'une nouvelle condamnation sur son casier.

— J'aurais dû t'appeler pour te dire tout ça. Je suis vraiment désolé, M'man. J'ai passé plus de temps sous la douche que prévu. Tu sais, Bubba a un de ces systèmes où l'eau coule directement d'en haut. Tu devrais voir sa salle de bains ! Elle est super.

Elle ne tomba pas dans le panneau. Au temps pour essayer de lui changer les idées.

— Tu vas bien, Nicky ?

— Oui, m'dame.

Une petite marque de respect réussissait en principe à l'apaiser.

Nick l'entendit soupirer.

— Alors, je suppose qu'il n'y a pas de quoi s'affoler. Mais tu m'as vraiment fait peur, Nick. Je tiens à ce que tu le saches.

— Désolé, M'man. Bubba va m'accompagner jusqu'au club.

— C'est très gentil de sa part.

Enfin, sa voix était redevenue normale. Fini, le ton « Je veux ta tête sur un plateau » qu'elle avait deux minutes auparavant.

— Remercie-le de ma part, Nicky.

— Sans faute. On pourra s'arrêter en chemin pour manger un morceau ?

— Je croyais que tu avais mangé chez M. Hunter.

Son ton était de nouveau tranchant.

— Je l'ai fait, mais j'ai encore faim.

— Oh.

Elle passait si vite du calme à la colère qu'il se demanda si elle n'était pas la Ferrari des mères. Sa capacité d'accélération dans les changements d'humeur était sidérante.

— Tu dois être encore en train de grandir. Tu veux passer prendre un peu d'argent ?

— Non. M. Hunter m'en a donné tout à l'heure.

— Pourquoi ?

Et voilà. La colère était de retour, avec en plus un zeste de méfiance et de crainte.

— Pour un taxi en cas de besoin. Il ne voulait pas que je prenne le tram après la tombée de la nuit. Il a dit que ce n'était pas sûr.

Il avait empoché l'argent. Ajouté à ce que M. Poitiers lui avait donné, cela lui faisait une centaine de dollars. Sa cagnotte pour les frais d'inscription à la fac devenait rondelette.

— Je ne sais que penser de ça, Nicky.

Mais qu'y avait-il à penser ? Du point de vue de Nick, si ces gens voulaient lui donner de l'argent sans rien demander en échange, il n'allait certainement pas refuser.

— Bon, M'man, pendant que tu réfléchis à ça, je peux aller manger un truc ?

— Mmm, grommela-t-elle. Tu es le gamin le plus effronté de la planète. Oui, Nick, trouve-toi quelque chose à manger et je te verrai dans une heure. Sinon, je viendrai te chercher et il t'en cuira. Compris ? Si je dois en arriver là, je te garantis que tu le regretteras.

— Oui, m'dame.

— Je t'aime, bébé.

Peut-être souffrait-elle d'une forme rare de schizophrénie maternelle... C'était la seule explication possible à ses effrayants changements d'humeur.

— Je t'aime aussi, M'man. Et je suis vraiment désolé de t'avoir causé du souci.

— C'est bon. Tu es le champion dans ce domaine. N'oublie pas de manger des légumes, et surtout pas de frites ni de ketchup !

— Oui, m'dame.

Nick coupa la communication, puis enfila les vêtements prêtés par Bubba, un jean et un tee-shirt du *Triple B* dont le slogan évocateur, « *Big Balls and Brains* », proclamait que là, on en avait dans le pantalon et dans la cervelle. Le plus spectaculaire, c'était le dos du tee-shirt, avec la photo de Bubba, un fusil de chasse sur l'épaule, penché sur un ordinateur fumant et constellé d'impacts de balles. On pouvait lire en dessous :

Problèmes d'ordinateur ?
Composez le 1-888-Ap-Bubba.
Si je ne peux pas régler vos problèmes d'une façon, je les réglerai d'une autre.

Imprimé en plus petits caractères était ajouté plus bas :

Nous nous occupons de tous vos maux. Zombies, nuisibles, vampires. Appelez-nous, nous vous croirons.

Bon, Bubba n'était pas très clair dans sa tête, mais Nick aimait les clips publicitaires que Mark et lui réalisaient pour la boutique. Ils étaient hilarants et s'achevaient toujours par le slogan « Appelez Bubba ».

Ce qui était navrant, c'était que Bubba avait piraté l'ordinateur de plusieurs personnes pour s'entraîner et que Mark s'imbibait d'urine de canard anti-zombies.

Il s'essuya les cheveux puis alla retrouver Bubba, Mark, Simi et Caleb au rez-de-chaussée, où ils discutaient des diverses manières d'entrer en force dans le poste de police, ce qui alarma Nick. À cause d'eux, il allait être arrêté, et sa mère lui ferait sa fête.

— Simi pourrait leur expédier du napalm et… disait Simi, avant d'être coupée par Nick.

— Ça pourrait les tuer.

— Et ça te gênerait ?

Nick était trop stupéfait pour répondre. Ce fut Madaug qui s'en chargea.

— On a besoin de Brian vivant pour le tester.

— Et zut, répliqua Simi, boudeuse. Vous fichez en l'air tout ce qui pourrait être marrant. Vous êtes sûrs que vous ne connaissez pas mon *akri* ?

Tous l'ignorèrent.

— Un avocat ne pourrait pas aller le voir ? demanda Caleb.

— Mmm. Si, mais un avocat ne va pas le faire évader, dit Bubba.

— Ça dépend de l'avocat.

— Qu'est-ce que tu veux dire ?

— Que j'en connais un qui me doit un service.

— Quoi ? Tu connais un avocat, toi ?

Caleb passa les mains sur son tee-shirt et son jean.

— Hé, sous ces vêtements merdiques bat le cœur de quelqu'un qui connaît les gens qu'il faut et qui sont prêts à faire ce qu'il ne faut pas s'ils sont payés en conséquence.

Bubba n'était pas convaincu et Nick non plus.

— Admettons. Mais il faut qu'on agisse avant que d'autres personnes soient tuées. On doit impérativement savoir si on a bien le traitement adéquat.

— On va arranger ça, assura Caleb en sortant son portable.

Nick demeurait sceptique. D'autant que la question fondamentale n'avait pas encore été posée.

— Combien tout ça va nous coûter ?

Caleb leva la main pour lui intimer le silence.

— Salut. Ici Malphas. J'aimerais parler à Virgil Ward. Pouvez-vous me le passer ?

Il attendit, un sourire matois sur les lèvres. Puis quelqu'un lui répondit. Nick perçut la voix grave de son correspondant mais pas les mots qu'il prononçait.

— Salut, Virgil. Ça fait une paie… Non. Rien de ce genre… C'est le contraire. On a besoin d'*entrer* dans le poste, pas que tu nous en fasses sortir… Mmm… Je comprends. « Idiot » est mon second prénom, et je suis sûr que c'est toi qui me l'as donné. Alors ? Tu peux filer un coup de main à un frère ? Hein ? Non, pas question que je te donne mon âme en échange. Je n'en ai même pas. Ouais, je connais tes tarifs, mais il va falloir que tu fasses une croix sur tes honoraires.

Nick regarda Mark, Bubba, puis Madaug. Ils paraissaient aussi sidérés que lui.

Caleb était décidément un drôle d'oiseau.

— Oh, c'est vraiment ce que tu veux comme paiement ? poursuivit Caleb en décochant de nouveau un sourire à ses amis. Vendu. On te retrouve devant le poste dans vingt minutes ? OK. Merci, mon pote. À charge de revanche.

Il coupa la communication.

— Les mecs, allons coller une décharge à un zombie.

— Je suis sacrément impressionné, remarqua Nick.

— Tu ne devrais pas. L'un de vous va être obligé de donner son sang à l'avocat-vampire, et ça ne pourra pas être moi.

L'humour de Caleb était vraiment spécial.

— Pourquoi ? Tu as peur d'une petite morsure ? demanda Nick, entrant dans le jeu.

— Je fais de l'anémie, répondit Caleb en riant.

— Et moi, je suis catholique. Ça ne me met pas hors course ?

Caleb fit signe que non en secouant la tête.

— Simi a toujours un flacon de sauce barbecue dans son sac. On dirait du sang, sauf que ça ne colle pas aux dents ni ne donne le hoquet. Sans compter que ça a bien meilleur goût que le sang, surtout celui du groupe A. Pouah, ça, c'est infect. J'aimerais mieux manger mes souliers qu'en boire. Mais le groupe O est exquis.

Simi leva l'index et continua :

— Petits, n'oubliez jamais que trois démons sur quatre préfèrent la sauce barbecue à l'hémoglobine.

— D'aaaaccord, dit Bubba, qui s'écarta d'elle en la regardant de travers. Là-dessus, je suggère que tout le monde embarque.

Bubba prit ses clés, son aiguillon et les précéda jusqu'à son énorme Nissan Armada vert foncé, qu'il disait avoir acheté parce que c'était l'un des rares véhicules assez grands pour contenir tout son matériel anti-zombies. De surcroît, il était super pour les raouts d'avant-match, quand toutes les bagnoles s'agglutinaient sur le parking qui devenait une aire géante de pique-nique.

Nick jeta un coup d'œil à l'aiguillon avant d'aller s'installer à l'arrière de l'Armada avec les autres.

— Juste par curiosité, quelqu'un a une idée de la façon dont on va faire entrer un aiguillon à bestiaux de près d'un mètre dans un poste de police ?

— C'est pour ça qu'on a besoin de Virgil, expliqua Caleb. Il peut faire passer n'importe quoi en douce.

— Tu le penses capable de beaucoup de choses, hein ?

— Je le connais depuis longtemps, et je l'ai vu faire des trucs qui te hérisseraient les cheveux sur la tête.

— Quoi, par exemple ?

Caleb ne répondit pas. Bubba se mit au volant et prit la direction du poste de police. Nick garda le silence, perdu dans ses souvenirs. Ceux des rares visites qu'il avait faites à son père, non au poste mais à la prison.

— Garde ce morveux loin de moi, Cherise. Je ne veux même pas poser les yeux sur sa vilaine figure. Ne me l'amène plus.

Oh, comme il aimait son merveilleux papa…

Jamais il ne comprendrait comment sa belle et gentille maman avait pu tomber amoureuse d'un monstre pareil. Cela n'avait aucun sens. Une fois, elle lui avait dit qu'elle avait un faible pour les mauvais garçons, mais il y avait une différence entre un voyou et un homme au cerveau dérangé. Les femmes trouvaient-elles donc les psychopathes attirants ?

Incroyable. Et pourtant... Même à l'école, toutes les filles craquaient pour les timbrés comme Stone, alors qu'un Nick Gautier n'avait droit qu'à de grossières fins de non-recevoir s'il essayait de décrocher un rendez-vous. Non, jamais il ne comprendrait. Évidemment, les fringues que sa mère l'obligeait à porter n'arrangeaient rien.

Il ne lui restait qu'à espérer qu'avec son ADN de tueur psychopathe, il ne finirait pas mal. Il avait fait à sa mère la promesse que cela n'arriverait pas et entendait bien ne jamais la trahir.

Bubba alla se garer sous un lampadaire.

— Et maintenant ? demanda-t-il à Caleb.

— On attend Virgil.

— Comment reconnaîtra-t-il notre voiture ?

À peine avait-il posé la question que quelqu'un frappait à la vitre côté conducteur. Bubba fit un bond sur son siège.

Caleb tourna la tête et Nick se pencha, anxieux. À quoi ce Virgil ressemblait-il ? Eh bien, pas du tout à ce à quoi il s'attendait. Il était de taille moyenne et très jeune. Bien qu'élégamment vêtu d'un costume typique d'avocat, il évoquait davantage un adolescent allant à des funérailles qu'un homme de loi. Non, il ne pouvait pas être un véritable avocat.

Alors que Nick l'observait, quelque chose de bizarre se produisit : Virgil parut soudain plus âgé, comme s'il avait vieilli de vingt ans. Effaré, Nick regarda ses compagnons. Aucun ne semblait étonné.

Caleb ouvrit sa portière et descendit de voiture.

— Salut, Virgil.

Virgil considéra un instant avec acuité ceux qui étaient toujours dans la voiture, puis demanda :

— Qu'avez-vous besoin que je fasse, exactement ?

Caleb jeta un coup d'œil à Nick avant de répondre :

— Tu es au courant, pour ce gamin qui a essayé de manger son copain de classe à St. Richard ?

— Eh bien ?

— On a besoin que tu lui envoies une décharge électrique avec un aiguillon à bestiaux et que tu nous dises ce qui se passe ensuite.

Virgil se mit à rire, lèvres serrées, jusqu'à ce qu'il se rende compte que Caleb ne plaisantait pas. Il reprit aussitôt son sérieux.

— Pourquoi ?

— Nous pensons que c'est le remède à la programmation de zombie dont il souffre.

Une succession d'émotions défila sur les traits de Virgil. L'étonnement, l'amusement, avant que se stabilise une expression qui disait clairement qu'à son avis, ils étaient tous bons à enfermer.

— Vous êtes cinglés, vous le savez ?

— Non, Virgil. On n'a pas perdu les pédales. C'est un jeu vidéo qui a changé le gamin en zombie. Celui qui a programmé le jeu est dans la voiture.

Caleb montra Madaug du doigt, et celui-ci salua Virgil en agitant la main.

— Quoi ? fit l'avocat, éberlué. C'est un programme informatique qui a fait ça ? Pas de la magie ?

— Non. Pas de la magie.

— Dommage. Il y a plein de gens qui auraient tué pour une potion. J'aurais pu faire ta fortune.

— Il va falloir qu'ils trouvent un autre moyen de fabriquer des zombies vivants. En attendant, nous voulons nous assurer que ceux que nous avons rendus de nouveau humains ont effectivement été en contact direct avec le jeu. Or, le seul dont on soit sûr qu'il y ait joué est celui qui est en cellule. On veut donc vérifier que le remède marche.

Il tendit l'aiguillon à Virgil.

— Fais gaffe à ce que ce truc ne te touche pas. Ce n'est pas du bas voltage, comme prévu par le fabricant. Bubba l'a trafiqué, et ce qui en sort dépasse le million de volts.

— D'accord, dit Virgil lentement. Permets-moi de vérifier que j'ai bien compris. Le grand vainqueur du concours de cerveaux fêlés auquel vous vous êtes livrés, c'est moi : je suis censé introduire clandestinement dans un poste de police un aiguillon à bestiaux modifié, passer devant des gardes armés de vrais pistolets et entraînés à tirer, trouver un gamin qui attend d'être jugé pour tentative de meurtre et lui expédier des décharges électriques jusqu'à ce qu'il redevienne normal. Autre chose ?

— Non. Tu as tout pigé.

Virgil poussa un lourd soupir tout en regardant l'aiguillon avec méfiance.

— Caleb, tu vas avoir une sacrée dette envers moi.

— Je sais.

Sans ajouter un mot, Virgil se dirigea vers le bâtiment.

Nick mourait d'envie d'assister au miracle.

— Hé, Bubba, tu peux déverrouiller la portière ? J'ai besoin de me dégourdir les jambes.

— Ouais.

Nick sortit du SUV et marcha jusqu'au poste. Il voulait être aux premières loges pour assister à ce qui allait se passer. Il entra dans le hall et constata que l'endroit regorgeait de policiers. Mais le plus inquiétant, c'était le portique-détecteur de métaux. Aucune chance que Virgil le franchisse sans se faire tirer dessus.

Et pourtant…

L'avocat s'avançait vers le portique d'un pas décidé, en propriétaire du lieu. Plusieurs gradés le saluèrent et se comportèrent comme si l'aiguillon était invisible. Virgil posa l'aiguillon sur le tapis roulant du scanner puis avança à son tour, après s'être déchaussé, sous le portique destiné aux humains, tout en bavardant tranquillement avec les policiers.

Il remettait ses chaussures quand l'aiguillon atteignit l'extrémité du tapis roulant. L'un des agents le récupéra et le tendit à Virgil.

— N'oubliez pas votre parapluie, monsieur Ward.

— Merci, Cabal. Je sais qu'en principe il ne va pas pleuvoir, mais je pense qu'il vaut mieux être prudent.

— Oh, pour sûr. Surtout à La Nouvelle-Orléans. On ne sait jamais quand une averse va tomber. Comme je dis toujours, si le temps qu'il fait ne vous plaît pas, patientez une minute, parce qu'il va changer !

Tout en riant, Virgil prit l'aiguillon et s'éloigna. Sidéré, Nick le suivit des yeux : personne n'émettait la moindre remarque au sujet de l'arme. S'il avait tenté un coup pareil, il aurait été jeté à terre en un clin d'œil, et on lui aurait peut-être bien logé une balle dans la tête pour faire bonne mesure !

Abasourdi par ce à quoi il venait d'assister, il alla retrouver les autres qui attendaient dans le SUV.

— Ça n'a pas été long, commenta Bubba.

— Je voulais surtout voir si Virgil franchissait les contrôles de sécurité.

— Et ?

— Ne me demande pas comment, mais il l'a fait. Ils n'ont même pas paru remarquer l'aiguillon. C'était comme s'il n'existait pas.

— C'est-à-dire ? s'enquit Bubba, les sourcils froncés.

Ce fut Simi qui expliqua, après avoir lâché un petit son de mépris :

— Enfin, voyons ! C'est un vampire, les humains ! Vous ne vous en êtes pas rendu compte ?

— C'est ce que sont la plupart des avocats, dit Mark. Je n'en ai connu aucun qui ne soit pas un suceur de sang ou un suceur d'âme. Même si, avec moi, ils ont toujours été des suceurs de fric.

Le téléphone de Caleb se mit à sonner. Il décrocha.

— Ouais ? Mmm ? Attends. Je mets le haut-parleur. Voilà. Maintenant, répète ce que tu viens de me dire.

— Mais qu'est-ce qu'il y a dans ce foutu aiguillon ? J'ai presque fait passer le gamin à travers le mur !

— Abrège les détails, Virgil. Viens-en au fait.

— OK. Je lui ai envoyé la décharge électrique, et maintenant il chiale comme une fillette, il appelle sa maman. Il dit qu'il ne sait pas comment il a atterri ici. Je lui ai demandé pourquoi il avait mordu son copain, et il ne comprend pas de quoi je lui parle. Et le plus beau, c'est qu'il n'essaie pas de me manger le cerveau. Alors, la réponse à votre question, les gars, c'est que ça marche.

Bubba demeurait sceptique.

— On peut croire ce qu'il raconte ?

— Hé, vous savez que je vous entends ? lança Virgil d'un ton irrité.

— Ouais, répondit Bubba, et je répète ma question : est-ce qu'on peut se fier à vous ?

— Eh bien, dans la mesure où je ne suis pas partie prenante dans ce combat, oui. Pourquoi mentirais-je ? Non que je n'utilise pas fréquemment le mensonge. Dès que cela peut me servir, je mens, mais dans ce cas, je suis sincère : le gamin est clean, maintenant. Écoutez.

La voix de Brian retentit dans le SUV.

— Je veux rentrer à la maison ! Pourquoi suis-je ici ? Je ne comprends pas. Qu'est-ce qui s'est passé ? Maaamaaaan !

Caleb coupa le haut-parleur.

— Merci, Virgil. Je te paierai plus tard. Attends une seconde.

Il se tourna vers Bubba et Mark.

— Vous tenez à récupérer votre aiguillon ?

— Oh que oui, répondit Mark. On a d'autres gens à électrocuter.

— Bien. Virgil, si ça ne te dérange pas, rapporte-nous l'engin.

Virgil réapparut avant que Caleb ait coupé la communication.

Cette fois, ce fut Nick qui sursauta. Tandis que Bubba allait ranger l'aiguillon à l'arrière du SUV, Virgil observa attentivement Nick quelques instants puis lui demanda :

— Est-ce que je te connais ?

Nick secoua la tête. Un frisson le parcourut. Virgil n'était définitivement pas ce qu'il semblait être.

— Non, je ne pense pas.

Caleb s'éclaircit la gorge, Virgil le regarda, et quelque chose d'étrange passa entre eux. Lorsque l'avocat reporta son attention sur Nick, ses yeux étaient méfiants et froids.

— Content de te rencontrer, Nick.

— Comment connaissez-vous mon nom ?

Virgil ne répondit pas.

— Je ferais mieux de rentrer, dit-il. J'ai des audiences nocturnes dans une heure. Mon premier cas est difficile : un gars en a tabassé un autre sur Bourbon Street avec un hot dog avant d'essayer de le noyer dans une flaque d'eau.

Sur ces mots, il se volatilisa.

Bubba se tourna vers Caleb.

— Intéressant copain que tu as là.

— Tu n'imagines pas à quel point.

Mark se gratta l'oreille puis déclara :

— Il faut qu'on apprenne à Tabitha et à l'équipe comment combattre ces zombies.

Madaug prit son portable et appuya sur la touche correspondant au numéro de son frère.

— Je m'en occupe, dit-il.

Bubba se mit au volant, démarra et prit la direction de sa boutique.

— Bon, on a résolu la moitié de l'équation, déclara-t-il. On sait les faire redevenir humains. Mais la question est : combien sont-ils à jouer au jeu de Madaug ?

— Quelqu'un a dû le disséminer, observa Mark.

— Le quoi ? demanda Nick.
— Disséminer. Ça veut dire distribuer.
— Alors, pourquoi tu n'as pas dit « distribuer » ?
Mark regarda Bubba.
— Rappelle-moi de lui acheter un calendrier « mot du jour ».
Puis il lança à Nick un coup d'œil sévère.
— Tu as besoin d'enrichir ton vocabulaire, petit. Tu n'avanceras pas si tu laisses les gens penser que tu es idiot. Élargis tes horizons. En plus, tu verras comme c'est marrant d'insulter les gens avec des mots qu'ils ne connaissent pas, parce qu'ils ne se rendent compte que bien plus tard que c'étaient des insultes.
Bubba éclata de rire.
— Ah, ouais, c'est super drôle. Tu t'en vas, et ce n'est que des plombes après qu'ils s'aperçoivent que tu les as méchamment injuriés. Des fois, ils pensent même, sur le moment, que tu les as complimentés, et ils te remercient.
— Pour ne rien gâcher, ajouta Caleb, ce genre d'insulte t'évite de te faire pourrir par ta mère.
Là, ils marquaient des points.
— Et mieux que tout, ça t'aidera pour les examens d'admission à l'université, ajouta Madaug, qui venait de raccrocher. Mark, Éric et l'équipe sont en route pour la boutique. Il leur faut des équipements. Tu as assez de matraques électriques pour eux ?
Bubba se redressa, manifestement vexé.
— Est-ce qu'un ours fait ses besoins dans la nature ? Est-ce une question pour quelqu'un qui possède l'armurerie la mieux fournie de la ville ? Évidemment que j'en ai plein ! J'ai assez de Taser pour illuminer New York et Boston !
Parfait, songea Nick, parce qu'ils allaient vraisemblablement en avoir bien besoin.

Ambrose attrapa la bibliothèque et la renversa. Les livres anciens qu'il avait si soigneusement amassés s'éparpillèrent sur le sol de son bureau ténébreux. La chute en avait sans doute détruit plusieurs, mais il s'en moquait. La rage brûlait en lui, aussi ardente que mille soleils. Il écumait, à moitié fou.

— Pourquoi ne puis-je arrêter ça ? éructa-t-il.

Pourquoi, avec tous les pouvoirs qu'il maîtrisait, tous les éléments qu'il contrôlait, était-il incapable d'empêcher un gamin de quatorze ans de faire l'imbécile ? Il avait beau se démener, il y avait des événements sur lesquels il n'avait aucun contrôle.

Et il voulait du sang.

Il sentit une main douce et apaisante sur sa joue. Les doigts recouvrirent le tatouage en forme d'arc et de flèche qu'ils avaient eux-mêmes tracé. Le dessin était gravé sur sa peau mais aussi dans son esprit. Artémis, la belle d'entre les belles, la déesse de la chasse, écrasait de sa beauté toutes les autres femmes. Ses longs cheveux roux coulaient jusqu'à sa taille, dont la finesse était mise en valeur par son chiton blanc, la robe typique de la Grèce antique.

— Chuut… Tu ne devrais pas te laisser rapporter comme ça.

La colère d'Ambrose enfla.

— Emporter, corrigea-t-il dans un grondement.

Elle parlait anglais mais sa langue maternelle était le grec ancien, et elle se mélangeait constamment les pinceaux, constata-t-il pour la énième fois.

— Que fais-tu ici, Artémis ?

— J'essaie de te calmer, mon chéri. Il ne faut pas que tu te mettes dans des états pareils. Cela me fait de la peine de te voir souffrir ainsi.

Il sentait ses pouvoirs les plus noirs exiger leur dû, c'est-à-dire qu'il lui tape dessus jusqu'à ce qu'elle en appelle à sa pitié. Des pouvoirs de plus en plus tyranniques, et qu'il avait un mal fou à contenir. Bientôt, il serait incapable de se dominer et il deviendrait comme son père : une machine à tuer dépourvue de toute compassion, de la moindre humanité. Une machine avide de tout anéantir, de supprimer jusqu'au dernier être vivant.

Il riva les yeux sur le mur et se vit enfant. Il s'appelait alors Nick Gautier et, en ce temps-là, n'imaginait pas à quel point les petites décisions hasardeuses qu'il prenait feraient de lui le monstre qu'Ambrose était devenu.

Il allait devoir se sauver lui-même. Et en plus, sauver ceux qu'il aimait, avant qu'il ne soit trop tard. Mais de quelle manière ?

Bon sang, comment avait-il pu être aussi stupide, même à quatorze ans ? C'était tellement dur de regarder en arrière et de voir les visages de ses amis, de ses proches, maintenant qu'il savait ce qu'il adviendrait d'eux s'il ne changeait pas l'histoire. Cela lui faisait si mal qu'il en perdait presque la tête.

Arrêter le processus… Il devait arrêter le processus…

Il se tourna vers Artémis. Il la haïssait. Comme Acheron, elle avait joué un rôle majeur dans sa transformation en Malachai.

Allons, un peu de lucidité. Il avait fait cela lui-même.

Mais c'était plus simple de les blâmer, eux. Ils s'étaient débrouillés pour qu'il fasse les mauvais choix. Des choix qu'il essayait de réparer tant qu'il avait encore la capacité de s'émouvoir, de se soucier du sort de ses proches.

Il poussa un soupir. Le regard d'Artémis était rivé sur lui. C'était le regard de la femme qui l'avait ramené d'entre les morts et avait délivré ses pouvoirs. Des pouvoirs qu'il tentait maintenant de libérer plus tôt dans son existence. S'il en avait possédé ne fût-ce que quelques-uns étant adolescent, il aurait pu sauver ceux qui comptaient le plus pour lui.

Il aurait pu sauver sa mère…

Ce souvenir était si douloureux qu'il fit la grimace, puis s'obligea à changer de sujet.

— Qui est Nekoda ? demanda-t-il à Artémis.

— Jamais entendu parler de lui.

— D'*elle*, Artie. C'est une fille.

La jalousie assombrit aussitôt les yeux verts de la déesse.

— Quel genre de fille ?

— Je ne sais pas. Nick la connaît.

— Mais tu es Nick !

— Exact. Comment puis-je ne pas savoir qui elle est ?

Et comment avait-il pu ne pas la voir en regardant le passé ? Pour quelque mystérieuse raison, pour lui, cette Nekoda n'était qu'un fantôme. Aucun de ses pouvoirs ne lui avait permis d'intégrer cette pièce au puzzle de son passé. C'était incompréhensible. Des éléments pouvaient être altérés, mais il aurait malgré tout dû être capable d'en capter une partie. Or il n'y parvenait pas. Pourquoi ?

Artémis haussa ses fines et élégantes épaules.

— Tu l'as oubliée. Ce sont des choses qui arrivent. Après tout, tu étais humain, autrefois.

Oui, mais il ne l'était plus. Maintenant, il faisait partie de ces créatures que Tabitha et lui avaient chassées et abattues comme des animaux enragés. Et pour ne rien arranger, il était affamé.

Bien sûr, il avait la possibilité de se nourrir sur Artémis. Chaque fois qu'il buvait son sang, il devenait plus fort et plus redoutable. Et, de ce fait, il avait un mal fou à s'empêcher de la tuer et à se retenir d'absorber les pouvoirs de la déesse. De même que ne pas détruire tout et tous ceux qui l'entouraient relevait de la gageure.

Il n'allait pas faire cela…

Si, il allait le faire. Il ne pouvait pas changer ce qu'il était. Il aurait beau lutter contre lui-même, au bout du compte, il deviendrait celui que sa naissance l'avait destiné à être, et rien ne changerait cela.

Pourtant, il refusait de le croire, il niait l'évidence.

Il se regarda de nouveau sur le mur d'images. Il vit l'adolescent qui, assis dans le SUV de Bubba, roulait vers un destin gravé dans son sang, dans son cœur.

— Ne nous laisse pas tomber, Nick, lui disait-on alors. Il faut que tu sois fort.

Il était impératif qu'il ne commette pas les mêmes erreurs. Il avait déjà modifié certains événements, par exemple sa rencontre avec Simi. Mais d'autres étaient restés en l'état.

Il crispa les mâchoires quand l'avenir lui apparut aussi clairement que le passé.

Le jour de l'ultime bataille, celle de Karnarsas, au cours de laquelle il prendrait le commandement de l'armée de son père, approchait. Et ce jour-là, s'il ne modifiait pas le passé, il détruirait le reste des gens qu'il aimait.

Tous, sans exception.

14

Nick sortit du SUV devant la boutique de Bubba et regarda l'heure sur son téléphone portable. Bon sang, il allait être en retard. Il ne lui restait plus assez de temps pour aller manger un morceau.

— Hé, les mecs, je dois filer au club de ma mère, sinon je vais me faire tuer.

Mark, qui se trouvait sur le trottoir, se tendit soudain et huma l'air. Bubba le regarda, puis tourna les yeux vers la rue et cria :

— Dans le magasin, tous ! Vite !

Nick allait demander pourquoi il y avait urgence quand il vit quelque chose qui le pétrifia : des zombies. Qui n'avaient rien de commun avec les joueurs de football momentanément changés. Non, c'étaient de vrais zombies tout de chair pourrie, qui empestaient le cadavre et dont les orbites sans yeux étaient remplies d'une matière laiteuse. Ils remontaient la rue à une vitesse à rendre jaloux des guépards.

Madaug poussa un hurlement avant de se ruer vers la porte. Nick et Caleb l'imitèrent pendant que Mark et Bubba sortaient des battes de base-ball de dessous les sièges du SUV, et Nick songea brièvement à Mary Poppins et à son sac rempli d'accessoires divers et variés.

Simi descendit du véhicule, manifestement prête à foncer sur les zombies. Bubba la retint par le bras.

— Va à l'intérieur avec les garçons, Simi.

Aussitôt, elle afficha une mine boudeuse, mais au lieu de discuter, elle s'exécuta.

— Bon sang, Mark, dis-moi pourquoi j'ai laissé le lance-flammes dans la boutique ! gémit Bubba.

— Probablement à cause des flics…

Bubba arrêta le premier zombie d'un coup de batte en pleine tête.

— Ouais, eh bien, la prochaine fois que je fais un truc aussi idiot, rappelle-moi qu'il vaut mieux être en prison que mort !

— Vite, Nick ! gémit Madaug.

Nick cherchait la bonne clé dans le trousseau que lui avait lancé Bubba, mais il était malhabile, avec une seule main.

— J'essaie, mais, merde, combien de clés tu as sur cet anneau, Bubba ?

Il en avait déjà essayé une douzaine, sans succès, et il en restait une bonne dizaine.

— C'est celle qui est entourée d'un élastique vert !

Deuxième zombie hors service, grâce à un coup de batte bien appliqué.

— Élastique vert ! répéta Bubba en se débarrassant du numéro trois.

Caleb arracha les clés de la main de Nick.

— Faut qu'on se grouille, Nick. On va succomber sous le nombre.

— Je savais bien que j'aurais dû garder cette urine de canard sur moi ! beugla Mark. Pourquoi je me suis lavé, bon sang ?

Nick sentait l'haleine putride des zombies, leur infecte respiration sur son cou quand la porte s'ouvrit enfin. Il faillit tomber dans la boutique quand Simi se rua à l'intérieur.

Madaug allait entrer à son tour lorsqu'un des zombies l'attrapa et le renvoya dans la rue.

Caleb dut faire appel à toute sa volonté pour ne pas dévoiler ses pouvoirs en s'en servant contre les monstres. Il sentait la puanteur de la magie noire, qui imprégnait l'atmosphère. Il fallait compter avec la puissance qui contrôlait les zombies, une puissance très ancienne. Peut-être pas aussi ancienne que lui, mais qui maîtrisait ses pouvoirs à la perfection et n'ignorait rien de ceux de Caleb. Il avait déjà affronté ce bokor, et cette fois, il s'en rendait compte, il avait renforcé son énergie. Le fait que ces zombies soient dépourvus de vie et de volonté propre les rendait infiniment plus dangereux que ne l'avaient été les lycéens momentanément métamorphosés. Et, à la différence des lycéens, ils n'avaient plus rien d'humain : ils n'avaient plus de raison, plus de capacité de compassion. Ils n'étaient plus que des esprits maléfiques infiltrés dans des cadavres.

De toutes les magies noires, celle-là était la pire. Seul un esprit des ténèbres comme celui du Malachai était capable de lever et de diriger une armée de cette ampleur.

Ces créatures étaient des machines à tuer.

À peu près comme les Charontes, même si, Caleb était obligé d'en convenir, Simi ne ressemblait pas à ceux qu'il avait connus par le passé. Elle conservait son apparence humaine et ne s'en départait pas pour faire ripaille sur les zombies. Quelqu'un l'avait éduquée, lui avait appris la notion du bien et du mal.

Il émit un grondement de gorge à peine audible et frappa le zombie qui tenait Madaug. Le crâne de la créature éclata, laissant la mâchoire accrochée à un tendon. Une substance verdâtre gicla sur les mains de Caleb, qui s'empressa de les essuyer sur son tee-shirt.

— Saloperie ! De la morve de zombie !

— Ooooh… fit Simi. Tu crois que ça a un goût de poulet ?

Caleb réprima un haut-le-cœur.

— Je crois que je ne mangerai plus de guacamole de ma vie.

De son côté, Nick cognait sur un autre zombie. Avec l'aide de Simi, il réussit à l'anéantir et à pousser Madaug dans la boutique.

— Hé ! cria Caleb quand il se rendit compte que Nick allait lui refermer la porte au nez et le laisser dans la rue avec leurs agresseurs.

Il rouvrit la porte d'un coup de pied et jeta un regard noir à Nick.

— On n'abandonne pas d'homme.

— On n'est pas à l'armée, mec. Ici, c'est chacun pour soi. Tu restes derrière, tu te fais bouffer.

— Je me souviendrai de ça la prochaine fois que tu seras dehors et moi dedans.

Nick lui décocha un sourire mauvais.

— Ouais, mais les règles auront changé de nouveau.

Il retint la porte, qu'un autre zombie tentait de pousser.

— Oh non !

— Quoi ? demanda Caleb.

— Tu as laissé les clés dans la serrure.

Caleb se serait giflé. Quel idiot il faisait ! Il aida Nick à maintenir la porte fermée tandis que d'autres zombies s'agglutinaient contre le battant.

— Faut vraiment être abruti pour n'avoir pas une de ces serrures automatiques sur la porte !

— Tu parles de Bubba, là. Et ce qu'il dit, c'est qu'avec ce système, il suffirait de briser la vitre, de passer la main à l'intérieur et de débloquer la serrure pour entrer. Le principe de Bubba, c'est : toujours se servir de clés. Et c'est pour ça qu'il en a tellement sur son anneau.

Caleb sentait ses muscles se gonfler alors qu'il maintenait la porte étroitement fermée. De l'autre côté, les zombies s'efforçaient avec toute leur énergie de la pousser.

— Tu sais quoi, Nick ? Je devrais te jeter entre leurs griffes. Après tout, ce n'est pas après moi qu'ils en ont, c'est après toi.

— Sympa, mec.

Sans doute pas, mais si les zombies entraient, Caleb allait être obligé de lâcher sur eux Simi et sa sauce barbecue et là, tant pis pour les humains.

— Écartez-vous, ordonna Madaug.

Nick se retourna et vit Madaug, un lance-roquettes sur l'épaule. Seigneur, mais où avait-il trouvé ça ? Cet engin était-il chargé ? Question idiote. Évidemment qu'il l'était. Et en plus, en parfait état de marche. Mieux, probablement modifié et capable de balayer la moitié du quartier d'un seul projectile.

— Ce n'est pas ce que je pense que c'est, j'espère ? demanda-t-il, les yeux écarquillés.

— Je ne sais pas, mais à mon avis tu aurais intérêt à te mettre à couvert.

À peine s'était-il éloigné de quelques pas que Madaug faisait feu sur les zombies à l'extérieur. La roquette fit exploser la porte, expédiant morceaux de verre et de zombies partout en un geyser rouge et vert qui monta dans la nuit. Simi se lécha les lèvres avec gourmandise, manifestement appâtée.

Mais d'autres zombies prenaient le relais de ceux qui venaient d'être anéantis.

— Mec, pour un génie, tu as vraiment fait un truc idiot, commenta Nick. On n'a plus de porte, et ils sont de plus en plus nombreux.

Par le haut-parleur installé par Bubba dans la cellule capitonnée et mis en position « on », ils entendaient les ex-zombies enfermés, certains criant pour qu'on les libère, d'autres pleurant en appelant leur maman.

Pendant que Bubba et Mark se battaient dehors, détruisant des monstres à cœur joie, Nick courut chercher une hache dans l'arrière-boutique. Il avait vraiment besoin que son bras redevienne fonctionnel. Ou, mieux, qu'on lui greffe un bras artificiel en forme de lame de tronçonneuse, comme dans *Army of Darkness*. Il en aurait fait un excellent usage, là.

Il frissonna soudain : une scène venait de se dessiner dans son esprit. Il était attaqué par... un corbeau ? Non. Mais le corbeau était là, à l'observer, tel un inquiétant gardien. Et le bras de Nick était intact. Les images étaient floues et trop fugaces pour qu'il puisse les voir avec précision. S'agissait-il de la rémanence d'un rêve ? Il avait pourtant l'impression qu'elles étaient des souvenirs d'un événement réel.

— Hourra ! cria Bubba.

Nick rejoignit en courant Madaug et Caleb, qui épaulaient Bubba, lequel neutralisait les zombies avec l'aiguillon puis les achevait à coups de batte. Il s'amusait comme un petit fou, alors que la crainte de se faire tuer tenaillait Nick.

Les zombies se rapprochèrent.

Nick ravala sa peur et tira Simi derrière lui pour la protéger.

— Pourquoi personne dans le voisinage n'a appelé les flics ? Pourquoi ne sont-ils jamais là quand on a besoin d'eux ? gémit-il.

— Ils sont trop occupés à bouffer des beignets, répondit Caleb. Tu sais ce qu'on dit : quand chaque seconde compte, les poulets ne sont plus qu'à quelques minutes.

En voyant le champ de bataille devant lui, Nick fut pris de panique. Bubba et Mark massacraient les zombies comme des ninjas psychopathes, et pourtant le nombre de leurs adversaires ne cessait de croître. Tôt ou tard, ils allaient être submergés.

Terrifié, Nick en vit sortir d'autres de l'ombre. Ils semblaient si déterminés qu'il en déduisit qu'ils avaient été créés pour tuer, pas pour enlever leurs proies.

Il empêcha Simi de foncer dans la mêlée. Elle avait beau être grande, elle n'avait aucune chance contre les zombies, qui arrivaient par vagues pendant que, inlassablement, Madaug rechargeait le lance-roquettes et tirait.

Nick entrevit un éclair de métal. Des renforts munis d'armes blanches ?

Oui, mais des renforts de leur bord. Acheron et Kyrian.

Lorsqu'ils se jetèrent dans la bagarre, Nick se rendit compte qu'eux se battaient vraiment comme des ninjas. Acheron avait un pieu, Kyrian une épée. C'était extraordinaire. Bubba et Mark étaient redoutables mais brutaux, alors que Kyrian bougeait avec grâce, se livrant à une danse aérienne, tournant sur lui-même, tailladant en deux un zombie, puis virevoltant derechef pour en décapiter un autre.

Nick s'attendait qu'Acheron se serve de ses pouvoirs, mais, et il ne comprit pas pourquoi, il n'en fit rien. Il jouait du pieu avec virtuosité et abattait un zombie à chaque coup. Nick se rappela alors ce qu'avait dit Acheron : il préservait son anonymat lorsque, autour de lui, il y avait des étrangers. Des témoins éventuels de ses dons.

Mais pourquoi faire preuve de tant de discrétion alors qu'il était capable d'effacer tous les souvenirs d'une mémoire d'humain ? Il aurait dû jouir du plaisir de la bataille comme Bubba et Mark, puis passer un coup de gomme mentale magique, et le tour aurait été joué.

Face à Bubba, Mark, Acheron et Kyrian, les zombies n'avaient aucune chance. Et, effectivement, en quelques minutes, les débris verdâtres de leurs cadavres jonchèrent le sol.

Kyrian se tourna vers Acheron.

— Dommage qu'ils ne tombent pas en poussière comme les Démons, hein ? J'avoue que je préfère les monstres autonettoyants.

Acheron éclata de rire.

Bubba et Mark considéraient les dégâts.

— Bizarre que personne n'ait appelé la police à cause du boucan du lance-roquettes, commenta Bubba. D'habitude, dès que je l'astique dans ma cour, mes voisins téléphonent, affolés.

Acheron enfonça la pointe de son pieu dans le sol.

— Bonne question.

Kyrian pressa un bouton sur la poignée de son épée, et la lame se rétracta jusqu'à disparaître. Puis il glissa l'épée – enfin, ce qu'il en restait – dans sa poche.

— J'en ai une encore meilleure : qui va nettoyer ce bordel ?

Nick intervint.

— Non, moi, j'en ai une meilleure : comment cache-t-on une tronçonneuse dans un casier d'école ?

Tous le regardèrent, interdits.

Nick montra du doigt les zombies en morceaux par terre.

— Je me dis qu'ils ne vont pas s'arrêter là, or l'école a une politique anti-armes très stricte, et je ne pense pas que les couverts en plastique de la cafétéria seront très efficaces pour combattre ces saletés. J'ai besoin d'une protection, les mecs. Une protection sérieuse et solide.

Son regard dévia vers Madaug, qui tenait toujours le lance-roquettes.

— OK, poursuivit-il, peut-être pas aussi sérieuse que celle-là, mais quand même.

Mark essuya d'un revers de main la sueur qui poissait son front.

— C'est un genre d'apocalypse de zombies. J'ai toujours pensé qu'au cours de mon existence, j'en verrais une. Tout le monde, sauf Bubba, m'a dit que j'étais dingue. Et maintenant, dites-moi : qui est-ce qui est dingue, hein ?

Nick dut se mordre la langue pour s'empêcher de répliquer que c'était bel et bien lui.

Caleb, de son côté, n'avait pas prêté attention à l'échange. Il était préoccupé par les ondes qu'il percevait dans l'atmosphère. Il se tourna vers les deux hommes qui étaient arrivés en renfort. Il ne les connaissait pas, mais sentait très nettement leurs pouvoirs.

À l'instar de Simi et de lui, ils n'étaient pas humains. Il aurait juré que le plus grand était un dieu, et quand ce dernier le regarda, il en fut certain.

Quant à l'autre… c'était un très puissant guerrier, un serviteur de la déesse Artémis. Il faisait partie d'une armée de protecteurs qui avaient vendu leur âme pour protéger l'espèce humaine des créatures comme lui.

— Hé ! s'écria soudain Nick. Où est Simi ? Quelqu'un a vu où elle était partie ?

Personne n'eut le temps de répondre : une nouvelle vague de zombies déferlait des ténèbres. Ils étaient encore plus véloces et laids que les précédents.

Acheron dit à Bubba :

— Évacue tout le monde d'ici.

— Et pour les envoyer où ?

— Chez moi, dit Kyrian. Ma maison est sur First Avenue, Nick connaît. Il y aura quelqu'un pour vous ouvrir la porte.

Ils couraient vers le SUV quand Nick vit Simi qui sortait de la boutique. Elle les rejoignit et sauta sur la banquette.

— Où étais-tu ? lui demanda-t-il.

— Si je te le disais, je serais obligée de te manger, et comme Simi aime bien Nick, elle ne veut pas lui faire de mal, répondit Simi en souriant.

À bon entendeur…

Pendant que tous attachaient leur ceinture, Madaug composa un numéro sur son portable, attendit, puis dit :

— Impossible de joindre Éric. Vous ne pensez pas que quelque chose lui est arrivé, si ?

— Il va bien, affirma Bubba. Tabitha est peut-être un peu barrée, mais elle se bat bien, et à eux deux, ils peuvent affronter des zombies. Des vampires aussi, d'ailleurs.

— Bon sang ! s'exclama Nick, affolé. Ma mère ! Je suis censé être à son club ! Elle m'a dit que si je n'arrivais pas tout de suite, elle viendrait me chercher !

— Et elle se fera capturer par les zombies, dit Mark. J'ai déjà vu ça plein de fois. La femme bourrée de bonnes intentions qui se met en danger pour sauver son petit et se fait enlever et dévorer.

— C'est dans les films, ça, remarqua Bubba.

— Peut-être, n'empêche, ça arrive aussi dans la vraie vie, et aujourd'hui, ce n'est justement pas notre jour de chance. Imagine que les zombies l'embarquent et qu'on meure tous en essayant de la sauver parce qu'elle aura agi bêtement…

Bubba fit faire demi-tour au SUV.

— Mark a raison. On va la chercher.

— Elle doit encore travailler quatre heures, dit Nick.

Mark brandit un pistolet.

— Pas de problème, on va la récupérer d'une façon ou d'une autre.

Nick était horrifié : ils n'allaient quand même pas menacer sa mère avec une arme !

— Tu ne peux pas tirer sur ma mère, Mark ! Tu es fou ou quoi ?

— Le flingue, ce n'est pas pour elle. Je ne vais pas lui tirer dessus, alors calme-toi. Je vais juste lui filer un tranquillisant.

Nick n'eut pas le temps de protester : Bubba avait déjà garé le SUV.

— Mark, viens avec moi. Nick et les gamins, vous restez dans la voiture.

— Non. C'est ma mère. Je viens.

Bubba réfléchit quelques instants, puis céda.

— OK. On n'a pas de temps à perdre, alors suis-moi.

Nick le conduisit jusqu'à la porte de service et frappa. John ouvrit et, lorsqu'il vit Nick, secoua la tête, l'air navré.

— Petit, ta mère va te tuer.

— Où est-elle ?

— Dans sa loge.

Nick précéda Bubba le long de l'étroit couloir jusqu'à l'entrée des loges et frappa au battant. Sa mère ouvrit. Ses cheveux bouffaient, et elle avait le visage couvert d'un épais maquillage. Elle était en peignoir. Le regard qu'elle posa sur lui donna à Nick l'impression d'avoir soudain l'estomac lesté de cailloux.

— Qu'as-tu à dire pour ta défense, Nick Gautier ?

— Euh… que j'ai été attaqué par des zombies ?

— Ne me raconte pas d'âneries.

— Mais c'est la vérité, M'man ! Je te le jure.

Elle n'en crut manifestement rien.

— Tu sais quelle heure il est ?

— L'heure où tu me punis de nouveau ?

Il soupira. Décidément, certains jours, être sincère ne rapportait rien.

— Exactement. Je vais te coller une punition qui durera jusqu'à ce que tes petits-enfants soient adultes.

Bubba s'approcha.

— M'dame, on a un grave problème et on a besoin que vous veniez avec nous.

Les sourcils froncés, elle regarda Bubba comme s'il était fou.

— Je ne peux pas partir. Je dois remonter sur scène dans quelques minutes.

— Avec tout le respect que je vous dois, m'dame, les zombies s'en fichent pas mal. Ils ne patienteront pas.

— Oh, je t'en prie, Bubba, arrête de bourrer le crâne de mon fils avec tes sottises ! Tu lui as déjà fait gober à peu près toutes les inepties de la terre, à part que les petites souris laissent des pièces sous l'oreiller en échange des dents de lait ! Je suis sûre qu'il va finir par rentrer à la maison avec une paire d'ailes collée sur le dos et qu'il m'assurera qu'elles sont réelles.

Elle attrapa Nick par son bras intact.

— Va t'asseoir dans le coin jusqu'à ce que j'aie décidé à quelle punition tu vas avoir droit.

— Mais, M'man…

— Pas de « mais » !

Nick regarda Bubba. Bon sang, ce que c'était pénible de se sentir impuissant. Comment avait-il pu croire ne fût-ce qu'une minute que sa mère l'écouterait ?

Bubba haussa les épaules et, sans laisser à Nick le temps d'intervenir, il planta l'aiguille d'une seringue dans l'épaule de Cherise, qui poussa un cri et recula en titubant. Bubba la récupéra dans ses bras avant qu'elle ne tombe.

— Ben dis donc, Nick, c'est une toute petite chose, ta mère. C'est marrant : quand elle est éveillée, on oublie qu'elle ne pèse rien.

— C'est parce qu'elle a un sacré caractère.

Il l'avait vue lutter pied à pied avec son père, qui était un colosse, sans ciller ni reculer d'un pouce.

— Elle va nous tuer, tu le sais, Bubba ?

Sans répondre, Bubba porta Cherise jusqu'à la sortie. John sursauta quand il passa devant lui.

— Qu'est-ce qu'il y a ?

— Elle s'est évanouie, répondirent en chœur Bubba et Nick.

— Et on la conduit chez le médecin, ajouta Nick.

Il détestait mentir, mais John ne croirait jamais la vérité et Cherise serait probablement renvoyée.

— Le patron ne va pas du tout aimer ça, remarqua John.

— Que faire d'autre si elle est malade ? dit Nick. Ce sont des choses qui arrivent.

Il courut ouvrir la portière pour Bubba afin qu'il puisse installer sa mère le plus vite possible. Cela fait, il l'attacha et s'assit à côté d'elle. Bubba se mit au volant.

Les sourcils froncés, Simi considéra Cherise.

— C'est une drôle d'heure pour faire la sieste. Elle avait si sommeil que ça ?

Le téléphone de Bubba se mit à sonner, évitant à Nick de répondre. Bubba alla se garer plus loin et décrocha.

— Allô ?

Il se rembrunit. Apparemment, on ne lui annonçait pas de bonnes nouvelles. L'estomac soudain serré, Nick se demanda ce qui se passait encore.

Quelle guigne ! Ils ne pouvaient pas avoir un peu de répit ? Enfin, l'essentiel, c'était que sa mère soit en sécurité.

Bubba jeta un coup d'œil à Madaug dans le rétroviseur. Ce dernier pâlit, puis demanda d'une voix tremblante :

— Qu'est-il arrivé ?

Ce fut à son correspondant que Bubba parla.

— D'accord. Je le lui dirai. Y a-t-il autre chose qu'on puisse faire ? Mmm... OK, on se voit là-bas.

Tout le monde avait retenu son souffle. Ce fut Nick qui relâcha le sien le premier.

— Alors ?

— Eh bien, on a un autre problème.

Oh, super. Au point où ils en étaient, ils auraient dû vendre des billets pour le spectacle.

— C'était Éric, Madaug, dit Bubba.

La crainte assombrit le bleu des yeux de Madaug.

— Ils ont été attaqués par des zombies ?

— Oui, mais ils les ont exterminés.

— Ouf ! Pourquoi as-tu l'air aussi perturbé, alors ?

— Éric est allé chez toi. La porte d'entrée était grande ouverte...

Nick retint une exclamation d'effroi. Les traits de Madaug se figèrent, et il blêmit encore.

— Et ?

— Et il a dit que le spectacle était vraiment moche.

Les larmes aux yeux, Madaug regarda ses amis avant de demander d'une voix étouffée :

— Maman et Ian ?

— Aucun signe d'eux. Mais Éric a dit qu'il allait immédiatement appeler la police.

Bouleversé, Nick souffla à Madaug :

— Mec, je suis désolé.

Madaug ne sembla pas l'entendre. Il se prit la tête entre les mains et bredouilla :

— C'est ma faute. Tout est ma faute. Ô mon Dieu... Je voulais juste qu'ils arrêtent de m'embêter. C'est tout ce que je voulais ! Pas que quelqu'un soit blessé ni rien. Et maintenant, ma mère et mon frère ont disparu... Ils ont probablement été dévorés. Mais qu'est-ce que j'ai fait ? Qu'est-ce que j'ai fait ?

Nick imaginait aisément combien Madaug devait souffrir à l'idée d'avoir causé la mort d'êtres qu'il aimait de tout son cœur. Il n'y avait probablement pas pire détresse au monde. Il voulut trouver des mots susceptibles de le réconforter, mais aucun ne lui vint à l'esprit.

Simi tapota gentiment le dos de l'adolescent.

— Je suis triste, petit humain. Simi a perdu sa maman aussi quand elle était enfant, mais peut-être que la tienne va bien. Peut-être même qu'elle est en train de te chercher.

Madaug se tourna vers elle et la serra contre lui. Les yeux de Simi s'écarquillèrent, puis elle lui rendit son étreinte avec enthousiasme.

— C'est OK, petit humain, tu verras. C'est quand on pense que tout va mal que ça s'arrange. Crois-moi. Mon *akri* me répète toujours que la tragédie et l'adversité sont les pierres sur lesquelles on aiguise nos armes afin d'être prêt à livrer de nouvelles batailles. Tu vas craquer un peu, et puis tu seras prêt pour le prochain combat.

Madaug opina, mais lorsqu'il s'écarta de Simi, Nick se rendit compte qu'il avait toujours les larmes aux yeux. Il les essuya et remonta ses lunettes sur son nez.

— Il faut que j'aille chez moi.

Bubba approuva d'un hochement de tête et prit la direction de la maison des St. James. Tous restèrent calmes et silencieux jusqu'à leur arrivée devant chez Madaug. Tout paraissait paisible et normal dans ce quartier aisé, notèrent-ils.

Mais, en réalité, rien n'était paisible ni normal, songea Nick en regardant sa mère inconsciente. À son réveil, elle serait dans une colère noire. Mais mieux valait une mère vivante et furieuse qu'une mère disparue et peut-être morte, comme celle de Madaug. Il tuerait quiconque porterait la main sur Cherise ! Et ce n'était pas une menace en l'air. Il la mettrait à exécution. Après tout, il était le fils de son père.

La police était devant la maison. Les gyrophares trouaient la nuit par intermittence, et un ruban jaune ainsi que des barricades avaient été installés pour tenir les curieux à distance.

Caleb lâcha un long sifflement quand ils descendirent du SUV. Nick s'adressa à Simi.

— Tu veux bien rester dans la voiture pour garder un œil sur ma mère ?

— OK.

Tabitha vint à leur rencontre. Le visage fermé, elle prit Madaug dans ses bras.

— Je suis désolée, mon gars.

— Où est Éric ?

— À l'intérieur, avec ton père.

Madaug partit vers la maison.

— Que s'est-il passé ? demanda Bubba à Tabitha.

Elle passa la main dans ses cheveux, les yeux tournés vers les policiers qui interrogeaient des gens.

— Il y a eu une sale bagarre à l'intérieur. La chambre de Madaug a été mise à sac, et il y a du sang partout dans la cuisine. Les flics pensent que quelqu'un est entré par effraction et a tué la mère de Madaug et son petit frère. Ils ont fait venir des chiens renifleurs pour chercher les corps.

Nick fit la grimace. Il était triste pour Madaug et avait la nausée.

— Comment va Éric ? s'enquit Bubba.

— Il est secoué. Il n'arrête pas de dire qu'il aurait dû être là pour les protéger. Et Madaug ?

Ce fut Mark qui répondit.

— Il est resté super tranquille. Trop tranquille. Comme Éric, il se fait des reproches, il répète que s'il n'avait pas créé le jeu, rien de tout ça ne serait arrivé.

— Je ne sais pas pour toi, mais je me sens vraiment mal, là, demanda Nick à Caleb.

— Ouais, moi aussi. Et je n'arrive pas à comprendre : d'où sortent tous ces zombies vivants ? Ce n'est pas possible que tous aient été changés par le jeu de Madaug.

— Je suis du même avis que Bubba : quelqu'un a dû faire des copies de ce jeu.

— Peut-être. Mais tu ne trouves pas que ce jeu a circulé étrangement vite ?

— C'est-à-dire ?

Caleb regarda les policiers.

— Je pense qu'il y a autre chose. Un truc qui ne colle pas dans ce scénario.

— Tu veux dire autre chose que les vrais zombies qui ont essayé de nous dévorer il y a un moment ?

— Ce que je veux dire, c'est que ce n'est pas juste une histoire de jeu devenu fou. Je sens la main d'un esprit diabolique derrière tout ça.

Nick, qui s'apprêtait à faire un commentaire ironique, décida de s'abstenir : Caleb avait toujours des idées très bizarres, mais à l'heure actuelle, il se pouvait bien, et Dieu fasse que ce ne soit pas le cas, qu'il ait raison.

Quelque chose de terrible était en cours, il le sentait dans toutes les fibres de son corps.

Espérant pouvoir aider Madaug et Éric, il fouilla du regard la foule de badauds. Un individu qui se tenait à l'écart retint son attention. Un homme de haute taille, tout de noir vêtu.

Il le reconnut instantanément et en eut le souffle coupé : Ambrose.

Les éclairs des gyrophares illuminaient par intervalles sa figure sinistre, créaient des zones d'ombre sous ses pommettes, donnaient une luminosité inhumaine à ses yeux.

Dire qu'il avait pensé que son père était l'image même du mal…

Adarian n'était rien comparé à Ambrose.

Et si c'était lui qui était à l'origine de ce cauchemar ?

Bien décidé à éclaircir le mystère, Nick se dirigea vers lui. Ambrose se retourna, riva son regard au sien, et Nick sentit son cœur manquer plusieurs battements quand il vit ses yeux devenir d'un rouge rubis qui scintillait dans le noir. Quelques secondes durant, Ambrose le fixa comme s'il était sur le point de le tuer, puis il se volatilisa.

Nick s'immobilisa, scruta les gens rassemblés là. Personne ne semblait avoir remarqué la subite disparition de l'homme en noir. Ni d'ailleurs s'être alarmé de sa présence auparavant.

— Bon Dieu, mais qu'est-ce que…

Nick n'acheva pas. Il était effaré. Caleb le rejoignit.

— Un truc qui cloche ?

— As-tu remarqué…

Il s'interrompit. Que dire ? Demander à Caleb s'il avait vu Jason Voorhees[1], son oncle cinglé ? Si, selon lui, cet oncle était capable de tuer la mère et le frère de quelqu'un ?

— Qu'aurais-je dû remarquer, Nick ?

— Rien. Laisse tomber. J'ai juste cru voir un truc. Je me suis trompé.

— Tu es sûr ? Tu es livide.

1. Personnage de plusieurs films d'horreur. (*N.d.T.*)

Nick était presque certain d'avoir été victime d'une illusion. Il avait la tête légère, éprouvait une sensation bizarre. Il avait même l'impression d'être sur le point de vomir lorsqu'il sentit une main ferme et douce sur son épaule. Il se retourna et découvrit Nekoda derrière lui. Son visage était pâle mais toujours aussi beau. Elle était son seul rayon de soleil de la journée.

— Que fais-tu ici, Nick ?

Jamais de sa vie il n'avait été aussi heureux de voir quelqu'un. Spontanément, il la prit dans ses bras et la serra contre lui.

Son geste prit Nekoda au dépourvu. Elle se crispa. De toute son existence, personne ne l'avait étreinte ainsi, ni n'avait paru si content de la voir. Des émotions inconnues jusqu'alors l'envahirent. Que lui arrivait-il ?

Elle essaya d'analyser l'étrange phénomène. Il semblait dû au fait que Nick avait noué ses bras autour de son buste, que son souffle lui caressait doucement le cou, que le parfum sucré de ses cheveux lui montait aux narines et lui donnait l'absurde envie de plonger les doigts dans les aériennes mèches en désordre.

— Nick ?

Il ne répondit pas. Il s'était abandonné à la griserie de la chaleur de la jeune fille. En cette nuit de chaos, Nekoda lui communiquait de la sérénité, du calme.

— Je suis désolé, murmura-t-il avant de la lâcher et de s'écarter d'elle. Je n'avais pas l'intention de t'agresser sexuellement. C'est juste que je nage en plein cauchemar depuis des heures et que je suis sacrément content de voir un visage ami.

Il posa la main sur la joue de Nekoda, qui frissonna. Il était son ennemi ! Une créature qu'elle avait juré de tuer. Mais quand elle regardait dans ses yeux bleus, ce n'était pas un monstre qu'elle voyait.

C'était…

… quelque chose qui la subjuguait et la terrifiait à la fois.

Il ne fallait pas qu'elle succombe à son charme, car il n'était dû qu'à ses pouvoirs. Ce garçon était l'incarnation du mal.

Le problème, c'était que Nick n'était pour rien dans cet élan qui la poussait vers lui. Il semblait venir du plus profond d'elle, comme si une partie de son être exigeait de se rapprocher de lui.

C'était vraiment bizarre.

Et si inquiétant qu'elle écarta la main de Nick de sa joue et recula, mettant entre eux assez d'espace pour réussir à reprendre ses esprits.

— Tu n'as pas répondu à ma question, Nick.

Il montra la maison.

— On a ramené Madaug. Et toi, que fais-tu ici ?

— J'habite dans le coin.

Un mensonge. Elle avait été transférée ici par une violente vague de magie, l'équivalent du pouvoir de Nick puissance dix. Si elle n'avait pas su que ce n'était pas le cas, elle aurait dit que c'était lui qui l'avait sommée de venir, mais c'était impossible. Il était trop faible, encore trop humain. Or, ce qu'elle avait ressenti était la force d'une énergie accomplie, mûre, prête à prélever des vies.

— J'ai vu la police et je suis venue aux nouvelles.

— Tu n'aurais pas dû. C'est dangereux.

— Que veux-tu dire ? s'enquit-elle, soudain soucieuse.

Nick jeta un coup d'œil à Caleb qui les regardait, une étrange expression sur le visage.

— Eh bien, il se passe des choses qui…

Non, il ne fallait pas parler de zombies ! Elle le prendrait pour un idiot.

— C'est juste une sale journée. La pleine lune, tout ça… Tu devrais rentrer chez toi. Tu y serais en sécurité.

Nekoda plissa les yeux.

— Essaierais-tu…

Elle marqua une pause, comme si elle cherchait ses mots.

— … de me protéger ?

Oh, il connaissait cette intonation, et elle ne lui disait rien qui vaille.

— Je ne suis pas un macho. Je sais qu'une femme est aussi capable de prendre soin d'elle qu'un mec. Mais il y a des trucs qui… Je suis sûr que tes parents s'inquiètent pour toi et…

— Mais si, tu *essaies* de me protéger !

Un grand sourire se dessina sur les lèvres de la jeune fille, et il ressentit un drôle de pincement à l'estomac.

— Tu es tellement mignon, Nick.

Elle l'embrassa sur la joue.

Nick sentit son cœur se gonfler d'allégresse et son corps s'enflammer au moment où les lèvres de Nekoda touchèrent sa peau. Maintenant, c'était lui qui était en danger.

Pour la première fois de sa vie, cela ne le gênait pas qu'on lui dise qu'il était mignon. D'autant moins qu'elle le lui avait dit en l'embrassant. Évidemment, il aurait préféré un baiser sur les lèvres. Mais du moment qu'elle ne le giflait pas ni ne l'insultait, il n'allait pas pinailler sur l'endroit où elle l'embrassait.

Elle s'écarta de lui, et il vit ses yeux scintiller.

— Merci de t'inquiéter pour moi.

— Tout le plaisir est pour moi.

Il se traita d'idiot : quelle repartie pourrie ! Mais elle ne sembla pas le noter.

— Bien. Je vais y aller. Fais attention à toi, Nick.

— Toi aussi.

Il ne bougea pas lorsqu'elle s'éloigna, afin de humer les effluves de son parfum. Une odeur délicieusement féminine. Il aurait donné n'importe quoi pour suivre Nekoda jusque chez elle.

Caleb claqua des doigts juste sous son nez.

— Hé, mec, elle n'est pas ce que tu crois.

— Qu'est-ce que tu racontes ?
— Que tu dois rester loin d'elle, Nick. Fais-moi confiance, les nanas n'apportent que des ennuis.

Oui, mais c'étaient des ennuis dans lesquels il avait envie de plonger tête la première et de se laisser carrément submerger. Néanmoins, il ne l'admettrait pas devant Caleb, de peur que ce dernier ne se comporte comme un gamin de maternelle en allant rapporter à Nekoda que Nick Gautier avait le béguin pour elle. Oh, la honte qu'il lui collerait !

— Elle est bien, Nekoda, déclara-t-il platement.
— Non, elle ne l'est pas, assura Caleb d'un ton empreint de sincérité. Il faut que tu m'écoutes, petit. Cette fille, c'est ton arrêt de mort.

Nick balaya d'un geste la sinistre affirmation énoncée d'une voix caverneuse à la Vincent Price.

— Tu es un imbécile, Caleb.

Nick partit à grands pas vers le SUV, dans lequel se trouvait toujours sa mère. Mais, alors qu'il arrivait devant la voiture, une image s'imposa à son esprit.

Nekoda.

Elle n'avait plus rien de la fille qui le faisait rire et l'embrassait sur la joue. C'était une autre Nekoda, portant une armure comme les guerriers des temps anciens, avec heaume et bouclier.

Et tenant une épée qu'elle s'apprêtait à lui enfoncer dans le cœur.

15

Madaug était seul dans sa chambre. Il essayait de remettre de l'ordre et pleurait. Ce désastre, il en était à l'origine. Rien n'était censé se passer ainsi. Comment les choses avaient-elles pu tourner aussi mal alors qu'il avait juste tenté de se protéger ? Involontairement, il avait ruiné tant d'existences…

Brian allait être jeté en prison, des camarades de classe étaient morts, Scott ne récupérerait jamais l'usage normal de son bras, et sa mère et son frère étaient probablement morts, dévorés par ceux qu'il avait créés.

Il aurait mieux fait de se jeter sous un bus. Il ne valait même pas le prix de la balle pour l'abattre.

Il entendit soudain un murmure.

Dans un premier temps, il pensa qu'un policier se trouvait derrière la porte avec son père. Puis il se rendit compte que non, que le murmure était dans sa tête, qu'il semblait provenir directement de son cerveau.

Il regarda néanmoins autour de lui, cherchant à localiser la source du son, à voir la personne qui parlait très bas. Mais il ne vit rien, à part les gyrophares des véhicules de police qui clignotaient à travers les lames des persiennes fermées.

— Madaug.

La voix de sa mère !

— Maman ?

Elle ne répondit pas, et il en conclut qu'il avait une hallucination auditive. Super. Voilà qu'en plus de tout le reste, il perdait l'esprit.

Une brume légère apparut devant la fenêtre de sa chambre. Elle ondoya, se resserra jusqu'à former une fine corde qui se posa sur l'appui puis avança en ondulant, gagna son bureau, telle une effrayante chenille et, brusquement, se transforma en un bloc grisâtre. Le bloc se contorsionna et devint une petite vieillarde hideuse qui pointa un index accusateur sur lui.

— Tu tues ta mère et ton frère !

Une image d'eux, gémissant, pleurant, apparut à côté du minuscule fantôme.

Madaug pressa les mains sur ses oreilles.

— Arrêtez ! Ne leur faites pas de mal !

La vieille se rapprocha de l'image, qui s'effaça.

— Veux-tu les sauver, petit ?

Quelle question ! Bien sûr qu'il voulait les sauver !

— Alors, il faut que tu viennes à moi.

Il hésita.

— Vous êtes dans ma chambre. Je suis déjà avec vous.

— Pas ici, imbécile. Je te veux à mes côtés.

Qu'était-il censé faire ? Errer dans les millions d'endroits qui composaient l'agglomération de La Nouvelle-Orléans jusqu'à ce qu'il les retrouve ?

— Où êtes-vous ?

— Au cimetière St. Louis.

Oh, d'accord. Il n'était pas assez atteint mentalement pour s'imaginer qu'il serait facile de ramener sa mère. S'il allait au cimetière, il n'aurait aucune prise sur la situation, et la vieille pourrait faire de lui, de sa mère et de son frère ce que bon lui chanterait.

— Si je fais ça, vous allez me tuer.

La vieille eut un rire sardonique.

— Si tu ne le fais pas, je les tuerai.

Madaug avait envie d'écraser la créature du plat de la main comme une répugnante mouche sur le bureau. Mais il savait qu'il se ferait mal, et rien d'autre. La vieille n'était pas réelle. Elle n'était qu'une illusion.

— Pourquoi m'infligez-vous ça ?

— Parce que tu t'es mêlé de choses qui ne te regardaient pas, petit. Ignorais-tu que priver des humains de leur libre arbitre entraînait de terribles conséquences ?

— Je ne voulais faire de mal à personne. Ça n'a jamais été mon intention. Je voulais juste qu'ils me laissent tranquille.

La vieille haussa les épaules.

— Les intentions n'ont pas d'importance. C'est sur leur résultat qu'on est jugé. Le mal fait au nom de Dieu est toujours le mal. Et quand tu danses avec le diable, ce n'est pas toi qui choisis la musique.

— Quel rapport avec ma mère et mon frère ? Qu'est-ce que ça veut dire ?

— Ça veut dire que le compte à rebours de leurs vies s'accélère et que plus tu tarderas, plus ils auront de chances de mourir.

— Épargnez-les. Je viens.

— Seul, petit. Et prends ton jeu, le *Chasseur de zombies*, enfin, le programme ou je ne sais quoi. Tu as trente minutes pour arriver au cimetière.

Sur cette déclaration comminatoire, elle disparut.

Les nerfs à fleur de peau, Madaug ouvrit les volets de la fenêtre qui donnait sur l'avant de la maison. Le jardin grouillait de policiers. Comment sortir sans se faire remarquer ? De toute façon, jamais il ne réussirait à arriver au cimetière en une demi-heure en marchant.

Il transpirait quand il se décida à descendre l'escalier qui aboutissait dans la cuisine. Il s'arrêta sur la dernière marche : son frère Éric était là avec son équipe, ainsi que Bubba, Mark, Nick et Simi.

— Je vais laisser Mark ici, disait Bubba à Éric. Il te donnera un coup de main pendant que je conduirai Cherise et Nick chez Kyrian. Ensuite, je reviendrai.

— OK. Sois prudent.

— Sûr.

Madaug se glissa discrètement dehors et se fondit dans l'ombre, jusqu'à l'abri dans lequel son père rangeait la tondeuse. C'était également là qu'Éric garait son vieux scooter Honda, qu'il appelait « l'engin ringard ».

Il allait être obligé de s'en servir. Bon sang. Mais pour sauver sa maman, il était prêt à avoir l'air d'un idiot.

Il ouvrit lentement la porte pour éviter qu'elle grince, puis se glissa dans l'entrebâillement. Sans bruit, il s'approcha du scooter et ouvrit le bouchon du réservoir d'essence. Comme il s'y était attendu, il était vide. Et zut. Maudit Éric. Mais lui-même, n'avait-il pas un QI de 160 ? Si. Il devait donc être capable de trouver une solution.

Du calme. Réfléchir. Et… Voilà ! Ce tuyau d'arrosage, il allait en couper un morceau et en faire un siphon.

En un clin d'œil, il vida le réservoir de la tondeuse et transvasa l'essence dans celui du scooter.

La clé de contact était accrochée à un porte-clés mural. Il la prit, ainsi que le casque couvert de poussière et de toiles d'araignées, puis poussa le scooter à travers le jardin, le cœur battant à tout rompre. Il relâcha son souffle quand il atteignit la rue. Personne ne l'avait vu ! Les policiers s'activaient, relevant des empreintes, interrogeant des gens, discutant ensemble. Ils étaient trop occupés pour remarquer un gamin poussant un scooter rouge.

Cela inquiéta Madaug. Des policiers chevronnés auraient dû remarquer son manège. Que quelque chose d'aussi évident leur échappât n'était guère rassurant. Dans l'immédiat, leur absence de vigilance lui rendait service, mais elle était angoissante.

Bon, il songerait à tout cela plus tard. Pour le moment, l'important, c'étaient sa mère et son frère.

Une fois qu'il eut parcouru un pâté de maisons, il poussa un soupir de soulagement, monta sur le scooter et le fit démarrer. Puis il mit les gaz. L'engin était vraiment poussif, mais c'était quand même mieux et plus rapide que de marcher. Il atteindrait le cimetière dans les temps.

— J'arrive, Maman, murmura-t-il.

Il les sauverait, elle et Ian. Ce gosse le rendait peut-être dingue, mais c'était son devoir d'aîné de le protéger.

Nick frissonna, la nuque soudain hérissée de chair de poule. Quelque chose n'allait pas, il le sentait.

L'image de Madaug s'imposa à son esprit. Son camarade avait vraiment un drôle de look avec son casque rouge à l'emblème des Power Rangers, au guidon d'un scooter rouge lui aussi. Il s'éloignait de chez lui à l'insu de tous.

Nick ignorait d'où lui venaient ces images si nettes et ces certitudes. À croire qu'il avait une boule de cristal dans le cerveau.

— Bubba, je crois que Madaug est en train de faire une ânerie.

— Et en quoi ça nous change de d'habitude ?

— Police ! Stop !

Nick se retourna. Deux policiers, l'arme au poing, venaient de lancer l'ordre de ne plus bouger à... Seigneur ! Pas à Madaug. À des zombies.

Les policiers ne tirèrent que lorsque le premier zombie se jeta sur l'un d'eux et enfonça ses dents pourries dans son crâne.

D'autres arrivaient.

— Mon Dieu... souffla Nick, épouvanté.

C'était une véritable armée de morts vivants, et elle arrivait droit sur eux, telle une meute de répugnantes hyènes. Et ils n'avançaient pas en titubant, comme dans les films, non. Ceux-là étaient de super zombies en possession de toutes leurs forces.

— Voilà les voisins, lâcha Caleb en ricanant.

Nick le bouscula, et Bubba appela Mark à tue-tête avant de foncer vers la maison, mais il était trop tard. D'autres zombies arrivaient par l'arrière, et certains étaient déjà entrés. La demeure était maintenant bondée de monstres. Les humains hurlaient, submergés par le nombre.

Nick alla attraper Bubba par le bras pour l'empêcher de courir vers Mark.

— Il faut qu'on se barre !

Bubba lui opposa un visage de pierre.

— T'en fais pas, moi aussi j'ai vu le film. Tu entres pour aider ton pote, et c'est toi qu'ils bouffent. Mark est futé. Il réussira à leur échapper. J'en suis sûr.

Simi sortit du SUV.

— Simi va aller le chercher. Tu te mets à l'abri, et moi, je m'occupe de ces vieux zombies tout moches.

Elle prit dans son sac en forme de cercueil une bouteille de sauce barbecue.

— Mais, Simi…

Inutile de protester : elle était déjà au milieu du jardin, bouteille de sauce à la main, lançant des cris d'allégresse. Bubba poussa Nick dans le SUV.

— Mon bras ! Fais gaffe à mon bras !

La solide prise de Bubba avait déclenché de douloureux élancements dans son membre.

Caleb grimpa à côté de lui, tandis que Bubba se mettait au volant et démarrait en trombe. Il fonça sur les zombies qui remontaient la rue, zigzagua de façon à en écraser le plus possible. Les monstres grondaient, sifflaient en essayant de s'agripper au SUV, mais Bubba, tournant le volant par à-coups, les projetait dans les airs. Nick poussa un cri d'horreur quand l'un d'eux, expédié contre un arbre, eut le crâne qui explosa, et qu'une pluie gluante et multicolore de tissus et d'os se répandit sur le pare-brise.

— Je suis sacrément content que ma mère ne puisse pas voir ça. Elle nous étriperait tous.

Caleb enjamba le dossier pour s'installer sur le siège avant.

— Combien de zombies y a-t-il, à ton avis, Bubba ?

Bubba prit le temps d'en écraser un autre avant de répondre. Nick espéra qu'il s'agissait bien d'un zombie et pas d'un innocent piéton.

— Si on prend en compte tous les gens morts et enterrés à La Nouvelle-Orléans depuis trois cents ans, ça donne un chiffre qui file le tournis. Mark et moi, on s'est débarrassés de quelques dizaines au fil des années… mais ça en laisse quand même un paquet.

— Mais comment un seul sorcier pourrait en sommer autant de se lever et d'être aussi virulents ? Il faudrait qu'il ait une sacrée force mentale.

— Ou bien qu'il ait conclu un pacte avec un être infiniment plus puissant que lui.

— Un dieu, par exemple ? demanda Caleb.

— Ouais. Quelqu'un comme un dieu.

Nick gémit soudain. Une douleur atroce lui vrillait le crâne. Son nez se mit à saigner.

— Hé, ça va ? lui demanda Bubba après l'avoir regardé dans le rétroviseur.

Nick se pinça le nez et renversa la tête en arrière.

— Franchement, je n'en sais rien. Je me sens mal. Vraiment mal.

— Tu gerbes sur ma banquette, mec, et je t'obligerai à nettoyer avec ta langue ! J'ai encore un crédit sur le dos pour cette bagnole, et c'est coton d'enlever l'odeur de vomi du rembourrage.

Mais ce n'était pas de nausée que souffrait Nick. Des images jaillissaient dans son esprit, déclenchant des douleurs effroyables. Il voyait des flammes et sentait une colère d'une violence inouïe monter en lui.

— Hé, Caleb, il n'est quand même pas en train de se changer en zombie ? demanda Bubba, inquiet.

— Non, mais il est vert. Tu as un sac ou quelque chose, au cas où il dégueulerait ?

— Il faut qu'on dépose ma mère et qu'on trouve Madaug ! s'écria Nick.

— Hein ? firent Caleb et Bubba d'une seule voix.

Nick croisa le regard de Bubba dans le rétroviseur.

— Un truc très, très mauvais va se passer.

— Mec, au cas où ça aurait échappé à ton attention, un truc très, très mauvais se passe déjà, et ça a commencé il y a un bout de temps.

— Peut-être qu'on devrait trouver Madaug d'abord, dit Caleb.

— Non, répliqua Nick en posant les yeux sur sa mère. On dépose ma mère en premier. Elle est ma priorité numéro un. Je veux être certain qu'elle est en sécurité.

— Et ensuite, quoi ?

— Ensuite, on fout une raclée à ces connards de zombies.

16

Nick appuyait le front contre la vitre et se concentrait pour tenir bon. Mais que lui arrivait-il ?

Tu me combats. Cesse de te rebeller et tu ne seras plus malade.

Il balaya du regard l'intérieur du SUV. Apparemment, personne d'autre que lui n'avait entendu cette voix. Sa mère était toujours inconsciente, Bubba écoutait la chanson *Iron Man* à la radio et Caleb la fredonnait.

Nick posa les yeux sur Caleb. Son ami était en pleine mutation. Il avait l'impression de voir le processus de la métamorphose qui se jouait sous sa peau. Caleb n'était plus humain. Il était…

… un daeva. Un démon de niveau intermédiaire. Pas foncièrement mauvais. En d'autres temps et d'autres lieux, les daevas étaient des soldats. Ils protégeaient les dieux, étaient leurs messagers. Caleb était un général redouté qui est encore capable de sommer des légions de démons de se réunir et de prendre leur commandement. Sache, Nick, que tous les démons ne sont pas malfaisants. Comme les gens, ils ont des personnalités différentes, des émotions complexes. Certains d'entre eux sont bons, d'autres nuisibles. En ce qui concerne Caleb, il est ton protecteur. Il mourrait pour toi. Alors, avant

de le juger pour ce qu'il est du fait de sa naissance, n'oublie pas que, pas davantage que toi, il ne peut lutter contre son hérédité. Il sera toujours derrière toi, garde du corps idéal et silencieux qui ne bougera pas tant que tu n'auras pas besoin de lui. Nick, crois-tu qu'il prenne plaisir à être au lycée avec toi et les autres quand rien ne l'y oblige ?

L'image de Caleb doté d'ailes s'imposa à l'esprit de Nick. Ses longs cheveux roux flottaient dans le vent, tandis qu'il conduisait une douzaine de démons à la bataille. La peau rouge foncé, il avait des yeux jaunes de serpent et se battait avec une force de titan.

Nick secoua la tête. Il devenait fou…

Non, Nick, tu ne deviens pas fou. Tu prends simplement conscience de ce que tu es, de qui tu es. De tout ce qui, autour de toi, était caché jusqu'à ce jour. Exactement comme je t'avais promis que ce serait le cas.

Qui êtes-vous ?

Ambrose. Et moi aussi, ma mission est de te protéger. Écoute-moi, et je t'apprendrai tout ce que tu as besoin de savoir pour combattre les créatures qui vont venir te chercher. Celles qui dévasteront ton existence si tu continues à vivre sans les voir et donc sans les repousser.

Je ne comprends pas. Pourquoi m'avez-vous fui chez Madaug ?

Je ne t'ai pas fui. J'essayais de sauver ton ami avant que les mortents lui fassent du mal. Mais, pas plus que toi, il ne m'a écouté.

Ouais, c'est ça… Et pourquoi est-ce que je ne crois pas un mot de tout ça ?

C'est pourtant la vérité, Nick. Te rappelles-tu la fillette dans la ruelle ? Celle qui t'a attaqué ?

Comme si je pouvais oublier cette rencontre de film d'épouvante !

Avec leur magie, ils s'étaient débrouillés pour qu'il ne se rappelle rien, mais maintenant, le plus infime détail lui revenait.

Comme je te l'ai dit, ce sont des mortents, Nick. Ils sont sortis de leur trou, et cette fois, ils sont après ton ami Madaug et sa famille. Ils veulent se servir de son jeu vidéo pour prendre le contrôle sur les vivants, car ces derniers possèdent une âme et le libre arbitre. Les zombies vivants sont immunisés contre nos capacités de manipulation et de persuasion. Nous sommes incapables de les diriger comme nous dirigeons les morts vivants. Si les mortents arrivent à s'emparer du jeu de Madaug, ils s'en serviront pour te contrôler, toi, en premier lieu, et ensuite lever une armée de zombies vivants qui attaqueront le monde.

Mais pourquoi moi ? Je ne saisis pas du tout ce qui se passe, ni en quoi ça peut présenter un intérêt pour eux de me contrôler : je ne suis même pas fichu de faire un pas sans trébucher !

Nick, tu es la clé de l'un des pouvoirs les plus redoutables jamais créés. Les batailles autour de toi feront rage. Tu en seras l'enjeu, et elles te vaudront des traumatismes, des cicatrices dont tu ne prendras conscience qu'une fois qu'il sera trop tard. Mais si tu me prêtes une oreille attentive, je te sauverai.

Moi, je suis une clé ? Mec, vous devez confondre avec quelqu'un d'autre.

Pas du tout. Je sais mieux que quiconque combien tu es puissant et ce que tu es capable de réaliser. Si tu te concentres, tu sentiras ces pouvoirs en toi. Tu as passé ta vie à les nier, à te répéter que cela venait de Menyara ou d'un sixième sens. Mais tu possèdes tous ces dons depuis ta naissance et tu dois les accepter, sinon tu perdras tout ce qui compte pour toi.

Et si je ne crois pas un mot de toutes ces conneries ?

La vision d'un gouffre ténébreux s'imposa à Nick. Il se vit plus âgé, ressemblant de manière confondante à Ambrose.

Seul, désespéré. Torturé. Et, par-dessus tout, inhumain et cruel.

S'ils réussissent à te changer en être maléfique, ils auront gagné et tu seras perdu. Tous ceux que tu aimes en paieront le prix.

Tous ceux... Nick secoua la tête pour chasser les terrifiantes images qui lui venaient à l'esprit. Grands dieux, il ne voulait pas devenir le monstre qu'était son père, ni la créature qu'il venait de voir.

Je ne veux pas devenir mauvais !

Il ne suffit pas de ne pas le vouloir pour que ça marche. Ce n'est pas aussi facile que cela, Nick.

Bien sûr que si. Ma mère me dit tout le temps que nous faisons notre choix entre le bien et le mal, que nous sommes ce que nous décidons d'être.

Mais les événements nous amènent à prendre des décisions dont nous ne maîtrisons pas les conséquences. C'est exactement ce qui s'est passé pour ta mère. Tu sais à quel point elle hait son job. Et pourtant, elle danse chaque nuit ; parfois, elle reste plus longtemps pour gagner plus d'argent. Et elle le fait pour toi. Personne ne t'a encore jamais trahi, Nick. Tu ne sais pas ce que c'est, tu n'imagines pas ce que l'on ressent. Les cicatrices ne s'effacent jamais.

Si, j'ai été trahi ! Par Alan, Mike et Tyree !

Et tu veux te venger.

Ouais. Au centuple.

Et voilà. C'est la démonstration que je voulais te faire. Le mal te séduit. Le pouvoir maléfique qui court dans tes veines essaie de te faire prendre le mauvais chemin, le chemin qui te coûtera tout ce qui t'est cher. Il faut que tu maîtrises ta colère avant qu'il ne soit trop tard. La vengeance se retourne toujours contre celui qui l'exerce. Elle te consumera jusqu'à ce qu'il ne reste en toi qu'un immense vide que rien ne pourra combler.

Nick frissonna. Il revoyait ce qui s'était passé cette nuit-là, la joie perverse dans les yeux d'Alan alors qu'il pressait la détente…

Oui, ils paieront. Ta vengeance sera accomplie, mais pas de ta main. Fais-moi confiance, le destin a ses propres plans en ce qui les concerne, et ce qu'il leur réserve est infiniment plus douloureux que tout ce que tu imagineras jamais.

Mmm. Je n'en suis pas sûr : j'ai beaucoup d'imagination. Et puis, laisser courir, c'est plus facile à dire qu'à faire.

Je le sais, crois-moi.

Ambrose se mit à rire et apparut soudain dans le SUV derrière Nick. Translucide, il surgit à côté de Cherise et s'appuya à la portière, comme s'il était un passager supplémentaire. Les yeux lourds de tristesse, il tendit la main et caressa la joue de Cherise. Son expression était si mélancolique, son geste si tendre que l'émotion serra la gorge de Nick. À voir la façon dont il touchait sa mère, on eût dit qu'elle était un fantôme qui le hantait depuis des siècles. Plus bouleversant encore, il la touchait comme si elle était ce qu'il y avait de plus précieux au monde, comme s'il la retrouvait alors qu'il l'avait crue perdue à jamais. Les lèvres tremblantes, il passa doucement les doigts sur ses cheveux et Nick lui dit par télépathie :

Vous l'aimez.

Ambrose acquiesça d'un hochement de tête, et lorsqu'il regarda Nick, ce dernier n'eut aucun doute quant à sa sincérité.

Je ferais n'importe quoi pour qu'il ne lui arrive rien. N'importe quoi pour te garder sur le droit chemin.

Nick sut alors qu'il pouvait lui faire confiance. On ne simulait pas une émotion d'une telle intensité. Chaque mot qu'avait prononcé Ambrose était l'expression de la vérité.

Alors, tu me fais confiance, petit ? demanda Ambrose.

Je pense que oui. Mais à condition que vous ne me trahissiez pas.

Je suis la dernière personne au monde qui ferait cela, Nick. Je vendrais mon âme et donnerais ma vie pour empêcher que tu deviennes comme moi.

Bien. Dites-moi ce que j'ai besoin de savoir.

Il va falloir que tu apprennes à contrôler les zombies.

Nick éclata de rire, ce qui fit sursauter Caleb, qui lui décocha un coup d'œil inquiet.

— Excuse-moi. Je ne voulais pas te faire peur.

Caleb se détendit aussitôt.

— Il en faut davantage pour me faire peur. Apparemment, tu t'amuses dans ta tête, Gautier. Mais rappelle-toi que nous autres, on n'est pas dedans.

Effectivement, Ambrose semblait être le seul à détenir ce pouvoir.

Nick ramena son regard sur lui. Le faisceau des phares des voitures qu'ils croisaient passait à travers son corps immatériel, le rendant luminescent.

Caleb ne peut pas percevoir votre présence ?

Seulement si je le veux.

Et, manifestement, Ambrose ne le voulait pas. Il ne souhaitait être vu et entendu que de Nick.

Qu'êtes-vous ? s'enquit ce dernier.

Que sommes-nous, rectifia Ambrose en les désignant, Nick et lui. *Eh bien, nous sommes les derniers représentants d'une race maudite, ce qui n'est pas nécessairement une mauvaise chose dans la mesure où notre nature première est de faire du mal à autrui. Nous achevons les faibles, ceux qui sont dans la peine… Mais j'espère que la bonté que tu tiens de ta mère t'aidera à influer sur ces mauvais instincts, à les neutraliser, et que tu apprendras à laisser les événements suivre leur cours, ce dont j'ai toujours été incapable.*

Nick l'espérait aussi.

Je ne veux pas ressembler à Adarian !

L'étrange couleur rouge revint dans les yeux d'Ambrose, et Nick songea qu'il n'avait pas besoin d'une piqûre de rappel pour se souvenir que cette créature n'était pas humaine.

Il ne le veut pas non plus, et d'ailleurs il n'est pas l'ordure que tu penses qu'il est. Un jour, tu le comprendras. Et ensemble, avec un peu de chance, nous parviendrons à t'empêcher de marcher dans ses pas. En attendant, il faut que je t'enseigne tout mon savoir, et aussi vite que je le pourrai.

Pourquoi tant de hâte ?

Des flammèches orange se mirent à danser dans les prunelles écarlates d'Ambrose.

Le temps qui m'est imparti court, et bientôt, je ne…

Il s'interrompit. Nick le relança.

Oui ?

Je ne me soucierai plus de rien. De personne. Pas même de toi.

Il prit la main de Nick et fit apparaître une dague finement ouvragée dans sa paume. Des oiseaux en vol montaient en spirale le long de la poignée. Dans la garde en forme de croix était incrusté un rubis qui semblait irradier de chaleur.

Qu'est-ce que c'est ? demanda Nick, les sourcils froncés.

Le sceau des Malachai. Il n'y a rien que tu ne puisses tuer avec cette dague. Dieux, démons, zombies…

Pourquoi me donnez-vous ça ?

En partie parce que, comme ça, je ne serai pas tenté de m'en servir, mais surtout parce que cette dague t'aidera à liquider les zombies qui vont venir te chercher ce soir.

Il plaqua la main sur la partie centrale de la dague.

Ferme les yeux et imagine-la de la taille d'un canif.

Que je… quoi ?

Fais-moi confiance, Nick.

Nick fit ce qu'Ambrose lui demandait et, à la seconde où il créa mentalement l'image, la dague se rétrécit jusqu'à prendre la longueur de son index. Ambrose lui tendit l'étui adéquat.

Voilà. Tu peux l'emporter n'importe où. Pour l'agrandir, il te suffit de l'imaginer de la longueur que tu veux. Tu peux en faire une épée, un sabre ou un couteau.

Vous êtes sérieux ?

Absolument. Tu pourras même franchir les détecteurs de métaux des aéroports. Aucune machine, aucun humain n'est capable de la déceler.

Bon sang, mais comment est-ce possible ?

La tristesse marqua de nouveau l'expression d'Ambrose.

Je vais te montrer ce qui, crois-tu, appartient au domaine de l'impossible, un monde dont tu penses qu'il n'existe pas… et ça ne m'enchante pas d'y être contraint. Mais il est préférable que je sois ton maître plutôt que tu n'aies à faire ton apprentissage comme moi je l'ai fait.

Visiblement, Ambrose avait été diplômé de l'école des coups de pied aux fesses. Nick baissa les yeux sur sa mère endormie tout en demandant :

Quel âge as-tu ?

Oh. Disons que je vis depuis des centaines d'années.

Nick en resta bouche bée. Ambrose semblait avoir vingt-quatre ans, vingt-cinq à tout casser.

Mais Acheron était encore plus vieux que lui…

Et mon père, quel âge a-t-il ?

Cette question découlait logiquement de la précédente. Nick se doutait maintenant qu'Adarian n'était pas le trentenaire qu'il paraissait être.

Ambrose prit la main de Cherise et la porta à son cœur.

Ton père est beaucoup, beaucoup plus vieux que moi.

C'était ce que soupçonnait Nick, mais entendre Ambrose confirmer ses doutes lui coupa le souffle. Comment pouvait-on vivre des siècles et des siècles ? Ce devait être génial !

Et on devait se sentir super seul.

Je vais vivre aussi longtemps ?

Avec un peu de chance, oui, et j'espère qu'au fil de toutes ces années, tu seras plus heureux que je ne l'ai été.

C'est-à-dire ?

C'est-à-dire que tu dois te concentrer sur tes objectifs. Si tu veux sauver Madaug, il faut que tu m'écoutes attentivement, sinon les mortents vous dévoreront tous les deux pour leur petit déjeuner.

OK. J'écoute.

Ambrose jura : le SUV ralentissait.

On arrive chez Kyrian. La première leçon va devoir attendre.

Nick allait demander pourquoi quand, après avoir regardé par la vitre, il comprit : une petite foule était réunie devant la maison. Des garçons et des filles munis de battes de base-ball, des armes bien visibles qui n'étaient probablement que la partie émergée de l'iceberg : ils devaient cacher d'autres armes infiniment plus redoutables.

Nick se tourna vers Caleb.

— Eh, c'est une impression, ou il y a là la moitié de notre classe ?

— Tu ne te trompes pas. Tu as devant toi une collection complète d'abrutis.

Bubba alla se garer dans l'allée où Tad gesticulait, donnant des ordres aux autres. Nick descendit le premier du SUV, suivi d'Ambrose, toujours invisible. Tad leur tournait le dos. Il parlait à un groupe qui incluait Kyle et Alex Peltier, Stone et Casey. Chose étrange, Brynna n'était pas là.

— Il n'y a que quatre Chasseurs de la Nuit en ville ce soir pour combattre les Démons, lesquels profitent de la situation pour attaquer massivement et mettre leurs tueries sur le compte des zombies ! expliquait Tad avec véhémence.

Nick jeta un coup d'œil inquiet à Caleb. Bubba, lui, s'occupait de sortir Cherise du SUV.

Qu'est-ce qu'un Démon ? demanda Nick à Ambrose.

Tu tiens vraiment à le savoir ?

Ouais. Éclaire ma lanterne.

Une lueur étrange brilla dans les prunelles d'Ambrose.

Les Démons sont des vampires voleurs d'âmes. Ils vident les humains de leur sang, mais pas pour se nourrir. C'est juste leur façon de les tuer. Et quand les humains meurent et que leur âme quitte leur corps, les Démons absorbent l'âme, se l'approprient et continuent à vivre grâce à elle.

Ce n'est pas possible. Vous me racontez des conneries.

Oh que non. Un jour, tu seras très proche de plusieurs d'entre eux.

Je n'aime pas ce ton, Ambrose.

Surtout, il n'aimait pas ce qu'Ambrose insinuait.

Tu l'aimeras encore moins lorsque tu feras la connaissance d'un Démon nommé Stryker. Mais ça, c'est une autre histoire. Tad, lui, est un brave garçon. C'est quelqu'un de très distrayant.

Tandis que Bubba portait Cherise vers la maison, Nick continua d'écouter Tad.

— Vu que les Chasseurs de la Nuit sont très occupés, Éric a besoin de nous. Pour ceux qui n'ont pas entendu et se demandent pourquoi ils ont été convoqués, sachez que la mère et le petit frère d'Éric ont disparu. Ils ont été enlevés, pensons-nous, par un bokor. Éric n'a aucune idée de l'endroit où ils peuvent se trouver.

Il regarda Stone et les Peltier.

— On a besoin de vous, les gars, pour les pister et les retrouver.

Stone lança avec mépris en toisant les Peltier :

— Ils ne sont pas foutus de suivre une piste.

Alex allait se jeter sur Stone, mais Kyle l'arrêta.

— Tu ne veux pas tuer le loup, Alex. Les loups ont un goût de poulet desséché.

— Qui est-ce que tu traites de poulet ? s'insurgea Stone.

— Cui-cui, cui-cui... fit Alex en singeant un battement d'ailes.

Cette fois, ce fut Stone qui se rua sur Alex. Kyle intervint de nouveau avec efficacité.

— Du calme, les Garous ! s'écria Tad. Ce n'est pas le moment de faire les imbéciles ! On a besoin de vous.

« Garous. » Encore ce mot, constata Nick. En dépit de ce qu'avait affirmé Tad, il était persuadé que ce n'était pas un terme de jeu vidéo.

Russell se retourna et les vit, Caleb et lui.

— Depuis combien de temps les ras des pâquerettes sont-ils là ?

— On n'est pas des « ras des pâquerettes », rétorqua Caleb. On a plus le droit que n'importe lequel d'entre vous d'être ici.

Stone eut un reniflement de mépris.

— Tu n'es pas dans ton élément, Malphas.

Caleb ouvrit alors la main, comme l'avait fait Ambrose, et une boule de feu apparut. Il la jeta aux pieds de Stone, où elle se fragmenta en une myriade d'éclats qui illuminèrent le corps de l'adolescent.

— Ne m'emmerde pas, Scoubidou. Je ne suis pas un père qui attend de pied ferme de sales gamins pour les corriger.

— Et Gautier travaille maintenant pour Kyrian, ajouta Tad. Il ne va pas tarder à découvrir ce que nous sommes.

— Et qu'est-ce que vous êtes ? demanda Nick.

Carl Samuel, un blond aux yeux bleus ami de Tad, s'avança.

— Nous sommes des écuyers au très ancien lignage, déclara-t-il.

— Et qu'est-ce que ça veut dire ? Que vous vous baladez avec une armure en fer-blanc et une épée en plastique en prétendant être des chevaliers ?

Carl éclata de rire, mais Russ débita un chapelet d'injures bien senties à l'adresse de Nick. Ce fut Tad qui répondit :

— Nous sommes des humains au service de la déesse Artémis. Nous l'aidons, et nous aidons ses soldats à protéger l'espèce humaine des êtres maléfiques dont elle est la proie.

St. Richard est le camp d'entraînement de La Nouvelle-Orléans pour ceux qui, comme nous, descendent d'une longue lignée d'écuyers.

— C'est pour cette raison que nous t'avons mal accueilli, ajouta Carl. Nous n'aimons pas côtoyer le *vulgum pecus* qui ne sait rien de nous. N'y vois rien de personnel.

Rien de personnel ? Bon sang, mais ils avaient été de vrais salauds avec lui ! songea Nick, furieux.

Carl désigna du doigt Stone et les Peltier.

— Eux sont des Garous, comme la plupart des gars de l'équipe de football.

Après une pause, il reprit :

— Hé, Caleb, on ignorait tout de toi et de tes pouvoirs.

— Jusqu'à maintenant, il n'était pas nécessaire de vous mettre au courant. De toute façon, quand vous vous réveillerez demain matin, vous aurez tout oublié.

— Ça ne marche pas sur nous, objecta Stone.

— Oh que si, Scoubidou, ça marche. J'ai souvent procédé à ce petit tour de passe-passe avec toi. C'est même grâce à moi que tu es persuadé d'avoir été enlevé par des extraterrestres.

— Je savais bien qu'il y avait une bonne raison pour que tu me plaises, Caleb ! dit Nick en ricanant.

Caleb se pencha en avant, entre Nick et Ambrose, et chuchota :

— Au fait, patron, tu n'es pas aussi invisible que tu le penses. J'ai entendu tout ce que tu as raconté au gamin, dans la voiture.

Il posa les yeux exactement là où se trouvait Ambrose et ajouta :

— Joli manteau, mais je préfère le costard noir que tu portais la dernière fois qu'on s'est vus.

Ambrose fit un geste, et les autres, stupéfaits, eurent l'impression que quelque chose avait violemment heurté Caleb.

Ne pousse pas le bouchon trop loin, Malphas.

— Bon, écoutez-moi tous attentivement, lança Tad. On va se scinder en quatre groupes et voir ce qu'on peut dénicher.

Alex Peltier montra Nick du pouce.

— Je vais avec Bubba et Nick.

— D'accord. Dès que l'un de vous trouve quelque chose, il prévient les autres, qui arrivent à la rescousse. Inutile de jouer les héros. Nous n'avons pas besoin de mourir ce soir.

Nick n'était pas sûr de comprendre ce qui se passait.

— Pourquoi tu nous as choisis ? demanda-t-il à Alex.

— J'aime aider les bleus, et la plupart des autres me tapent sur les nerfs. Au moins, Bubba et Mark sont toujours prêts à rigoler.

— Ouais, mais je crois que les zombies ont mangé Mark.

— Que... quoi ?

— Eh oui, dit Caleb tristement. Quand on était chez Madaug, les zombies ont attaqué et on n'a pas revu Mark depuis. À mon avis, ça sent le roussi.

Alex paraissait effondré.

— Quelle merde. J'aimais bien quand Mark buvait un coup de trop et jouait aux cartes avec mes oncles et Éros. C'était super marrant.

— Je vais jeter un œil sur ma mère et Bubba, dit Nick. Je reviens.

Il s'était éloigné de quelques pas quand il s'arrêta.

— Alex, tu es vraiment un Garou ?

— Ouais. Tu connais le club qui s'appelle *Le Sanctuaire*, sur Ursulines Avenue ?

— Oui.

— Il appartient à ma famille. On est presque tous des Garous.

— Pas possible ! dit Nick en secouant la tête.

— Eh si.

Nick voyait bien qu'Alex était sérieux, mais ce qu'il lui disait était si invraisemblable qu'il avait du mal à le croire.

— En quoi tu te changes ?

— En ours.

Nick ne put s'empêcher de rire, puis il comprit le sens de l'une des traditions de longue date du *Sanctuaire*.

— C'est vous, les ours, qui lancez des défis au bras de fer pour boire à l'œil ?

— Ça, c'est mon oncle Quinn.

Encore éberlué, Nick pénétra dans la salle de séjour pour avoir des nouvelles de sa mère. Bubba était là et discutait avec Phil. Nick les interrompit pour demander à Bubba où il avait amené Cherise. Elle était dans la chambre d'amis. Nick y monta.

Il entra et s'approcha de l'immense lit aux montants de bois richement sculpté. Cherise dormait. Elle paraissait si fragile, si menue, dans ces draps de satin doré…

Protège ta maman.

La voix de son père résonnait dans les tympans de Nick. Mais il n'avait nul besoin de son père pour connaître ses devoirs. Il était l'homme de la maison, et c'était son boulot de prendre soin de sa mère. Même si elle ne voulait pas de sa protection.

Toutefois, dans l'immédiat, sa priorité était d'arrêter l'apocalypse en cours et de sauver Madaug. Il devait aussi bloquer l'invasion de zombies qui menaçait la ville en interceptant les mortents pour les renvoyer d'où ils venaient.

Quelle ironie ! Hier encore, son plus gros souci était de rattraper le retard qu'il avait pris en chimie durant son séjour à l'hôpital. Aujourd'hui, il était occupé à sauver le monde.

Il était trop jeune pour cela…

Hélas, non, tu ne l'es pas.

Au son de la voix d'Ambrose, il se retourna.

— Où étiez-vous allé ?

Ils étaient seuls. Il pouvait parler à haute voix.

Chercher ceci.

Ambrose lui tendit un vieux livre pas très épais, relié de cuir. Nick l'ouvrit. Les pages en étaient vierges.

— Qu'est-ce que c'est ? Un journal ?

Ton grimoire. Au fur et à mesure que tu libéreras tes pouvoirs, des incantations apparaîtront. Elles te permettront d'affûter tes dons. Des pages s'ajouteront d'elles-mêmes.

— Ne pourrais-je pas avoir les incantations d'abord ?

Ça ne marche pas comme ça, Nick. Tu as la dague que je t'ai donnée ?

— Oui.

Sors-la et pose-la sur la première page.

Nick, toujours handicapé par son bras blessé, cala le livre sur la commode pour ensuite sortir la dague, qu'il plaça comme Ambrose le lui avait indiqué. À la seconde où il la posa, des phrases apparurent sur la page, écrites dans une encre rouge sang. Il allait demander à Ambrose ce qu'elles signifiaient quand, en les déchiffrant, il comprit.

Le voile est fin, et de la sorte tu vois
Ce qui se cache sous l'écorce de bois.
De cette façon, ils ne te trahiront jamais.
Mais prends garde à ne pas devenir leur objet.

Ambrose prit la dague et piqua le bout du doigt de Nick avec la pointe.

— Mais que faites-vous ? s'exclama Nick.

Sans répondre, Ambrose laissa couler deux gouttes de sang sur la page, murmura quelque chose dans une langue inconnue de Nick, et les gouttes s'étirèrent, formèrent un cercle puis se désagrégèrent pour composer d'autres mots.

Ce soir la lune sera pleine
Et tu sentiras l'attraction du mal.
Sois fort et combats-le avec haine.
Ce n'est que si tu as la foi qu'il ne te sera pas fatal.

Ambrose lui rendit la dague.

Chaque fois que tu auras besoin d'un conseil ou d'un avis, sers-toi de cette incantation. Plus tard, tu seras capable, grâce à elle, de déceler des prophéties et de connaître l'avenir.

— C'est vrai ?

Oui. Et là-dessus, je m'en vais. Bonne chance, Nick.

Il était très pâle et paraissait épuisé, comme si quelque chose absorbait ses pouvoirs.

— Merci, Ambrose.

Après son départ, Nick jeta un dernier regard à sa mère puis au livre, qu'il glissa ensuite dans la poche arrière de son jean. D'un pas déterminé, il sortit de la chambre et descendit au rez-de-chaussée, où Phil et Bubba discutaient toujours. Un peu plus tôt, il avait entendu Phil dire que Kyrian l'avait chargé de veiller sur Cherise.

Nick trouvait aberrant que Phil soit aux ordres de Kyrian, mais il s'abstint de tout commentaire sur le sujet. Il savait d'expérience que les adultes détestaient que les enfants se mêlent de leurs affaires.

Phil lui sourit.

— Ne t'en fais pas, Nick. Je la protégerai jusqu'à ton retour.

Bubba jeta un regard dubitatif à Phil.

— Si quelqu'un forçait la porte, je ne vois vraiment pas ce que tu pourrais faire.

— Oh, ne te laisse pas duper par mon look, Bubba. Je suis plus costaud que je n'en ai l'air.

Nick fronça les sourcils. Comme c'était bizarre, ce tatouage sur la main de Phil. Une toile d'araignée. Très discrète, mais que l'on remarquait tout de même. Elle ne collait vraiment pas avec l'apparence de Phil, costume griffé et allure raffinée d'homme d'affaires.

— C'est chouette, ça, remarqua Nick. Vous l'avez fait faire quand vous étiez jeune ?

— C'est ça, répondit Phil en cachant le tatouage sous son autre main.

— Hé, Nick, faut qu'on y aille, dit Bubba.

Nick remercia Phil de s'occuper de sa mère, puis suivit Caleb, Alex et Bubba jusqu'au SUV. Il s'assit sur la banquette et poussa un long soupir.

— C'est juste une impression, ou cette nuit n'en finit pas ?

— Si tu faisais ce que je fais, petit, les nuits te sembleraient encore plus longues, répliqua Bubba.

Nick remarqua qu'il avait l'air vraiment triste.

— Tu t'inquiètes pour Mark, hein ? demanda-t-il.

La question parut hérisser Bubba, mais Nick comprit qu'il ne faisait que simuler. Il était vraiment préoccupé et malheureux.

— Pourquoi je m'inquiéterais pour lui, hein ? C'est un dur à cuire. Aucun zombie ne peut l'attraper. Il est trop bon.

Un ton de matamore, sous lequel Nick entendait la vérité. Dur à cuire ou non, il suffisait d'un coup bien placé pour mettre fin à une vie, et c'était un élément qu'ils avaient tous présent à l'esprit maintenant qu'ils partaient en expédition.

— Alex, comment comptes-tu les trouver ? demanda Bubba.

Alex montra un petit boîtier.

— GPS, dit-il, avant de faire un clin d'œil à Nick et à Caleb.

— Et comment vas-tu récupérer leurs coordonnées ? insista Bubba.

— Grâce au téléphone de Madaug.

— Ah, OK. Dis-moi quelle direction prendre.

Alex eut un petit sourire, ferma les yeux, et Nick comprit qu'il se servait de quelque pouvoir surnaturel et non d'un banal GPS pour localiser Madaug et sa famille. Pendant ce temps, Bubba avait allumé la radio, qui diffusait un bulletin d'information : le maire instaurait un couvre-feu sanitaire en ville à cause d'une épidémie foudroyante de grippe.

— Je vous avais bien dit qu'ils mettraient ça sur le compte d'une maladie contagieuse ! fit Caleb en s'esclaffant.

Bubba prit la direction de Canal Street.

— Ils veulent éviter que les gens paniquent. Difficile de le leur reprocher. Plus il y aura de monde dans les rues, plus il y aura de cadavres à la morgue.

Le journaliste continuait à développer :

— Les forces de police s'occupent de sécuriser la ville. Les résidents sont sommés de rester chez eux. Toute personne trouvée dans la rue sera arrêtée.

— Et les zombies mitraillés, compléta Nick.

— Il faut qu'on fasse demi-tour ? demanda Alex.

— C'est ce que préconise le bon sens, répondit Bubba. Qu'en pensez-vous ?

— Il ne sera pas dit que mon bon sens a pris le pas sur ma stupidité, déclara Nick. Alors je dis : on continue. Et toi, Caleb ?

— Que représente un mandat d'arrêt à l'encontre d'Alex, de Nick ou de moi ? Que dalle : on est mineurs.

— On va jusqu'au bout, donc, conclut Bubba. À l'infini. C'est ce que répétait mon père quand j'étais gosse, pour expliquer qu'on voit toujours quelque chose au-delà de la fin.

— Mais l'infini est sans fin, remarqua Nick.

— Exact. Et ça signifie qu'on continue, encore et encore, quels que soient les obstacles qu'on rencontre, car il existe toujours un moyen de les contourner. Si on doit poursuivre quelque chose jusqu'à l'infini, on s'arme de courage, d'obstination et de détermination, et on y va.

Nick ouvrit la bouche, mais avant qu'il ait eu le temps de prononcer un mot, un choc violent ébranla le SUV, qui échappa au contrôle de Bubba et partit à la dérive.

17

La tête de Nick heurta la vitre si brutalement qu'il vit trente-six chandelles. Le SUV se mit à tanguer d'un côté à l'autre de la voie, à pleine vitesse. Rien ne semblait pouvoir l'arrêter… sauf le mur qu'il emboutit de plein fouet, à l'intersection avec la I-10. L'impact fut si brutal qu'il faillit scinder le véhicule en deux.

Le SUV s'immobilisa. Nick geignit, regarda autour de lui. Bubba, coincé entre le volant et le dossier de son siège, avait perdu connaissance. Du sang dégoulinait sur son tee-shirt de son front fendu. Alex, lui aussi couvert de sang, haletait comme une femme en couches tout en essayant d'ouvrir la portière. Il avait la lèvre ouverte et un œil tuméfié. Mais le plus impressionnant, c'était Caleb, qui avait perdu forme humaine.

Sa peau était écarlate et phosphorescente, et ses pupilles bougeaient, changeant de forme, présentant des facettes comme un diamant taillé. C'était terrifiant.

Nick tenta de bouger, mais il avait si mal que même respirer lui était difficile.

Caleb s'efforçait de détacher sa ceinture de sécurité. L'une de ses mains semblait brisée, mais cela ne paraissait pas le décourager.

— Alex ? On est attaqués, Alex. Tu peux sortir ? demanda-t-il.

Alex émit un son rappelant le grognement d'un ours en colère.

— Quelque chose bloque mes pouvoirs ! Je suis complètement impuissant ! Même pas capable de détacher ma ceinture ! Toi, tes pouvoirs, ils marchent ?

— Non. Je n'arrive pas à me stabiliser sous forme humaine.

Nick huma soudain un affreux remugle. Celui du soufre et de la mort.

Caleb jura et entreprit de donner des coups de pied dans la vitre latérale. Dès qu'il eut brisé le verre, il attrapa Nick et le fit passer dans l'ouverture. L'épaule et le bras soumis à rude épreuve, Nick cria de douleur.

Caleb sortit à son tour, agrippa de nouveau Nick par le bras – celui qui était intact, cette fois – et le traîna derrière lui tout en marmonnant dans un langage inintelligible.

— Eh, mec, il ne faut pas bouger avant l'arrivée des secours, après un accident pareil ! Je crois que j'ai quelque chose de cassé. Si on s'agite, on risque une paralysie de la colonne vertébrale ou un truc comme ça.

— Tu vas avoir plus que ta colonne vertébrale de cassé, répondit Caleb à voix basse.

Il s'était retourné et regardait par-dessus la tête de Nick. Il jura avant de se remettre à tirer le garçon, qu'il poussa dans une canalisation de drainage.

— Ne bouge pas, ne respire même pas.

Qu'est-ce que c'était encore que cette lubie ? se demanda Nick.

Puis il vit ce qui avait tant secoué Caleb.

Des… singes volants !

Grands dieux. Ils n'avaient rien des mignons ouistitis en veste et chapeau des cirques ! Ils étaient énormes, hideux.

À vomir. Ils avaient le crâne chauve, des serres, une peau plissée de shar-pei, et ils empestaient l'œuf pourri abandonné en plein soleil au mois d'août.

Caleb s'apprêta à les combattre. Ils fondirent sur lui en piqué comme les oiseaux dans le film d'Hitchcock, si nombreux que Nick ne voyait même plus sa silhouette.

Terrifié, il s'enfonça plus profondément dans le drain, puis il sortit sa dague et murmura une prière. Qu'une force divine l'aide, quelle qu'elle fût…

Le claquement des battements d'ailes résonnait dans la nuit. Nick, le front ruisselant de sueur, considérait les options qui s'offraient à lui. Il ne voyait pas grand-chose dans le noir. S'il sortait de sa cachette, les singes le verraient et l'écraseraient sous leur masse grouillante.

Que faire ?

Nick ?

La voix de sa mère ! Une illusion. Elle ne pouvait pas être là.

Ils me font du mal, bébé ! Aide-moi, je t'en prie !

Ce n'était pas sa mère. Ce ne pouvait pas être sa mère.

Mais… et si c'était elle ?

Il prit son téléphone, tenté d'appeler chez Kyrian. Puis il se ravisa. S'il s'agissait bien d'une ruse, dès qu'il parlerait, ses ennemis l'entendraient et sauraient où il se cachait.

Il crispa les doigts sur la poignée de sa dague. Une créature rampait sur le sol, à proximité de la canalisation. Et elle se rapprochait inexorablement. Il regarda le rubis étincelant et hésita : cette arme était la seule dont il disposât. S'il la perdait, il serait totalement sans défense.

Quoique, non, peut-être pas… Il possédait quelque chose qui pouvait l'aider. Enfin, il l'espérait.

Il ouvrit le livre, se servit de la fonction lampe de poche du téléphone et renouvela les gestes que lui avait montrés Ambrose. Il se piqua le doigt de la pointe de la dague et fit couler quelques gouttes de sang sur la page vierge.

Puis il demanda :

— Que sont ces créatures qui me pourchassent ?

Son sang prit aussitôt la forme des êtres hideux qui les avaient attaqués. Puis des mots apparurent sous le dessin.

Des démons taahikis. Appartiennent à une sous-culture aux pouvoirs limités. Sont chargés de capturer des objets et des êtres et de les rapporter à leurs maîtres. Dans le cas présent, toi.

— Comment ont-ils neutralisé Caleb et Alex ?

Une nouvelle image montra un médaillon richement décoré. Puis d'autres mots se formèrent sur la page.

Étoile d'Ishtaryn. La kryptonite des démons. Affaiblit tout démon qui entre en contact avec elle, et cela inclut les sang-mêlé comme toi. Mauvaise aussi pour les Garous.

— Mais alors, que puis-je faire ?

Le livre tourna une page de lui-même.

Quand tout a été dit, quand tout a été fait, la seule issue, c'est la fuite.

« Fuite » avait été écrit en lettres majuscules.

Nick referma le livre, le glissa dans sa poche, prêt à suivre le dernier conseil du livre. Il sortit de la canalisation, découvrit avec horreur les restes du SUV de Bubba et pria le Ciel que son ami ne fût pas mort.

Comme il le redoutait, les démons s'aperçurent de sa présence. Ils hurlèrent et volèrent vers lui dans un fracas d'ailes. Il fonça, tête baissée, à toutes jambes. Et pendant quelques minutes, il sembla les battre de vitesse. Mais à l'instant où il se croyait hors de leur portée et sauvé, ils l'attrapèrent et le jetèrent violemment par terre. Il hurla quand son bras et son épaule heurtèrent le sol. La douleur fut si violente qu'il crut qu'il allait mourir.

Cours !

L'ordre fusa dans son esprit.

Il se releva, mais les démons le frappèrent encore et encore sur le dos. Cette fois, ils lui labourèrent les chairs à coups de serres jusqu'à ce qu'il se croie à l'agonie tant il souffrait.

Ne meurs pas. Ne t'avise pas de mourir.

Mais il était trop tard. Sa vision était déjà brouillée. Il distingua à peine le SUV de Bubba quand le véhicule explosa.

Puis tout devint noir.

Nick se réveilla et plaqua aussitôt les mains sur sa tête. Les élancements qui lui traversaient le crâne étaient effroyables. Il avait l'impression que des griffes lui déchiquetaient l'œil droit. Qu'une telle douleur ne le tue pas était incroyable.

Puis il entendit un enfant pleurer. Il cilla, se rendit compte qu'il était allongé à plat ventre sur le sol glacé d'une minuscule geôle et que c'était un garçonnet d'une dizaine d'années, recroquevillé dans un coin, les jambes remontées contre la poitrine, qui sanglotait.

— Chuuuttt… lui souffla Nick.

Il ne voulait pas que l'enfant soit malheureux, mais surtout, il ne voulait plus entendre ses pleurs.

Le jeune garçon ravala ses larmes et lui demanda d'une voix pathétique :

— Tu vas me faire du mal ?

Nick faillit répondre que oui, s'il continuait à pleurer. Il s'en abstint, de peur de traumatiser davantage le pauvre gosse.

— Non. Es-tu le frère de Madaug ?

— Tu connais Madaug ?

— Ouais.

— Il va bien ?

Nick fit la grimace, la tête ravagée par la douleur, et répondit :

— Je n'en ai pas la moindre idée. Tu l'as vu ?

— Oui. Quand ils ont emmené ma maman, ils l'ont laissé ici. Puis ils l'ont repris, ils m'ont enfermé et personne n'est revenu. J'ai peur.

— Ça va aller, affirma Nick en espérant ne pas proférer un énorme mensonge.

— Ce n'est pas ce qu'ils m'ont dit. Ils m'ont dit qu'ils mangeraient ma cervelle.

— Mais non. Il n'y a que les frères aînés qui fassent ça.

Il avait réussi à faire rire l'enfant !

— Je m'appelle Ian. Et toi ?

— Nick.

— Tu peux nous faire sortir d'ici ?

Nick regarda autour de lui. La pièce paraissait dépourvue de porte, ce qui signifiait que, non, il ne pouvait les en faire sortir.

— Comment on entre, Ian ?

Le gamin montra le mur sur sa gauche.

— Une porte apparaît là chaque fois qu'ils arrivent ou s'en vont.

Nick se leva et alla scruter la paroi, en quête d'un bouton, d'un interrupteur, d'un système secret, en pure perte. Il ne voyait et ne touchait qu'un mur lisse.

Il sortit son téléphone pour essayer d'appeler Kyrian. Pas de réseau. Évidemment. Mais il avait quand même encore le livre et la dague. Ils n'étaient donc pas totalement démunis.

Le problème, c'était qu'il se sentait très abattu. Il avait subi trop d'effroyables épreuves en quelques heures. Tout était allé de mal en pis. Alex et Bubba étaient morts. Tabitha, Éric et Mark probablement aussi, ainsi que Simi et Caleb.

Personne, et lui pas davantage qu'un autre, ne savait où il se trouvait.

Que faire ? Il n'entrevoyait même pas un début de solution.

— Ambrose ? appela-t-il, dans l'espoir de réussir à convoquer son protecteur.

Pas de réponse.

— Allez, mec, insista-t-il. Vous avez passé la nuit à surgir et à disparaître comme par magie. Vous ne pouvez pas faire ce tour une fois de plus, maintenant que je veux vraiment vous voir ?

Bien entendu, Ambrose ne se manifesta pas. Ç'aurait été trop simple si ça avait marché !

Nick soupira. Et merde ! Ce n'était pas de cette façon qu'il avait envisagé de finir la journée, quand il s'était réveillé ce matin. Mais voilà qu'il était sur le point d'être dévoré par des démons ou changé en zombie. Qui allait prendre soin de sa mère, maintenant ?

Une vague de désespoir déferla dans son esprit, se retira et laissa derrière elle une détermination féroce : sa mère ne pouvait rester seule et sans défense. Pas question qu'il accepte cela, qu'il s'effondre et pleurniche comme le petit Ian. Il avait survécu à trop de dangers, surmonté trop d'épreuves pour craquer maintenant et périr en sanglotant misérablement comme les nanas dans les films d'épouvante.

Non, non et non. Il était Nick Gautier, toujours droit dans ses bottes, qui répliquait du tac au tac. Personne ne l'avait jamais soumis, et cela n'allait pas commencer aujourd'hui. Si ce qu'Ambrose lui avait dit était vrai, il avait des pouvoirs.

Des pouvoirs dont il devait être capable de se servir. Il lui suffisait de découvrir comment.

Il ouvrit le livre et, de nouveau, après s'être mordillé le bout du doigt, déposa une goutte de sang sur la page vierge.

— Comment puis-je sortir d'ici ?

Ian s'approcha de lui pour voir ce qu'il faisait, mais resta muet lorsque le sang bougea sur la page et se mit à former des mots.

Ici tu es et ici tu resteras,
Tant que tu n'auras pas appris quelle est la bonne voie.

— Euh… Hémoglobine, ce serait bien que tu sois un peu plus claire. Pourrais-tu préciser ?

Né du temps, né de l'espace,
Tu dois d'abord trouver ta place.

— Un « oui » ou un « non », c'est trop demander ? Vas-tu me dire comment sortir d'ici, oui ou non ?

Oui ou non n'est pas ma façon de m'exprimer,
La réponse, c'est à toi de la chercher.

Cette réponse sibylline irrita Nick.
— Oh, tu m'emmerdes !

Peut-être que je t'emmerde comme tu viens de m'en accuser,
Mais ce n'est pas moi qui suis piégé.

— Il fallait que ce soit moi qui hérite du seul bouquin au monde qui insulte son propriétaire ! s'écria Nick, fou de rage, avant de refermer brutalement le livre.
— Qu'est-ce que tu as ? s'enquit Ian, inquiet.
— Là, maintenant ? Envie de faire cramer un bouquin !
Le volume devint brûlant dans sa main, à tel point que le tenir était douloureux.
— Hé, arrête ça ! brailla Nick à l'intention du livre, qui se refroidit immédiatement.

Nick se gratta la tête, perplexe : il venait de se servir de ses pouvoirs. Mais comment avait-il procédé ? Il ferma les yeux et se concentra comme il l'avait fait pour agrandir la dague.

Rien ne se passa. Enfin, si : son mal de tête s'accrut. Mais ce n'était pas ce qu'il attendait. D'autant moins que c'était vraiment inutile, d'avoir l'impression qu'un pilon se déchaînait dans son crâne.

— On va mourir, hein, Nick ? C'est ça ?

— Non, Ian, on ne va pas mourir. Je nous sauverai, je te le promets.

— Et si tu n'y arrives pas ?

— Un peu de confiance, mon gars, OK ?

Ian ravala ses larmes et hocha la tête.

Nick s'était toujours demandé quel effet cela faisait d'avoir un frère ou une sœur. Cela devait être pénible par moments, mais cette façon qu'avait Ian de le regarder comme s'il était un héros... Ouais, on devait s'habituer à ça et, en plus, avoir envie de mériter ce regard.

La porte cachée dans le mur s'ouvrit soudain. Nick se plaça aussitôt devant Ian, tandis qu'une créature grande et sinistre entrait dans la cellule.

— Tu n'es pas content de ton cadeau ? demanda-t-elle.

— Pardon ? demanda Nick, perplexe.

La créature agita la main en direction de Ian.

— Il ne te satisfait pas, monseigneur ?

— Qu'il me satisfasse pour quoi ?

Une autre créature apparut. Une femme petite et très jolie, à la peau foncée. Un ange ténébreux.

— Ton sacrifice humain, monseigneur. Nous pensions que tu l'aurais déjà dévoré.

Les yeux écarquillés d'horreur, Ian s'écarta de Nick.

— Jamais je ne ferais de mal à un enfant.

Les deux créatures semblèrent tout à coup aussi stupéfaites que lui.

Un rire sardonique éclata soudain.

— Retirez-vous, mes enfants. Il n'est pas encore notre Malachai. Pour le moment, il se croit toujours humain, mais il va apprendre. Maintenant, amenez-le-moi.

Ian recommença à pleurer. Nick refusait de le laisser derrière lui.

— Pas question que je l'abandonne. Il est trop effrayé.

— Quelle importance ?

— Ça en a pour moi, répliqua Nick en tendant la main à Ian, qui la saisit et la serra très fort.

— Qu'il prenne donc la petite chose, dit la voix désincarnée. Elle est inoffensive.

— Très bien, concéda la femme en reculant. Si tu veux bien me suivre, monseigneur…

Nick s'exécuta et s'engagea à la suite des créatures dans un long couloir. Il avait l'impression de se trouver dans une vieille usine désaffectée.

— Où sommes-nous ?

— Tu n'as pas à le savoir, répondit la femme en ouvrant une porte.

Elle s'effaça pour laisser entrer Nick et Ian en premier. Nick hésita. Il regarda attentivement autour de lui pour s'assurer qu'aucun danger immédiat ne les menaçait avant de faire un pas en avant.

Il pénétra dans un très vaste espace, manifestement un ancien entrepôt qui, à en juger par les murs verdâtres, les plafonds constellés de toiles d'araignée et les fenêtres brisées, avait connu des jours meilleurs. Mais ce qui capta son attention, ce ne fut pas le délabrement du lieu.

Ce fut la cage qui se dressait au centre de l'entrepôt et dans laquelle étaient enfermés Madaug, sa mère, Éric, Tabitha et Stone.

— Maman ! cria Ian en courant vers sa mère pour la serrer tant bien que mal contre lui en passant les bras entre les barreaux.

Nick n'éprouva guère de soulagement. D'accord, ils étaient vivants, mais trois démons les gardaient. Il reconnut la femme et les deux hommes qui l'avaient attaqué dans la ruelle. Maintenant sous forme humaine, ils étaient habillés de cuir de pied en cap, les hommes en noir, la femme en rouge. Ses cheveux blonds étaient lissés en arrière avec du gel. Elle s'approcha de lui d'une démarche souple et lente.

— Tu nous surprendras toujours, remarqua-t-elle.

Le sens de la remarque échappa à Nick, mais quelque chose lui disait que ce n'était pas positif.

— Que se passe-t-il ici ? demanda-t-il.

D'un geste de la main, la femme désigna un immense moniteur placé contre le mur à sa droite. Il était connecté à un jeu vidéo à l'image figée sur « Pause ».

— Connais-tu le pouvoir de ce jeu ?

— Je connais le pouvoir des jeux en général. Ils sont fascinants.

Sa mère les qualifiait de « dévoreurs de temps », car une fois qu'on avait commencé à jouer, on perdait la notion du temps. Lorsqu'on croyait n'avoir joué que cinq minutes, on découvrait qu'il s'était en fait écoulé une heure. Menyara appelait ces jeux des « outils du diable ».

En l'occurrence, Mennie semblait bien avoir raison : les expressions de Tabitha, de Madaug et d'Éric étaient hébétées.

— Que leur avez-vous fait ?

— Ils ont joué.

Elle tendit à Nick une manette de jeu.

— N'as-tu pas envie de te joindre à eux, de faire une partie et de battre leur score ?

L'un des deux hommes posa la main sur l'épaule de Nick et le poussa vers la femme. Aussitôt, il se sentit étouffé, pris au piège. Une sensation qu'il avait toujours détestée et qui le mettait très en colère.

La femme appuya sur le bouton « Marche ».

— Regarde, Nicholas.

Il voulut se détourner mais l'homme l'en empêcha, le contraignit à rester face à l'écran. Nick ferma alors les yeux, et l'homme lui souleva de force les paupières. Nick résista, puis comprit qu'il n'avait pas le choix. Il fallait qu'il regarde.

Son attention se fixa immédiatement sur le personnage principal, un homme blond vêtu d'un long manteau fluide. Il exécutait une armée de zombies dans un vieux cimetière. La mission du jeu défilait en travers de l'écran. Un besoin viscéral de jouer s'était emparé de Nick, et il n'eut d'autre choix que d'y céder.

Dans un monde ancien où le mal est libre de toute contrainte, il n'existe qu'un espoir pour l'espèce humaine.

Toi.

Ta mission consiste à combattre les zombies, des humains qui se sont changés en tueurs dépourvus d'esprit et d'âme. Va dans le vieux cimetière, puis dans les catacombes où un élixir a été dissimulé il y a bien longtemps par une belle princesse. Récupère armes et protections au fil du chemin jusqu'à ce que tu sois virtuellement indestructible.

Ton intelligence et ton habileté sont les seules choses qu'il soit impossible de te retirer. Mais fais attention. Même tes proches peuvent être changés et se retourner contre toi au cours du combat. Le seul moyen d'accroître ton pouvoir est de manger le cœur de tes ennemis et d'en détruire autant que tu le pourras. Les points que tu gagneras augmenteront la force de tes coups.

Bonne chance, guerrier.

Que les anciens dieux soient avec toi.

Les lumières du jeu s'allumèrent, si vives et hypnotiques que Nick sentit ses pupilles se dilater. Il s'efforça de rester attentif à ce qui l'entourait, sans succès. Il était fasciné par le personnage principal, avait l'impression de ne plus faire qu'un avec cet être de fiction, Nicodemus le Nécromancien se battant contre une armée toujours plus nombreuse de zombies. Chaque coup fatal qu'il portait lui faisait gagner un cœur ou une arme et le rapprochait des catacombes.

— Tu es à nous, lui murmura une voix désincarnée.

Il se sentit glisser dans un brouillard qui masquait tout son environnement. Il jouait, et son monde se résumait à ce jeu. C'était comme se trouver au bord d'un précipice au-delà duquel il voyait jusqu'à l'infini. L'écoulement du temps se ralentit, et l'univers se mit à lui chuchoter des secrets.

Et, comme promis, à chaque adversaire abattu, son pouvoir s'accroissait, et il se rapprochait un peu plus de l'invincibilité.

— Tu es le Malachai.

Les mots pénétrèrent son esprit tandis que les images défilaient, des images de lui anéantissant ses ennemis. Parmi eux, il reconnut Stone et M. Peters. Ils eurent droit à ce qu'ils méritaient. Pas à la mort, c'eût été trop doux, mais à des sévices d'une cruauté effroyable. La situation s'était renversée. Ils se retrouvaient dans la position qui avait été celle de Nick. On se moquait d'eux, on les traitait comme des moins que rien, des larves à écraser.

Tous ceux qui avaient offensé Nick payaient au centuple le mal qu'ils lui avaient fait. Chaque insulte, chaque regard méprisant, chaque remarque injurieuse leur revenait en pleine figure, tel un boomerang meurtrier. Ils en appelaient à la pitié de Nick, mais celui-ci restait sourd à leurs suppliques. Il se vengeait avec délectation.

— Tiens, prends ça, fumier ! Ravale tes mots ignobles, ta méchanceté, ta perversité. Qu'ils t'étouffent, que tu crèves !

— Maintenant, il est des nôtres ! annonça la chef des mortents. Il n'est pas l'œuvre du mal, il est né du sadisme humain.

Elle tendit une épée à Nick.

— Venge-toi de ceux qui t'ont craché dessus. Tue-les et mange leur cerveau.

Nick se tourna vers Stone, qui dardait sur lui des yeux écarquillés de terreur. Toutes les infamies que lui avait infligées Stone, depuis le jour où il avait demandé son expulsion de l'équipe de football jusqu'à celui où il avait essayé de le faire renvoyer de l'école, revinrent à l'esprit de Nick, sans la moindre exception.

Hurlant de rage, Nick se rua sur cet immonde porc, déterminé à l'égorger.

18

Stone tomba en arrière dans la cage, criant comme une gamine de quatre ans qui aurait perdu son jouet préféré. Il levait les bras, les mains jointes, à la fois pour protéger sa tête et mendier la clémence.

Nick goûtait enfin à la vengeance et, ma foi, c'était jouissif. Mais pas suffisant. Il ne se sentait pas comblé. En fait, lorsque la première vague de plaisir se retira, elle ne laissa derrière elle que de l'amertume et une sensation de froid glacial. Nick avait beau se répéter que Stone n'avait que ce qu'il méritait, qu'il devait mourir pour ce qu'il lui avait infligé, à lui et à d'autres, il ne parvenait pas à s'en persuader.

Il finit par comprendre ce qu'Ambrose avait essayé de lui dire à propos de Mike, de Tyree et d'Alan.

« Je ne veux pas devenir comme Stone et les autres », pensa-t-il.

Non, il ne voulait pas ne plus avoir d'amis, de sens moral, être incapable de se réjouir de quoi que ce soit parce que la jalousie et la mesquinerie l'aveugleraient constamment.

Stone était pathétique, faible.

Il ne valait pas la peine que Nick Gautier perde son âme à cause de lui.

Le châtiment serait bien pire pour ce minable s'il le laissait mener sa misérable vie, entouré de faux amis, des gens qui ne l'aimaient pas vraiment, qui ne cherchaient qu'à se servir de lui, à profiter de ce qu'ils pouvaient lui prendre.

Oui, cela, c'était vraiment l'enfer sur terre, et Nick refusait d'y tenir le moindre rôle. Il continuerait à porter des vêtements d'occasion, à vivre dans un taudis avec sa mère et Menyara, et il serait heureux. Stone, lui, resterait malheureux dans sa splendide demeure, croulant sous les gadgets hors de prix que ses parents lui achetaient.

Comment Nick Gautier aurait-il pu désirer ou envier cela ?

— Il ne mérite pas de vivre. Pense à tous ceux qu'il a torturés, et à ceux qu'il torturera à l'avenir si tu l'épargnes !

Nick appuya la pointe de son épée sur la gorge de Stone, qui en mouilla son pantalon et se mit à pleurer. La voix désincarnée insista :

— Fais jaillir le sang de ton ennemi et tu commanderas des armées. Tu seras libre. Personne ne rira plus jamais de toi. Jamais !

Nick sentit une main glacée lui caresser la nuque.

— Vas-y, fais-le. Trouve en toi la force qui contraindra tout être qui croisera ton chemin à te respecter. Il faut que tu élimines tes ennemis pour gagner ce respect et te délivrer du poids de ton passé.

La voix avait raison, la seule façon d'être libre était de tuer ses ennemis.

Mais il existait plusieurs moyens de les abattre. Stone et ceux de son espèce avaient déjà fait trop de dégâts dans la vie de Nick Gautier. Ils avaient abîmé son passé, il n'était pas question qu'ils abîment son avenir aussi.

Brusquement, le livre et la dague dans sa poche devinrent brûlants, comme s'ils recelaient un noyau de feu qui s'était libéré. Mais ce n'était ni la haine ni la soif de revanche qui les avait enflammés. C'était le désir de justice, Nick en était certain. Il y voyait clair, désormais. Il ne voulait pas du respect d'êtres qui avaient moins de valeur à ses yeux que la semelle de ses chaussures usées.

Le seul, l'unique respect qu'il voulait, c'était le sien et celui des gens qui comptaient dans sa vie. Les gens qui l'aimaient et s'inquiétaient pour lui.

Ces gens-là n'étaient pas Stone ni les mortents, et pas davantage le principal de son école ou les snobinards qui la fréquentaient.

Le respect, il le voulait de sa mère et des quelques strip-teaseuses de Bourbon Street qui se donnaient du mal pour l'élever, lui inculquer de bons principes qui feraient de lui un honnête homme. De Menyara aussi, de Liza, de Bubba et de Kyrian.

Par-dessus tout, il le voulait de Nekoda, de pair avec son amour.

Il recula et lança aux mortents :

— Mes ennemis ne sont pas les abrutis de mon école !

Stone et ses semblables avaient contribué à l'endurcir, et il leur en était reconnaissant. Grâce à eux, il avait puisé dans la souffrance force de caractère et dignité. Si cruelles qu'aient été les agressions dont il avait été la cible, il avait su garder la tête haute.

Autant de qualités qui faisaient défaut à Stone et à ses acolytes.

Ses vrais ennemis n'étaient pas les minables qui se moquaient de lui pour des choses auxquelles il ne pouvait remédier. Ses vrais ennemis étaient ceux qui lui mentaient en se prétendant ses amis. Ceux qui voulaient qu'il devienne comme eux et souhaitaient ruiner sa vie, saccager le garçon qu'il avait réussi à être au prix de tant d'efforts.

Il entendit le livre lui murmurer :

— *Arrasee-terra. Gitana mortelay dohn. Erra me tihani vassau. Pur mi.*

Soit : « Montre-moi la vérité. Ne laisse jamais la flatterie ou la haine m'aveugler. Cette vie est la mienne, et je la mènerai avec sagesse. Je le ferai pour moi. »

Pas pour eux.

Il tressaillit lorsqu'un choc électrique le traversa des pieds à la tête. Il eut l'impression qu'un câble brûlant connectait entre elles toutes les cellules de son corps. Pendant un bref instant, il perçut la respiration du cosmos.

— Tuez-le ! cria la chef des mortents.

Il sentit son bras guérir dans l'instant. Il se débarrassa de l'épée qu'ils lui avaient donnée avant de brandir la sienne, sa dague, qu'il fit grandir et avec laquelle il brisa la serrure de la cage. La porte s'ouvrit, et Stone se rua à l'extérieur, hurlant comme un possédé, sans se préoccuper des autres.

— Espèce de lâche ! lui lança Nick avec mépris, tout en chassant les démons qui tentaient de se jeter sur Madaug et Éric, leur mère et Tabitha.

Ian se mit à pleurer de nouveau tandis qu'il essayait, en vain, de faire revenir sa mère à elle. Nick réussit à repousser les agresseurs mais pas longtemps. Pire, ils manipulaient Tabitha, Éric et Madaug, les poussant à l'attaquer car ils savaient que Nick ne toucherait pas à un cheveu de leur tête.

Bon sang, où était cet aiguillon à bestiaux quand il en avait besoin ?

Il n'y avait rien ici qui puisse le remplacer. Un éclair, était-ce trop demander ? Ouais, bon, la nuit était claire. Mais tout de même, un bon orage n'aurait pas été superflu.

Il coupa en deux un démon mâle, puis se tourna vers la femme.

Soudain, il sentit sa main devenir tellement chaude qu'il la crut sur le point de se carboniser, et une image d'Ambrose et de Caleb surgit dans son esprit : ils manipulaient le feu.

Grands dieux, s'ils pouvaient faire apparaître le feu... peut-être pouvait-il, lui, créer de l'électricité.

Il fallait qu'il essaie. Quoi qu'il advienne, s'il jouait l'apprenti sorcier, il ne lui arriverait pas pire que d'être tué par ses propres amis. Ce qui, finalement, serait peut-être la fin la moins dure.

Faites que ça marche... Pourvu que ça marche...

Il tendit le bras, ouvrit la main, et une boule de feu en jaillit, sauta sur Madaug... et le transforma en chèvre.

Ah, merde !

Madaug fonça sur Nick tête la première, cornes en avant, et le projeta contre un démon. Déséquilibré, Nick repoussa le démon d'une bourrade et riva un œil torve sur la chèvre.

— Mec, j'essaie de t'aider !

La chèvre n'en eut cure. Elle fonça de nouveau. Nick s'écarta pour que les cornes n'atteignent pas leur cible, à savoir son entrejambe. Mais il perdit de la sorte une poignée de précieuses secondes et se retrouva encerclé.

Ian sanglotait et criait toujours parce que sa mère ne répondait pas à ses sollicitations.

— J'aimerais bien me réveiller de ce cauchemar, moi aussi ! brailla Nick.

Derechef, il tenta de décocher une autre décharge à Madaug. Dans le mille ! Super. Quoique... Cette fois, la chèvre réagissait mal. Elle tremblait de tout son corps, tressautait comme un condamné à mort sur la chaise électrique.

Non, par pitié, non, que Madaug ne meure pas... Il ne supporterait pas d'être responsable de cette catastrophe.

La chèvre était tombée sur le flanc. Elle eut encore quelques convulsions, puis... plus rien.

Nick crut défaillir d'horreur. Il avait tué son ami et... Mais non ! De la dépouille de la chèvre surgit Madaug, sous son apparence familière d'adolescent.

Nick n'eut pas le temps de se réjouir : des zombies continuaient à arriver.

Et Madaug était toujours l'un d'entre eux. Pire, des zombies vivants se joignaient aux morts vivants et se révélaient encore plus redoutables qu'eux, tels Tabitha et Éric, qui essayaient de lui arracher le bras.

Il se dégagea et fit passer Ian derrière lui pour le sauver des mâchoires de sa mère qui, réveillée, tentait de le mordre.

— Ne pleure pas, petit, je te protège.

Oui, mais lui, qui le protégeait ? Ces fichus pouvoirs, il en aurait eu bien besoin tout de suite. Qu'attendaient-ils pour se manifester ? Il leur aurait bien adressé une invitation en bonne et due forme mais, le temps de la rédiger, il aurait été déchiqueté !

La situation était décourageante. Ses adversaires étaient de plus en plus nombreux, et il s'épuisait. Chaque coup d'épée lui demandait davantage d'efforts. Il ne parvenait plus à tuer les ennemis. Ils reculaient en chancelant, puis revenaient à la charge. Il n'arrivait même plus à les ralentir. Ils le cernaient et salivaient, affamés, pressés de dévorer les quelques cellules cérébrales qui lui restaient.

Mais il était hors de question qu'il abandonne. S'il quittait ce monde, ce serait de la même façon qu'il y était entré : en luttant pour trouver sa respiration.

Rien ni personne ne l'obligerait à renoncer.

Il se battait donc avec l'énergie du désespoir.

Ian caché derrière lui, agrippé à sa chemise, Nick essayait d'atteindre une porte, une fenêtre, afin qu'au moins le garçonnet survive à cette nuit d'épouvante. Mais ses forces s'amenuisaient de plus en plus.

Il entendit un violent craquement sur sa droite. Bon sang, d'autres zombies !

Non. Pas des zombies, mais un énorme pick-up gris, équipé à l'avant de larges lames semblables à celles destinées au fauchage des prairies. Il traversa le mur dans un fracas d'enfer et, évitant de justesse Nick et Ian, fonça à pleine vitesse au milieu des zombies, à qui il fit subir le même sort qu'à de hautes herbes.

Nick se fit la remarque que le conducteur lui rappelait nettement son *geek* préféré.

Mais non, il ne pouvait s'agir de lui… Il était mort.

L'espoir fusa soudain dans son esprit quand il entendit un enthousiaste « Ouaaaais ! » s'élever de l'engin, en même temps que les portières s'ouvraient et que Bubba, Mark, Caleb, Nekoda, Simi et Alex en descendaient. Tous étaient lourdement armés, sauf Simi, dont l'équipement se limitait à une bouteille de sauce barbecue et une grande serviette, le genre que l'on nouait autour du cou pour manger du homard. Mark, qui tenait un lance-flammes, s'avança vers le premier groupe de zombies.

Bubba, lui, resta debout sur le marchepied et prit appui sur le toit du pick-up, une arbalète dans les mains.

— Ta tête, Mark ! brailla-t-il avant de décocher une flèche droit entre les yeux du zombie qui faisait face à son ami.

Nekoda se précipita vers Nick et lui donna un aiguillon. Puis elle prit Ian par la main et courut le mettre à l'abri dans le pick-up. Nick se servit de l'aiguillon pour électrocuter Tabitha, puis Éric, Madaug et leur mère. Leurs cerveaux se reprogrammèrent et ils redevinrent humains, Tabitha en premier. Grondant de rage, elle attrapa le démon le plus proche d'elle par le cou.

— Saloperie, tu m'as changée en zombie !

Elle le transperça à coups de pointes qu'elle avait fait sortir de ses bottes et lui régla son compte.

Nick ne comprenait pas qu'elle se souvînt d'avoir été un zombie, mais il était trop occupé pour l'interroger. Éric détacha sa ceinture de métal, qui se révéla être un câble, c'est-à-dire un fouet parfait. Il se plaça derrière Tabitha pour que Madaug puisse emmener leur mère jusqu'au pick-up de Bubba et l'y mettre à l'abri avec Ian.

Simi arrachait des morceaux à tous les zombies assez stupides pour passer près d'elle. Aucun ne parvenait à la toucher. Elle riait aux éclats.

Caleb, sous son apparence humaine, se battait contre trois démons avec une ardeur et une habileté à faire pâlir Jet Li de jalousie.

Nekoda sortit du pick-up munie d'un katana et s'en servit comme une reine ninja, sous les yeux admiratifs de Nick. Distrait un bref instant, il se ressaisit à temps et électrocuta un zombie avant de le couper en deux d'un coup d'épée.

Ils se battaient comme des lions, anéantissaient une foule d'ennemis, et pourtant les zombies continuaient à arriver. Rien ne semblait pouvoir ralentir l'invasion de cette nouvelle espèce de monstres, ni les coups de poing, ni l'acier des lames, ni le feu. Strictement rien. Bon sang, mais qui les avait entraînés ? Terminator ?

Nekoda cria. Nick se retourna. Deux zombies étaient sur elle, aussi frénétiques que deux chiens affamés sur un unique morceau de viande. Ils allaient la tuer !

Il fallait qu'il agisse. Ambrose lui avait dit qu'il avait le pouvoir de commander aux morts… Ouais, mais Ambrose était peut-être sous l'emprise d'une drogue quelconque, quand il avait dit ça.

À moins qu'il n'ait dit la vérité…

Nick choisit la seconde option et alla aider Nekoda. Le premier zombie le mordit profondément à l'épaule. Merde, il en avait vraiment marre de ce cinéma ! Un coup d'épée dans le cœur régla le sort de la créature.

Du moins le crut-il jusqu'à ce qu'il se rende compte que le monstre continuait à se battre.

— Cours, Kody, cours !

— Pas sans toi.

Un refus très émouvant, mais qui prouvait bien que cette fille était folle.

— Ça s'annonce mal pour nous, Kody.

Elle lui adressa un sourire qui le fit fondre et en même temps régénéra ses forces défaillantes.

— J'ai confiance en toi, Nick.

Et elle fit ce à quoi il s'attendait le moins : elle pressa les lèvres sur les siennes.

Éperdu de bonheur, il eut la sensation que le temps s'était arrêté. Leurs souffles se confondaient, leurs langues se touchaient. Jamais il n'aurait osé rêver de quelque chose d'aussi fabuleux. Son corps était en ébullition.

Super, il aurait eu droit à son premier vrai baiser trois secondes avant de mourir.

Il avait vraiment une veine de pendu.

Kody poussa un cri quand un zombie l'arracha aux bras de Nick et la jeta par terre. Un groupe de monstres s'abattit sur elle.

Nick sentit le livre dans sa poche devenir chaud et l'entendit murmurer :

— Pour contenir les morts, tu as besoin de te voir fort.

Hein ? Qu'est-ce que c'était que ce charabia ? Le livre aussi était shooté ?

À peine avait-il pensé cela qu'il comprit. Brynna avait fait un exposé là-dessus l'année précédente. Sur le moment, il avait trouvé cela stupide, puis il avait saisi le sens.

Il fallait visualiser.

Pour qu'une chose arrive, il était impératif de la voir clairement en esprit. C'était le premier pas vers l'accomplissement, le succès. Les rêves vagues ou fumeux ne menaient à rien. Seuls ceux qui étaient précis, clairs, nets pouvaient devenir réels.

Le même processus qu'avec la dague.

La pensée avait du pouvoir, négatif ou positif. Elle influençait tout, était capable de gorger une personne de puissance ou de la réduire à néant.

Ce soir, avec un peu de chance, la force de la pensée sauverait leurs vies à tous.

Nick ferma les yeux et entra aussitôt dans la peau du personnage principal du jeu créé par Madaug.

Je ne craindrai pas le mal car je suis la créature la plus mauvaise qui existe. Je suis le pouvoir que nul ne peut ébranler. Ma volonté fait loi.

Ils m'obéiront aveuglément. Les morts ne me commandent pas, je les commande. Le pouvoir, le vrai pouvoir vient du fond de soi. Pas de l'extérieur.

Amusé, car c'était le mantra de Musclor, le héros du dessin animé, qui lui était venu à l'esprit, Nick rouvrit les yeux.

Et tout lui parut différent.

Une brume légère nimbait ses amis alors que les zombies baignaient dans une pénombre sinistre. Et il entendait les zombies dans sa tête. Plus précisément, il entendait les esprits maléfiques auxquels les mortents avaient ordonné de ranimer les cadavres.

Les corps n'étaient que des réceptacles. Il était temps de les vider et de les renvoyer chez eux. Tous.

— Pour que les zombies se volatilisent, une simple formule magique et un contact il faut que tu utilises.

Nick secoua la tête. Bon sang que c'était compliqué, ce baragouin !

— Vraiment, livre, tes rimes me les brisent sérieusement !

— Oh, très bien, Malachai. Essaie donc d'en faire dans une langue qui n'est pas la tienne ! Tu as de la veine que je t'aide. Parce que je m'en fous, que tu meures ou que tu vives. Tu sais, je peux me trouver un nouveau maître qui sera enchanté de m'avoir… petit humain !

Le dernier mot avait été lâché comme s'il s'était agi de la pire des insultes.

Ouais, le bouquin avait de sérieux problèmes psychologiques. Mais au moins, son charabia était utile.

— Cendres aux cendres. Poussière à la poussière. Touche les zombies, et dans leur tombe ils vont redescendre.

Les mots sonnaient tellement mieux dans la langue originelle du livre.

— *Tirre Tirre. Grauz sa ton. Dhani Dhani Madabauhn.*

Bon, il suffisait d'énoncer l'incantation pour tuer les zombies. Il fallait aussi, apparemment, les toucher.

Et ça marchait !

Au fur et à mesure qu'il prononçait les paroles magiques et posait la main sur eux, les zombies s'effondraient lourdement sur le sol, comme de mauvais acteurs.

Bubba et les autres reculèrent quand Nick marcha à travers l'amas de corps, marmonnant l'incantation et effleurant les zombies du bout des doigts, jusqu'à ce que ne reste debout que le trio de démons.

Ils rivèrent sur lui un regard assassin.

— Ce n'est pas terminé, Malachai, lui lança la femme, dont les yeux scintillaient dans la pénombre.

— Oh que si, c'est fini. Je renvoie vos fesses puantes dans le trou d'où elles sont sorties. Vous ne me donnez pas d'ordre et ne m'en donnerez jamais.

Un rire démoniaque résonna dans ses oreilles.

— Tu dis cela aujourd'hui, mais demain est un autre jour… Il est tellement plus facile de prendre la mauvaise voie que la bonne. Nous gagnerons, tu verras. En fin de compte, tu te rangeras à nos côtés, je te le garantis.

Nick n'en croyait rien.

— Il ne faut jamais sous-estimer l'entêtement d'un gamin des rues cajun.

Et, d'un seul regard, grâce à ses pouvoirs tout neufs, il fit disparaître les démons.

Tabitha essuya ses lames ensanglantées sur son pantalon et ajouta :

— C'est ça, barrez-vous, bande de sorciers. Je n'ai pas de temps à perdre avec vous !

Nick secoua la tête.

— C'est une bonne chose que tu sois seule dans ton genre, remarqua-t-il.

— Elle a une sœur jumelle, dit Éric.

Nick se refusa à réfléchir à ce que pouvaient donner de tels gènes multipliés par deux. Il préférait savourer sa joie d'avoir chassé les démons et d'être en vie.

Kody vint vers lui.

— Tu vas bien ?

Spontanément, il la prit dans ses bras et la serra contre lui. Il avait besoin d'un contact étroit, chaleureux, réconfortant. Qu'on se jette sur lui pour lui manger le cerveau ou le tuer, cela suffisait !

Seigneur, cela faisait tant de bien...

— Oui, ça va, dit-il. Comment es-tu arrivée ici ?

De la main, elle montra Mark.

— J'étais entourée de zombies quand il a surgi avec son monstrueux pick-up et leur a roulé dessus. Il m'a dit de monter à bord, et je n'ai pas discuté !

— C'est aussi comme ça que je me suis retrouvé mêlé à tout ça, remarqua-t-il en riant.

Mais cela n'expliquait pas tout.

Il s'approcha de Bubba, qui rangeait son arbalète et ses flèches dans le pick-up de Mark. C'était bon de le retrouver sain et sauf, même s'il avait des bosses et des bleus. Nick aurait bien aimé le serrer contre lui mais, tel qu'il connaissait Bubba, celui-ci l'aurait certainement assommé.

— J'ai vu sauter ton SUV, Bubba. Je te croyais mort.

Bubba pointa le doigt vers Alex.

— Je t'avais parlé des Garous, Nick, et de leurs drôles de pouvoirs.

— Un coup de bol qu'ils aient marché, dit Alex. À mon âge, il est rare que je puisse m'en servir quand je le veux. Je les ai utilisés pour nous sortir de là, mais c'est aussi à cause d'eux que le SUV a pété.

Nick se tourna vers Caleb, qui, les bras croisés sur sa poitrine, haussa les sourcils en une mimique arrogante et déclara :

— Oh, ils m'ont filé un sacré coup de pied au cul et, sûr, je vais boiter pendant quelques semaines. Mais je suis plus costaud que je n'en ai l'air. Ces monstres m'ont peut-être flanqué par terre, mais ils n'étaient pas assez forts pour que j'y reste.

Nick sursauta en entendant des craquements derrière lui. Il se retourna. Madaug était en train d'écraser la console de jeux avec un morceau de tuyau de métal qu'il avait probablement trouvé par terre. Il frappa jusqu'à ce que console et disque soient irrémédiablement fichus. Puis, à plusieurs reprises, il sauta à pieds joints sur le tas de débris.

Son saccage terminé, il alla vers sa mère et la prit dans ses bras.

— Je suis désolé d'avoir été à l'origine de tout ça, Maman.

Il attira Ian vers lui pour qu'il se joigne à l'étreinte.

— Je suis tellement content que vous alliez bien tous les deux. Je ne sais pas ce que je ferais s'il vous arrivait malheur. Je vous aime tellement.

— Ça veut dire que je pourrai entrer dans ta chambre quand je voudrai ? demanda Ian en souriant.

Madaug lui donna une bourrade dans l'épaule.

— Faut pas exagérer, petit. Je ne suis pas content à ce point-là.

Éric et Tabitha s'approchèrent.

— Merci, Nick. On a une sacrée dette envers toi.

Nick serra la main tendue d'Éric.

— Pas de problème. Mais la prochaine fois qu'il y aura une attaque de zombies, téléphone à Bubba. N'oublie pas son numéro, hein ! « Composez le 1-888-Ap-Bubba. Si je ne peux pas régler vos problèmes d'une façon, je les réglerai d'une autre. » C'est son slogan, et dedans, il n'y a pas « Nick ». Parce que maintenant, Nick va se retirer du circuit pour travailler avec Kyrian. C'est tout ce à quoi j'aspire ! Je ne veux plus rien savoir des destructions de zombies, d'urine de canard ou d'autres trucs en lien avec le paranormal. Jamais.

Il restait encore une personne avec laquelle Nick devait discuter : Mark.

— Comment as-tu réussi à t'en sortir ?

Simi était allée rejoindre les autres à côté du pick-up en se léchant les doigts.

— Comment ça ? demanda Mark en souriant. Aurais-tu oublié la première règle que je t'ai enseignée, mon gars ?

Nick passa mentalement en revue la liste des nombreuses règles de survie établies par Mark.

— Euh... l'urine de canard repousse toute créature vivante ou morte ?

— Non. Celle-là, c'est la numéro six. Règle numéro un : l'important n'est pas tant de courir plus vite que les zombies mais de courir plus vite que ses amis. Comment crois-tu qu'Éric et Tabitha se soient fait capturer ?

Tabitha éclata de rire.

— Oh, ça va ! L'inspecteur Gadget ici présent a fait un lance-flammes avec le pulvérisateur à peinture et le briquet d'Éric. Je ne suis pas du tout certaine que la maison soit encore debout, mais il nous en a tous sortis et Simi a couvert notre retraite. On s'en serait tirés sans dommage si je n'avais pas eu l'idée idiote de repartir chercher Éric, qui avait trébuché, alors que Mark trafiquait les fils de la voiture de la voisine.

Nick était hilare. Ainsi, Mark n'était pas totalement fou, il en avait la preuve. Faire demi-tour pour récupérer les retardataires, sauf à vouloir être capturé ou tué, était à proscrire, à moins que le retardataire ne soit Bubba, lequel d'ordinaire était lourdement armé.

— Le temps que je me rende compte qu'ils n'étaient pas derrière moi, expliqua Mark à Nick, ils avaient disparu, et j'ai cru qu'ils avaient été dévorés. Mais j'ai vu ta petite amie entre les griffes des zombies et, avec l'aide de Simi, j'ai pu la sortir de là.

— Et comment ont-ils eu Stone ? s'enquit Nick.

— Stone était là ? demanda Tabitha, étonnée.

— Ouais. Ce gros lâche a filé sans demander son reste.

— C'est à cause de types comme lui que les loups-garous ont mauvaise réputation, remarqua Alex.

La mère de Madaug soupira lourdement.

— Vous savez quoi, les enfants ? J'ai eu ma dose d'excitation pour ce soir. Bubba, pourrais-tu me ramener à la maison ? Ian devrait déjà être au lit, et il faudrait que je sonne sacrément les cloches à Madaug et à Éric, mais je n'ai qu'une envie : oublier tout ce qui a trait de près ou de loin au surnaturel.

— Pas de problème, acquiesça Bubba.

— Est-ce que ça signifie que vous allez renoncer à votre statut d'écuyer, madame S. ? s'enquit Alex.

— Jamais de la vie. Cela signifie simplement que j'ai besoin de me reposer.

Elle hissa Ian dans le pick-up, puis monta à son tour et cria :

— Éric et Madaug, ici, immédiatement !

Éric effleura la joue de Tabitha d'un baiser.

— Je t'appelle plus tard, OK ?

Bubba ouvrit la portière côté conducteur pendant que Tabitha et Mark grimpaient côté passager.

— Je les raccompagne puis je reviens chercher la seconde fournée, annonça Bubba.

Nick hocha la tête, prit la main de Nekoda et la serra très fort. Caleb, Simi, Alex, Nekoda et lui étaient la « seconde fournée ».

Il s'approcha de la console et du CD-Rom en miettes et soupira tristement.

— Dommage, c'était un jeu marrant. Sans cette histoire de mutation des joueurs en zombies, il aurait rapporté une fortune.

Tous se figèrent en entendant un léger bruit. Quelque chose se déplaçait dans l'obscurité. Nick se plaça devant Nekoda, et Alex se téléporta vers l'origine du son. Quelques secondes plus tard, il ramenait Stone dans la lumière.

— Pauvre type, lui lança Nick.

— Oh, la ferme, Gautier. Tu n'es qu'un déchet.

— Un déchet peut-être, mais qui a un aiguillon à bestiaux très, très amélioré.

Il en appuya l'extrémité contre la hanche de Stone, pressa le bouton de commande, et Stone fut propulsé à plusieurs mètres. Mais la décharge électrique eut un effet secondaire imprévu : Stone se changea d'humain en loup et retour à une vitesse sidérante, et ainsi de suite, sans parvenir à se stabiliser sous une forme ou une autre.

— Bon sang, mais qu'est-ce que…

— C'est ça, le problème avec les Garous, Nick, expliqua Alex. On reçoit un choc électrique, et on perd tout contrôle sur notre apparence.

Sidéré, Nick regardait Stone, qui tentait de l'insulter au cours des quelques secondes où il était humain.

— Combien de temps ça va durer, Alex ?

— Tu lui as collé une sacrée dose, alors je dirais une heure.

— Le jackpot ! s'exclama Nick en riant.

— Ouais, fit Alex sans conviction. Bon, il faudrait que je rentre chez moi. Je ne voudrais pas me faire sonner les cloches moi aussi. À demain, à l'école.

Et il se volatilisa.

Nick se tourna vers Nekoda.

— Tu sembles accepter toute cette bizarrerie sans sourciller, remarqua-t-il.

— J'ai failli me faire dévorer par des zombies ce soir, Nick, et j'ai roulé dans un véhicule conduit par Bubba. Alors, un gars qui s'évapore comme l'a fait Alex et un autre qui se change en chien, ce n'est pas exactement ce que j'ai vu de plus effrayant au cours des dernières heures.

Simi vint s'appuyer contre l'épaule de Nekoda.

— Simi pense que tu as vu des choses bien, bien plus effrayantes que ça.

Nekoda pâlit légèrement mais ne répondit rien. Nick l'attira à l'écart des autres afin de lui parler en tête à tête. Mais, bon sang, ce que c'était difficile ! Il avait tant à lui dire. Et au fond de lui il craignait encore, malgré tout ce qu'ils avaient vécu ensemble, qu'elle l'éconduise.

— Euh, Kody… je me demandais…

Sa voix mourut, étouffée par l'appréhension.

« Vas-y, Nick, elle t'a embrassé ! » s'ordonna-t-il.

Oui, mais à ce moment-là, elle pensait qu'ils allaient mourir. Et maintenant qu'ils avaient survécu, elle regrettait peut-être ce baiser, se disait qu'elle aurait dû le garder pour un type plus séduisant, plus intelligent. Un type qui ne portait pas une chemise merdique.

— Quoi, Nick ?

« Courage, mec ! Tu as écrabouillé des démons ce soir, alors comment peux-tu reculer maintenant ? »

Parce que combattre des démons était mille fois plus facile que de demander à une fille qui lui plaisait vraiment de sortir avec lui ! Les démons ne pouvaient pas lui briser le cœur, la fille, si, et d'un seul mot.

« Jette-toi à l'eau ! »

Il prit une longue et profonde inspiration, détourna les yeux et bredouilla :

— Aimerais-tu… euh… aller au *Café du Monde*… avec moi… demain après l'école manger des beignets ? Enfin, à condition que ma mère ne m'ait pas étranglé avant pour avoir laissé Bubba lui filer une méga dose de tranquillisant…

Le temps parut s'arrêter jusqu'à ce que Nekoda réponde.

— Sûr. J'aimerais beaucoup. Mais plus de zombies, OK ?

Nick eut brusquement l'impression que des ailes venaient de lui pousser.

— D'accord, plus de zombies.

Mais il entendait la voix d'Ambrose dans sa tête.

Tu n'as appris qu'une partie de la leçon numéro un ce soir, petit. Il en reste neuf. Penses-tu vraiment que tu doives te concentrer sur une fille ?

Honnêtement ? Oui. Parce que lorsqu'il regardait dans les yeux de Kody, il voyait l'avenir. Il y avait en elle quelque chose qui le réchauffait et, après cette nuit, il en avait vraiment besoin. Compte tenu, surtout, des épreuves qu'il devrait affronter à l'avenir.

Détendez-vous, mon vieux ! C'est ma vie, pas la vôtre, et j'entends bien en profiter au maximum, rétorqua-t-il à Ambrose.

Ambrose frémit en entendant la voix de Nick dans sa tête. Il se sentit brusquement glacé. Mais il décida de ne pas gâcher la joie du gamin. Qu'il jouisse donc de sa victoire.

— Malheureusement, Nick, tu vis ma vie et, Dieu nous vienne en aide, nous faisons de nouvelles erreurs, murmura-t-il.

Restait à espérer que, cette fois, ces erreurs n'entraîneraient pas la mort de ceux qu'il aimait.

Et puis, il y avait Nekoda…

Ambrose avait appris depuis des lustres à craindre tous ceux qui l'approchaient et dont il ne voyait rien du passé ni de l'avenir. Chaque fois qu'il avait commis l'erreur de faire confiance à ces gens-là, ils s'étaient évertués à le détruire. Et son instinct lui disait que Nekoda ne ferait pas exception.

Un nouveau visage, une nouvelle chance... Serait-ce suffisant ? Cela restait à vérifier.

Épilogue

Le jour se levait presque quand Bubba déposa Nick devant chez Kyrian. Auparavant, ils avaient dû se rendre en hâte à la boutique pour libérer Brett et ses compagnons de la cellule capitonnée avant que Nick aille affronter le dragon qu'il appelait « Maman ».

Caleb se tenait à côté de lui dans l'allée. Nick rivait sur la maison des yeux écarquillés d'effroi.

— Tu as déjà dû faire quelque chose qui te fichait une trouille bleue, Caleb ?

— Ouais. La peur me serre l'estomac le matin dès que mon réveil sonne et que je me rappelle que je dois me lever pour aller à l'école apprendre des trucs que je sais déjà.

— Je te plains. Comment tu supportes ça ?

Caleb haussa les épaules.

— Tu es ma mission, Nick. Un démon doit accomplir sa mission sans faillir s'il ne veut pas qu'un démon plus puissant que lui lui mange le foie et se cure les dents avec ses os.

Nick n'était pas certain que Caleb plaisantât.

— Mmm, bon. Je voulais juste te dire merci pour tout ce que tu as fait pour me garder sain et sauf. Je suis vraiment désolé que tant d'emmerdements te soient tombés dessus cette nuit et que tu aies pris tant de coups.

Caleb était éberlué : ces paroles venaient droit du cœur ! Au cours des siècles, personne ne l'avait jamais remercié, pas même ceux pour qui il avait versé son sang.

Nick lui tendit la main. Caleb voulut s'éloigner sans rien dire, puis se ravisa. Il n'allait pas tourner le dos à quelqu'un qui était gentil avec lui. C'était trop rare, ce comportement.

— Tout le plaisir était pour moi, Nick.

Il serra la main offerte, puis regarda le bras totalement guéri de Nick.

— Au fait, tu devrais peut-être garder l'attelle un moment : ta mère risque de s'affoler si elle se rend compte que tu n'as plus rien.

Nick remit l'attelle.

— Bonne idée, dit-il en gravissant la première marche du perron. Je te vois à l'école demain ?

— Oui. Le mal garde toujours un œil sur toi, petit, dit Caleb en souriant, avant de se changer en corbeau et de s'envoler.

Nick suivit l'oiseau du regard jusqu'à ce qu'il ait disparu dans le ciel. Quelle journée ! Mais il avait survécu, et il se sentait étrangement mieux par rapport à lui-même et à son avenir. En fait, jamais il ne s'était senti aussi bien, songea-t-il gaiement.

Il frappa à la porte, et ses craintes se ranimèrent et se décuplèrent, tandis qu'il attendait que survienne l'inévitable.

Quelques secondes plus tard, Kyrian ouvrit la porte et s'exclama :

— Dieux merci, tu es rentré ! Ta mère me rend dingue depuis qu'elle s'est réveillée. Comme casse-pieds, elle se pose un peu là.

— Oui, hein ? Si c'était une discipline olympique, elle raflerait toutes les médailles.

Kyrian le fit entrer, referma la porte derrière lui, la verrouilla soigneusement et activa l'alarme.

Cherise arriva en courant de la salle de séjour, se jeta sur Nick et le prit dans ses bras.

— Ô mon Dieu ! Tu es couvert de sang ! Dans quoi t'es-tu fourré ? Où étais-tu ? Je te jure que demain matin, je vais tuer Bubba et Mark. Pour commencer. Ensuite, tu y passeras, monsieur Gautier. Tu ne mettras plus le nez dehors avant la fin des temps.

Nick, qui s'apprêtait à demander une permission de sortie pour son rendez-vous avec Kody, jugea plus sage d'attendre que sa mère se calme. Hors d'elle comme elle l'était maintenant, la réponse serait bien évidemment négative.

— Je suis désolé, Maman. C'était juste une nuit de dingue, et je ne voulais pas qu'il t'arrive quoi que ce soit.

— Qu'il m'arrive quoi que ce soit, mon garçon ? Ce sera un miracle si je ne me fais pas renvoyer !

— Si vous êtes renvoyée, madame Gautier, intervint Kyrian, je vous trouverai un autre emploi.

— Et quel genre d'emploi ? demanda Cherise, soupçonneuse.

— *Le Sanctuaire* appartient à des amis à moi, et je sais qu'ils cherchent une cuisinière et serveuse. Je pourrais vous faire avoir le poste en un clin d'œil.

Cherise s'apaisa aussitôt.

— C'est vrai ? J'ai entendu dire que leurs serveuses recevaient les meilleurs pourboires de toute La Nouvelle-Orléans.

— C'est vrai, madame.

Elle se tourna vers Nick, et sa colère remonta au niveau où elle était avant que Kyrian ait réussi à créer une diversion.

— Je préférerais quand même ne pas être renvoyée à cause de tes manigances, petit ! Maintenant, au lit !

— Que… quoi ? On reste ici ?

Ce fut Kyrian qui répondit.

— Oui. Je dois aller dormir, et ta maman ne sait pas conduire de voiture à changement de vitesses manuel. Je ne peux donc pas lui prêter de véhicule. Rosa sera là dans quelques heures, donc si l'un de vous a besoin de quoi que ce soit quand il se lèvera, qu'il le lui demande.

— Viens, Nick, dit Cherise en se dirigeant vers l'escalier.

Nick la suivit. À mi-chemin, il se retourna pour remercier Kyrian et s'aperçut qu'il bâillait, un grand bâillement qui découvrait ses dents… des crocs longs et acérés.

Oh, merde… Voilà que ça recommençait.

Composition
FACOMPO

Achevé d'imprimer en Espagne
par BLACK PRINT CPI
le 16 septembre 2013.

Dépôt légal : septembre 2013.
EAN 9782290038796
L21EPSN000793N001

ÉDITIONS J'AI LU
87, quai Panhard-et-Levassor, 75013 Paris

Diffusion France et étranger : Flammarion